CYRILLE LUCAR
SERMONS
1598-1602

BYZANTINA NEERLANDICA

EDENDA CURAVERUNT

G. H. BLANKEN · H. J. SCHELTEMA · H. HENNEPHOF

FASCICULUS 4

LEIDEN
E. J. BRILL
1974

Cyrille Lucar

Gravure de Michiel Van der Gucht d'après un portrait en
miniature dans MS Bodley 12, Oxford

CYRILLE LUCAR

SERMONS

1598-1602

ÉDITÉS PAR

KEETJE ROZEMOND

LEIDEN
E. J. BRILL
1974

Publié avec le concours de l'Organisation Néerlandaise pour le
Développement de la Recherche Scientifique (Z.W.O.)

252E
L931
1974

7902025

ISBN   90 04 03976 7

PRINTED IN THE NETHERLANDS

TABLE DES MATIÈRES

INTRODUCTION

Le 15 juin 1970, la Bibliothèque de l'Université de Leyde acquit
à Londres, lors d'une vente publique chez Messieurs Sotheby &
Cie., un manuscrit précieux de Cyrille Lucar [1]. Le recueil fut inscrit
dans la Bibliothèque sur la liste des *Codices Bibliothecae Publicae
Graeci*, où il reçut la cote BPG 122. Le manuscrit se compose
de 571 feuillets, dont les huit premiers contiennent une introduction historique, de même qu'une liste presque complète des lettres
qui figurent dans le volume. C'est une main du dix-huitième siècle
qui a dû insérer ce premier cahier en tête du recueil. Après l'introduction, un mémorandum à l'usage personnel de Cyrille occupe les
feuillets 9 à 223 du manuscrit. Cyrille a folioté ce livre, comme cela
est lisible à partir de son feuillet 12 (f. 18r) jusq'à son avant-dernier
feuillet 230 (f. 222r). (Quelques feuillets numérotés par Cyrille se
sont perdus.) Le mémorandum montre partout comme filigrane un
même écu (f. 9-213), excepté le dernier cahier, qui fait voir un
motif d'animal, probablement un agneau (f. 214-223). Plus loin
dans le manuscrit, les feuillets 459 à 462 et 544 à 560 font encore
découvrir la même filigrane en écu que le mémorandum. Bienqu'un
numérotage de la main de Cyrille ne soit pas visible sur ces feuillets,
ils peuvent, d'après leur contenu, presque certainement être rangés
avec le livre en question. Après le mémorandum, un recueil surtout
de lettres occupe les feuillets 224-571. Les lettres sont pour la
plupart adressées à Cyrille Lucar, tandis qu'une autre collection a
dû appartenir à Maxime Margounios que Cyrille aidait pour sa
correspondance. Déjà au dix-huitième siècle, le mémorandum et les
lettres ont dû former un tout, probablement rassemblé à la même
époque dans une reliure conservée jusqu'à ce jour. Preuve en est le
titre inscrit en haut du premier feuillet du volume: ,,Κυρίλλου τοῦ
Λουκάρεως, Πατριάρχου 'Αλεξανδρείας, καὶ Κωνσταντινουπόλεως,

---

[1] *Bibliotheca Phillippica, Catalogue of French, Spanish, Portuguese, Greek,
Yugoslav and Slavonic Manuscripts* from the Celebrated Collection Formed
by Sir Thomas Phillipps, Bt. (1792-1872), New Series: Sixth Part, Lot 1226,
pp. 34-37.

Μελέται διδαχῶν κατὰ διαφόρους καιροὺς καὶ τόπους ὑπ' αὐτοῦ ἐκφωνη-
θεισῶν. καὶ ᾿Επιστολαὶ τοῦ αὐτοῦ, καὶ ἑτέρων τῶν κατ' ἐκεῖνο καιροῦ
σοφῶν, ἰδιόχειροι." La liste des lettres de la même main que ce titre
montre que le manuscrit avait déjà atteint à cette époque sa
composition définitive, puisque les deux parties égarées du mémorandum (f. 459-462 et 544-560) y sont enregistrées parmi les
lettres.

Pour introduire la liste des lettres, l'écrivain du premier cahier
nous signale apparemment, à la fin de son introduction historique,
un possesseur récent du manuscrit ou d'une partie de celui-ci. De la
*Succincta Eruditorum Graecorum superioris & praesentis saeculi
Recensio*, envoyée en juin 1721 [1] de Bucarest par Demetrius Proco-
pius à Jean Albert Fabricius [2], et éditée l'année d'après par celui-ci
dans sa *Bibliotheca graeca*, notre rédacteur cite le passage suivant
sur Maxime Margounios: ,,Τούτου αἱ πρὸς τὸν Λούκαριν ἐπιστολαί,
καὶ αἱ ἀποκρίσεις αὐτῶν σώζονται χειρόγραφοι ἐν τῇ πληρεστάτῃ
βιβλιοθήκῃ τοῦ ὑψηλοτάτου, καὶ σοφωτάτου ἡγεμόνος πάσης Οὑγ-
γροβλαχίας Κυρίου Κυρίου ᾿Ιωάννου Νικολάου ᾿Αλεξάνδρου Μαυροκορδάτου, ἐν Κωνσταντινουπόλει" [3]. Jean Nicolas Maurocordat, prince
de Moldavie et Valachie au nom de la Sublime Porte, légua sa riche
bibliothèque au patriarcat de Constantinople [4]. Après sa mort, le
14 septembre 1730, la collection était gardée en entier à Constantinople, en tout cas jusqu'en 1749, comme le prouve l'inscription
suivante dans une copie contemporaine d'un Typicon du moyen
âge: ,,᾿Αντεγράφη ἀπαραλλάκτως ἀπὸ χειρογράφου ἐν μεμβράναις
βιβλίου, αὐτοῦ φημὶ τοῦ πρωτοτύπου Τυπικοῦ, σωζομένου ἐν τῇ πληρεστάτῃ Βιβλιοθήκῃ τοῦ σωφοτάτου καὶ ἀοιδίμου Αὐθέντου Νικολάου Βοεβόδα
Μαυροκορδάτου τῇ ἐν Κωνσταντινουπόλει, κατὰ μῆνα ὀκτώβριον

---

[1] Jo. Albertus Fabricius, *Bibliotheca Graeca*, XI, Hamburgi 1722, Demetrii
Procopii Macedonis Moschopolitae Succincta Eruditorum Graecorum
superioris & praesentis saeculi Recensio, p. 804.

[2] Jo. Albertus Fabricius, *op. cit.*, XI, p. (0).

[3] BPG 122, f. 3; Jo. Albertus Fabricius, *op. cit.*, XI, p. 771; K. N. Sathas,
Μεσαιωνικὴ Βιβλιοθήκη, III, Venise 1872, p. 481.

[4] Nik. L. Phoropoulos, Μαυροκορδᾶτος Νικόλαος, Θρησκευτικὴ καὶ ᾿Ηθικὴ
᾿Εγκυκλοπαιδεία, VIII, Athènes 1966, col. 856-857; Bas. Stravidis, Οἰκουμενι-
κὸν Πατριαρχεῖον, Βιβλιοθῆκαι — ᾿Αρχεῖα, ΘΗΕ, IX, col. 843.

ἰνδικτιῶνος δεκάτης τρίτης ἔτους χιλιοστοῦ ἑπτακοσιοστοῦ τεσσαρακοστοῦ ἐννάτου ἀπὸ τῆς ἐνσάρκου οἰκονομίας".[1]

A l'intérieur de la reliure du manuscrit de Cyrille Lucar est collé l'ex-libris aux armoires de ,,The Honorable Frederic North'' avec la devise: ,,La vertu est la seule noblesse''. Philhellène passionné, depuis 1791 membre de l'Eglise orthodoxe orientale, Frédéric North, cinquième Comte de Guilford [2], a probablement découvert notre manuscrit au début du dix-neuvième siècle, lors d'un de ses grands voyages en Grèce et en Europe de l'Est. Peut-être l'a-t-il acquis en même temps qu'un manuscrit du patriarche de Constantinople, Jérémie III, qui contient un index de la même écriture [3]. Provenant de la vente Guilford, ce manuscrit figurait en 1968 dans le catalogue de la Bibliotheca Phillippica,, dressé par Messieurs Sotheby & Cie [4]. Peut-être encore le comte de Guilford a-t-il trouvé le manuscrit de Cyrille Lucar avec le Πρὸς Γερμανοὺς λόγος περὶ εἰρήνης, Oratio ad Germanos de pace d'Alexandre Maurocordat; ce dernier manuscrit, en possession de la Bibliothèque de l'Université de Leyde, provient de la bibliothèque de Jean Nicolas Maurocordat, et porte l'ex-libris de Frédéric North, marqué du numéro 167 [5]. (Le manuscrit de Cyrille Lucar est pourvu du numéro 25 de la bibliothèque de North). Le 10 décembre 1830, notre manuscrit fut mis à l'enchère avec la bibliothèque du comte de Guilford, par le célèbre vendeur Robert Harding Evans [6]. Le catalogue de la vente fait mention du volume sous le titre suivant: ,,375. Cyrilli Presbyteri et Archimandritae Alexandrini et Amicorum ejus Epistolae mutuae, et Autographae, Graecae et Latinae ab anno 1580 ad 1630. Opuscula ejusdem Cyrilli, bound up in the volume are

---

[1] Militos Aimilianos Tsakopoulos, Περιγραφικὸς Κατάλογος τῶν Χειρογράφων τῆς Βιβλιοθήκης τοῦ Οἰκουμενικοῦ Πατριαρχείου, s.l.e.a., III, p. 266.

[2] J. M. Rigg, North, Frederick, fifth Earl of Guilford (1766-1827), Dictionary of National Biography, XLI, London 1895, p. 164-166.

[3] Bibliotheca Phillippica, New Series, Sixth Part, p. 34.

[4] Bibliotheca Phillippica, Catalogue of the Celebrated Collection of Manuscripts, New Series: Fourth Part, Lot 822, p. 37.

[5] Bibliotheca Universitatis Leidensis, Codices Manuscripti — VIII, Codices Bibliothecae Publicae Graeci, descripsit K. A. de Meyier adiuvante E. Hulshoff Pol, Lugduni Batavorum 1965, B.P.G. 121, pp. 197-199.

[6] H. R. Tedder, Evans, Robert Harding (1778-1857), Dictionary of National Biography, XVIII, London 1889, pp. 71-72.

fragments of Greek Manuscripts of earlier date". Le manuscrit tomba entre les mains des libraires Payne et Foss à Londres, pour le prix de 13 livres et 5 shillings [1]. De là, il fut acheté par le collectionneur bien connu Sir Thomas Phillipps [2], qui l'inscrit dans sa bibliothèque sous la cote 7844. Une méprise fut faite dans le catalogue. A l'intérieur de la couverture était écrit le numéro 395, au lieu du nombre 375 de la vente d'Evans qui était collé sur le dos. Puisque le lot 395 de la vente consistait en quatre volumes [3], le manuscrit fut décrit comme suit: ,,Guilford MSS. from Payne. [No. 395-4 vols.] 1 vol. only. 7844 Cyrilli Alexandrensis Epistolae 1580 ad 1630" [4]. Sir Thomas Phillipps légua sa bibliothèque à sa fille Katharine Fenwick et à l'époux de celle-ci [5]. En 1946, leur arrière-neveu Alan George Fenwick, vendit la bibliothèque entière d'alors aux frères Philip et Lionel Robinson [6]. Les fiduciaires de Robinson inaugurèrent une nouvelle série de ventes publiques de la bibliothèque chez Messieurs Sotheby & Cie., en 1965.

Le mémorandum qui fait partie du manuscrit BPG 122 contient un grand trésor de notes que Cyrille Lucar a recueillies pour son propre usage. Il a écrit des remarques sur la liturgie et le calendrier; il a copié in extenso des citations des Pères de l'Eglise (en particulier des textes d'Augustin et de Basile le Grand); il a composé des sermons destinés à être prononcés, comme il ressort des indications de date et de lieu inscrites en tête de ces travaux, ou comme le

---

[1] Evans' sales catalogue of the Earl of Guilford, British Museum, shelf-mark S.C. E. 40. (4), p. 33; A. N. L. Munby, *Phillipps Studies* No 3, *The Formation of the Phillipps Library up to the year 1840*, Cambridge 1954, p. 43-45; W. P. Courtney, *Payne, Thomas, the younger (1752-1831)*, *Dictionary of National Biography*, XLIV, London 1895, p. 123.

[2] A. N. L. Munby, *Phillipps Studies* No 3, p. 56.

[3] *The Phillipps Manuscripts, Catalogus Librorum Manuscriptorum in Bibliotheca D. Thomae Phillipps, Bt.*, *Impressum Typis Medio-Montanis 1837-1871*, with an introduction by A. N. L. Munby, London [1968], p. 115, Nos 7655-7658.

[4] *The Phillipps Manuscripts*, p. 118.

[5] A. N. L. Munby, *Phillipps Studies* No 3, p. 106-115; *Phillipps Studies* No 5, *The Dispersal of the Phillipps Library*, Cambridge 1960, p. 12-21.

[6] A. N. L. Munby, *Phillipps Studies* No 5, p. 94-112.

prouve le caractère oral du langage; il a compilé un index qui commence par les mots abstinentia — altare — amicus — ambitiosi — ascensio — anima; il a étudié les évangiles de l'année ecclésiastique sous le titre ,,Κυρίλλου μελέται εἰς τὰ εὐαγγέλια τοῦ ἔτους'' avec deux épigraphes: ,,Proverbia 19: cogitationes variae versantur in corde [1]. Ecclesiasticus 37: à corde quatuor oriuntur'' [2].

Les sermons de Cyrille Lucar, ou plutôt ses écrits en vue de la prédication, nés dans la période initiale de son activité homilétique, sont l'objet de l'édition présente. Sur un des premiers feuillets de son mémorandum, Cyrille a noté: ,,1598 (alla Romana, commenzando [3] l'anno di Genaro, 1597 alla Greca) alli 6 di febraro in Sozava ho fatto la prima praedicatione sopra l'evangelio di Telone et farisaeo. ho praedicato tutta quella quadragesima ci.[?]'' [4]. Cyrille a changé le 5 février en 6, bienque le 5 février soit probablement la date exacte de sa première prédication, puisque ce fut le premier dimanche de la pénitence préquadragésimale orientale en 1598, le dimanche du pharisien et du publicain. Selon sa note, Cyrille prêchait encore à Suceava, métropole de la Moldavie [5], le dernier dimanche du carême oriental, le 2 avril 1598. C'est là qu'il a dû recevoir une lettre adressée: ,,Admodum Reverendo in Christo Patri, Domino Cijrillo Archimandritae Alexandrino. etc. Domino et Amico multa observantia colendissimo'' [6].

Admodum Reverende in Christo Pater Cyrilli salutem et mei commendationem. etc.

Iam in ternis litteris suis ad me Illustrissimus Leopoliensis commendat mihi Reverendam Dominationem Vestram, et mandat, ut qua in re necesse fuerit, meam operam Reverendae Dominationi Vestrae praestem. Utatur itaque Reverenda Dominatio Vestra libere servitiis meis, si aliqua in re intelligit, sibi ea usui fore. Caeterum scribit mihi Illustrissimus. Quod,

---

[1] Cf. Prov. 19:21.

[2] Eccl. 37:21 ,,Verbum nequam immutabit cor, ex quo partes quatuor oriuntur, bonum et malum, vita et mors''.

[3] Giuseppe Boerio, *Dizionario del Dialetto Veneziano*, 2ª ed., Venezia 1856, p. 183: Comenzàr (colla z aspra) v. Cominciare o Principiare.

[4] BPG 122, f. 10 r.

[5] Michael Le Quien, *Oriens Christianus* I, Parisiis 1760, col. 1251-1254.

[6] BPG 122, f. 406 v.

inquit, constitui cum Reverendo Domino Cyrillo, ut suas ad
me litteras per manus Generosae Dominationis tuae ad me
mittat. Si itaque Reverenda Dominatio Vestra vult aliquid ad
Illustrissimum scribere, ad me mittat, ego sine mora Illustrissimo transmittam. Accepi etiam hesterna die ab Illustrissimo
litteras, quibus significat mihi mortem Serenissimae Poloniae
Reginae, et causam Patris Quirini Episcopi Valachiae com-
mittit. aegre tamen fert Illustrissimus publicationem veteris
Calendarii. Bene valeat Reverenda Dominatio Vestra, cui me,
et propensa in eam studia mea diligenter commendata cupio.
Ex hospitio die .30. Martii Anno salutis .1598.

Eiusdem Reverendae Dominationis Vestrae studiosus amicus
et servitor obsequens

Paulus Lanozski. IPUS. [1]

Jean Démétrius Solikowski, archevêque catholique de Lwow,
l',,Illustrissimus Leopoliensis" de cette lettre, était déjà entré en
contact écrit avec Cyrille Lucar en 1596, peu après le synode de
Brest [2]. Pour mesurer l'importance de ce contact, il faut d'abord le
situer dans son contexte historique.

Après un temps d'études en Italie, et après avoir reçu le diaconat
à Constantinople du patriarche d'Alexandrie, Mélèce Pigas, Cyrille
Lucar, âgé de vingt-trois ans, entra en Pologne au mois de juillet
1594 [3], chargé de lettres à destination de Lwow [4]. En 1592, la
confrérie de Lwow avait à plusieurs reprises alarmé les patriarches
de Constantinople et d'Alexandrie sur la conduite du clergé orthodoxe, et sur les passages fréquents de fidèles orthodoxes à la juridic-
tion catholique [5]. A Lwow, l'archevêque Solikowski jouerait un
certain rôle dans ces passages [6], sauvegardant par ailleurs la

---

[1] BPG 122, f. 406 r.

[2] BPG 122, f. 487.

[3] Keetje Rozemond, *La naissance de Cyrille Lucar*, Μνημόσυνον Σοφίας
'Αντωνιάδη, Βιβλιοθήκη τοῦ 'Ελληνικοῦ 'Ινστιτούτου Βενετίας Βυζαντινῶν καὶ
Μεταβυζαντινῶν Σπουδῶν, Ap. 6, Venise 1974, p. 263-264; Thomas Smith,
Collectanea de Cyrillo Lucario, Patriarcha Constantinopolitano, Londini 1707,
p. 77.

[4] BPG 122, f. 404.

[5] Makarij, *Исторія Русской Церкви*, IX, С.-Петербургъ 1900, стр. 522-526.

[6] Kazimierz Lewicki, *Książę Konstanty Ostrogski a Unja Brzeska 1596 r.*,
Lwow 1933, str. 89-90.

pratique du rite oriental chez les convertis. Les lettres mentionnées dans le passeport de Cyrille ,,do Lwowa do starszich swoich'' [1], sont donc vraisemblablement des lettres de réponse à la confrérie, envoyées par Mélèce d'Alexandrie et Jérémie, patriarche de Constantinople.

Le 27 mars 1595, Michel Rahoża, métropolitain de Kiev, de Galicie et de toute la Russie, nomma Cyrille Lucar archimandrite du monastère de la Sainte Trinité à Vilna, parce que par l'insouciance et la négligence de ses prédécesseurs (,,презъ неѡпа́тръность н̑ недба́лость прежде насъ бывшнхъ митрополитовъ'') la vie s'y était relachée. Il avait en effet trouvé en Cyrille Lucar un homme capable, vu sa manière de vivre et ses connaissances (,,человѣка вовсемъ го́дного, житіемъ и наȣками ȣкрашенъного ''). Dans une première lettre, Michel communiqua sa décision aux bourgmestres et conseillers de la ville de Vilna [2], dans une seconde, à tous ,,милостꙗмъ, благоро́днымъ кнꙗземъ, паномъ, воево́дамъ, кашталꙗномъ, маршалкомъ, старостамъ'', et aux chrétiens orthodoxes de tout rang [3]. Pendant les vingts mois de son séjour à Vilna, Cyrille se mêlait fréquemment aux controverses entre orthodoxes et catholiques, jésuites et franciscains [4]. Le 2 février 1596, la confrérie de Vilna le nomma recteur de son école [5].

En octobre 1596, un synode à Brest confirma la décision du 23 décembre 1595, par laquelle le pape Clément VIII recueillit l'église orthodoxe de la Pologne et de la Lituanie au sein de l'église catholique. Celle-ci était représentée au synode par l'archevêque Démétrius Solikowski, les orthodoxes qui admettaient l'union avec Rome, par le métropolitain Michel Rahoża, le roi de Pologne, par Nicolas Christophore Radziwill. Sous la direction du prince Constantin Basile Ostrogsky et du représentant du patriarche de Constantinople Nicéphore, un contre-synode, également à Brest, rejeta l'union. Le 8 octobre, après un discours en grec de Nicéphore, Cyrille Lucar, représentant du patriarche d'Alexandrie, s'adressa

---

[1] BPG 122, f. 404.
[2] BPG 122, f. 428.
[3] BPG 122, f. 429.
[4] Thomas Smith, *Collectanea de Cyrillo Lucario*, p. 78.
[5] BPG 122, f. 433.

au contre-synode en latin, pour tous ceux qui comprenaient cette langue [1].

Bientôt après le synode de Brest, des mesures royales restrictives commencèrent à frapper les opposants de l'union. A Ostrog, Cyrille Lucar reçut la protection du prince Constantin Basile, il s'y défendit en outre de l' ,,amicitia ad pompam & ambitionem affectata'' de Solikowski [2]. Dans l'état actuel de la recherche, il est difficile de décider si cette opinion sur l'archevêque, qui ne fut émise par Cyrille qu'en 1629, a été influencée par ses expériences ultérieures avec l'église catholique.

Dans la lettre mentionnée ci-dessus [3], nous pouvons lire la première tentative de rapprochement de Solikowski, adressée en ces termes: ,,Reverendo Patri in Christo P. Cijrillo Archimandritae Alexandrino et amico et fratri in Christo charissimo et honorando'' [4]. La lettre est rédigée comme suit:

> Reverende domine frater in Christo charissime et honorande. Salutem et pacem in domino. Brestae libenter cum Reverenda Dominatione vestra et locutus fuissem, et notitiam penitiorem illius habuissem, praesertim cum Illustris Pallatinus Trocensis Dux Olicae Radzivilus, mei amantissimus, mihi de meliore nota personam Reverendae Dominationis vestrae commendaverit. Nunc ad me has litteras misit, rogans, ut Reverendae Dominationi vestrae redderentur, putans eam Leopoli hoc tempore inveniri. Sed cùm certum hominem haberem, qui tuto eas àd illam Ostrogum perferre posset, nempe ex aula Illustrissimi Principis D. Ducis Ostrosiae Palatini Kiioviensis hominis mihi amicissimi, eas Reverendae Dominationi vestrae mitto. Responsum si aliquod Reverenda Dominatio vestra dabit, ad me mittet. Magistratus Dominus Pretwicz Castellanus Camenecensis meus affinis in hoc officio libenter nobis ambobus gratificabitur. Caeterum et Graecus quidam mercator, has alteras adiungi petiit, quas etiam mitto Reverendae

---

[1] Oskar Halecki, *Unia brzeska w świetle współczesnych świadectw greckich*, *Sacrum Poloniae Millenium*, I, Rzym 1954, str. 118.

[2] Thomas Smith, *Collectanea de Cyrillo Lucario*, p. 79.

[3] Voir p. 6.

[4] BPG 122, f. 490.

Dominationi vestrae. Et aliis omnibus officiis meam benevolentiam erga illam, testari per omnem occasionem paratum sum. Optime valeat in domino Iesu. Leopoli die Sancti Thomae Apostoli [1]. Cór .2. kal. .1596. Cum Leopoli fuerit verta ad me. Reverendae Dominationi Vestrae scripsi in Domino benevolus

Ioannes Demetrius Solikonsky
Dei gratia Archiepiscopus Leopoliensis [2]

A cette lettre est ajoutée celle de Nicolas Christophore Radziwill: ,,Al molto Reverendo Padre mio osservando il P. Cyrillo Archimandrita Alessandrino'' [3]. Dans la première partie de sa lettre, écrite par un secrétaire, Radziwill s'excuse de ne plus avoir rendu visite à Cyrille, à cause de la mort de sa femme, le 9 novembre, et il prie l'archimandrite de le mettre au courant de son départ pour Alexandrie. A cette lettre, datée de Tarnov le 22 novembre 1596, Radziwill a ajouté de sa propre main:

> ,,No dubito che Vostra Reverentia quello negotio di che havemo ragionato in Bresta, nella sijnodo, tenera in memoria, per condur lo al buono termine, sera donche ben venuta di Alessandria cusi per conto del predetto negotio, como per desiderio mio, volendo lo ancora vider si à iddio sera servito et
> Di Vostra Reverentia scripsi affecionato fratello
> Il duca de Olica'' [4].

Après avoir vu l'intérêt suscité en Pologne par le voyage de Cyrille à Alexandrie, nous ne pouvons nous étonner des attentions dont Démétrius Solikowski l'entourait, même en Moldavie. Déjà en 1589, le pape Sixte V avait chargé l'archevêque polonais de propager le catholicisme en Moldavie [5]. La lettre de Solikowski reproduite ci-dessus montre que son contrôle sur la terre de Moldavie

---

[1] 21 décembre.
[2] BPG 122, f. 487.
[3] BPG 122, f. 489.
[4] BPG 122, f. 488.
[5] [E. Šmurlo,] *Россія и Италія*, II, выпускъ 2, Санктпетербургъ 1913, стр. 448, 455, 458, 486; N. Iorga, *Istoria Bisericii româneşti*, ed. 2, vol. I, Bucureşti 1929, p. 199.

n'avait pas diminué, quand, après la mort de Sixte V, le franciscain
Bernard Quirinus, évêque titulaire d'Argès, gérait le pays en faveur
de l'église catholique [1]. L'archevêque recommande la cause de
Quirinus à Paul Lanozski [2]; il lui communique la mort de la reine
polonaise, Anne, archiduchesse d'Autriche, partisane de la politique
polonaise en Moldavie et Valachie [3], décédée le 10 février 1598 [4];
les mesures prises en Moldavie contre le calendrier introduit par le
pape Grégoire XIII en 1582 irritent Solikowski d'autant plus qu'il
avait déjà dû céder à l'opposition contre ce calendrier en Pologne [5];
ce fut le métropolitain orthodoxe de la Moldavie, George Mohyła de
Suceava, qui persuada le Saint Siège d'accorder aux catholiques de
son territoire le maintien du calendrier ancien [6].

Solikowski et Radziwill espéraient probablement tous les deux
que le voyage de Cyrille disposerait le patriarcat d'Alexandrie à un
rapprochement avec l'union établie à Brest. Le roi même de
Pologne, Sigismond III, chérissait peut-être des espoirs pareils: en
juillet 1597, Mélèce d'Alexandrie, installé alors au siège patriarcal
de Constantinople, écrit une lettre de protestation contre l'édit
royal qui fermait les frontières polonaises aux moines itinérants des
terres turques [7]; le roi répondit, tout en expliquant que la mesure
était prise comme défense contre de mauvais sujets, par une invi-
tation au patriarche à reconnaître le pape de Rome [8]. Peut-être
Cyrille lui-même avait-il suscité ces espoirs d'une attitude bienveil-
lante du patriarcat d'Alexandrie à l'égard de l'union. Plus tard,

---

[1] R. Janin, art. *Argès*, *Dictionnaire d'Histoire et de Géographie ecclésias-
tiques*, IV, col. 75; N. Iorga, *Istoria Bisericii românești*, I, p. 200, 209-211.
[2] Voir ci-dessus p. 6.
[3] Elke Roth, *Erzherzogin Anna von Innerösterreich, Königin von Polen und
Schweden*, Inaugural-Dissertation, Graz 1967, S. 200.
[4] E. Roth, *op. cit.*, S. 233.
[5] Kazimierz Lewicki, *Książę Konstanty Ostrogski a Unja Brzeska 1596 r.*,
Lwow 1933, str. 58-63.
[6] Simon Okolski, *Orbis Polonus*, Cracoviae 1641, II, p. 230-231. Voir encore
[E. Šmurlo,] *Россія и Италія*, II, выпускъ 2, стр. 466, 476.
[7] Georg Hofmann, *Griechische Patriarchen und Römische Päpste*, II 5, Die
Patriarchen Meletios Pegas, Neophytos II, Timotheos II, *Orientalia Christiana* XXV, 76, Roma 1932, S. 260-262.
[8] Adrianus Regenvolscius, *Systema Historico-Chronologicum, Ecclesiarum
Slavonicarum*, IV, Trajecti ad Rhenum 1652, p. 467-469; Thomas Smith,
Collectanea de Cyrillo Lucario, p. 11.

Solikowski rapporta au jésuite Pierre Skarga que lors d'un de ses départs, Cyrille avait acheté à la foire de Lwow des œuvres polémiques catholiques, entre autres de Bellarmin [1]. Puisqu'avant sa rentrée en Pologne, l'archimandrite cita dans un sermon la doctrine de Bellarmin sur la volonté libre [2], il est probable que l'achat des œuvres mentionnées eut lieu à ce départ-ci, et qu'il renforça chez les catholiques l'impression générale d'une certaine ouverture chez Cyrille à leur égard.

Depuis la Moldavie, Cyrille a probablement suivi la route habituelle, de la mer Noire à l'embouchure du Danube, passant par le Bosphore [3], la mer de Marmara, et le détroit des Dardanelles. Il prêcha le jour de la Transfiguration à Callipoli [4], le jour de Noël, au monastère de Sainte Catherine du Sinaï à Candie dans son île natale de Crète [5], où il célébra encore la fête de l'Annonciation 1599 [6]. Probablement au cours de cette visite, il nomma à sa place son frère Maxime comme abbé du monastère Angarathos qui lui avait été confié par Mélèce Pigas [7]. Puis, il se rendit à Alexandrie, où il fit part à Mélèce de ses contacts en Crète [8] et en Pologne [9], comme il ressort des lettres de ce dernier, datées à partir du mois de mai. Jusqu'au mois de septembre, Cyrille prêchait régulièrement à Alexandrie[10], et en outre préparait des textes pour d'autres jours de

---

[1] Evgraph Ovsjannikov, *Константинопольскій патріархъ Кириллъ Лукарисъ и его борьба съ римско-католическою пропагандою на востокѣ*, Новочеркасскъ 1903, стр. 115.

[2] Voir ci-dessous p. 88-89.

[3] Cf. Georgius Dousa, *De itinere suo Constantinopolitano*, Lugduno Batavorum, 1599, p. 18-21.

[4] A. Papadopoulos-Kerameus, Ἱεροσολυμιτικὴ Βιβλιοθήκη, IV, 1899, no. 408, p. 364; voir ci-dessous p. 19. Voir encore BPG 122, f. 119 v.

[5] A. Papadopoulos-Kerameus, *loc. cit.*; voir ci-dessous p. 20.

[6] Voir ci-dessous p. 37.

[7] Nicolaus Comnenus Papadopolus, *Historia Gymnasii Patavini*, II, Venetiis 1726, p. 293; M. I. Manousakas, Συλλογὴ ἀνεκδότων ἐγγράφων (1578-1685) ἀναφερομένων εἰς τοὺς ἐν Βενετίᾳ μητροπολίτας Φιλαδελφείας, Θησαυρίσματα 6, 1969, σ. 65-67; St. Xanthoudidis, Χριστιανικαὶ ἐπιγραφαὶ ἐκ Κρήτης, Ἀθηνᾶ, 15, 1903, σ. 62-64; Sterghios G. Spanakis, *Crete, A guide to Travel, History and Archaelogy*, [s.a.], pp. 51-52.

[8] BPG 122, f. 542-543.

[9] A. Regenvolscius, *Systema Historico-Chronologicum*, IV, p. 498.

[10] Voir ci-dessous p. 61-80.

l'année ecclésiastique, qu'il espérait employer plus tard [1]. Au début de l'année 1600, il était de nouveau en route pour la Pologne [2].

Le 6 mai 1600, Michel le Brave, prince de Valachie, envahit la Moldavie pour unir la Transylvanie, la Valachie et la Moldavie sous son joug [3]. Déjà le 3 mai, de Suceava, Jérémie Mohyła, frère du métropolitain George [4], avait appelé à l'aide le grand-chancelier de Pologne, Zamoyski [5]. Le 25 mai, une proclamation du roi annonça l'état d'urgence en Pologne [6]: Michel conspirerait avec le sultan, et présenterait une menace directe pour la Pologne [7]. Le favori polonais Jérémie Mohyła s'enfuit vers la frontière [8]. Pendant ces ,,bellicis tumultibus'', Cyrille rentra en Pologne [9], et y chercha un refuge auprès de Constantin Basile Ostrogsky qui entretenait des relations secrètes avec Michel [10]. Dans une lettre du 28 juillet 1600, le prince d'Ostrog écrivit au roi au sujet du séjour de Cyrille:

NAiasnieiszij Milosciwij Kroliu
PAnie Panie moij wielce Milosciwij:

Sluzbij me powolne z wiernością poddanstwa mojego zaliecząm do laskij Waszej Krolewskiej Mosci Pana mojego milosciwego etc.

Prawie pod ten czas Naiasnieiszij Milosciwij Kroliu gdij za pozwolenie Waszej Krolewskiej Mosci bijl u mnie od Wieliebnich Ich Milosci oiczow Patriarchow Exarcha Cirillus dlia oddania listow ij poselstwa w ostroge tedij wiadomosc przijszla do mnie ij do wspomnianego Exarchi od Iego Milosci

---

[1] Voir ci-dessous p. 71 et 75.

[2] Voir ci-dessous p. 83 et 87.

[3] Alexander Randa, *Pro Republica Christiana, Die Walachei im ,,langen'' Türkenkrieg der katholischen Universalmächte, Societas Academica Dacoromana,* Acta Historica III, Monachii 1964, S. 239-241.

[4] Emile Legrand, *Bibliographie hellénique,* ou description raisonnée des ouvrages publiés par des Grecs, 17me siècle, IV, Paris 1896, p. 158-159.

[5] A. Randa, *Pro Republica Christiana,* S. 241.

[6] A. Randa, *op. cit.,* S. 244-245.

[7] A. Randa, *op. cit.,* S. 245.

[8] A. Randa, *op. cit.,* S. 242.

[9] Iacobus Susza, *Meletius Smotriscius,* Editio nova curante Ioanne Martinov, Bruxellis 1864, p. 182.

[10] Kazimierz Tyszkowski, *Stosunki ks. Konstantego Wasyla Ostrogskiego z Michałem, hospodarem multańskim, Księga Pamiątkowa ku czci Oswalda Balzera,* II, Lwow 1925, str. 5-9.

Archimendriti Uniewskiego Oica Balabana ze w uniewie bijl od kogos szukani skijm umislenia bij bijl Arestowani. Czo gdij wiadomosczij meij doszlo nicz slusznieiszego nie rozumialem iedno przes pisanie oznaimicz to Waszej Krolewskiej Mosci, ij z ten ktori iest opowiedziani posleni od Wieliebnich Oiczow Ich Milosci Patriarchow sposelstwem ij zlisti do Waszej Krolewskiej Mosci takze tez do Ich Milosci Panow Senatorow ij do mnie ij pozwolienie Waszej Krolewskiej Mosci na to zaszlo abij bijl u mnie ij odprawil to wszitko zoddaniem listow czo iemu zlieczono iest w wątpliwosc ij podeizrenie iest przijwiedzionij. Wiedzących ia tedij ze to podeizrenie na tego zacznego czlowieka od liudzi wielgich do Waszej Krolewskiej Mosci ij do Panow Senatorow poslanego niemoze bijd zzadneij miari ij podobienstwa zacziagnione tedij daiącz onijm to swiadecztwo iako rada Waszej Krolewskiej Mosci ubezpieczącm ze ten wielgi Posel nicz inszego nad zlieczenie ktore ma wlwhen svem ij nad Poselstwa odprawienie nicz przedsie nie bierze ani bracz będzie. A iz Wasza Krolewska Mosc moij milosciwij Pącn raczil mij pisacz zebij sie tu dlugo wPolszcze nie bawil tedij ij temu chcze on bijdz powolien ij posluszen tilko racz Wasza Krolewska Mosc mnie oznaimicz na ktori czas ij na ktore mieisce Wasza Krolewska Mosc raczis mu roskazacz przijechacz ij poselstwo do Waszej Krolewskiej Mosci odprawicz ij listi oddacz: Tego tez rozumięm ze iest potrzeba abij mial dlia wolnego przijazdu list od Waszej Krolewskiej Mosci o ktorij ij ia ij on pilnie prosiemij Po tim tez ij list do Ich Milosci Panow Senatorow iako ij komu ma oddacz naukij wtijm od Waszej Krolewskiej Mosci mojego Milosciwego pana potrzebnie, a odprawiwszij to czo iego wierze ij sumnieniu poruczono on sie dluzeij zabawicz nad wolia ij roskazanie Waszej Krolewskiej Mosci mącm za to nie będzie chczial: Zatem ij po wtore sluzbij me powolne zalieczącm do laskij Waszej Krolewskiej Mosci pana mojego Milosciwego Zostroga die Julij XXVIII Anno DC°

Waszej Krolewskiej Mosci Pana Pana
Mojego Milosciwego Wierna rada poslusni poddani

Constantin Xiaze Ostroskie
Woiewoda Kijowsky & Wolynsky [1].

A peine, lisons-nous, l'exarque des patriarches d'Alexandrie et de Constantinople, chargé de lettres pour le roi et le sénat, serait-il arrivé à Ostrog, avec la permission du roi, qu'un mandat d'arrêt aurait été émis contre lui par l'archimandrite du monastère d' Uniw [2] dans les Carpates, Isaïe Balaban [3]. La protestation de Constantin Ostrogsky auprès du roi, n'eut aucun résultat. Le 20 octobre, après la victoire de la Pologne, Pierre Skarga fit à Cracovie une prédication fulminante contre les adeptes de Michel le Brave [4]. Quelques mois après, Cyrille dût quitter le pays. Le roi lui ordonna de laisser la lettre de réponse de Mélèce, patriarche d'Alexandrie, entre les mains du prince Constantin Basile [5]. En des termes extrêmement prudents et pondérés, cette lettre, datée ,,In Aegypto, Anno salutis M. DC'', refuse de reconnaître le pape de Rome comme seul successeur de saint Pierre, et rejette la conception sur Pierre comme seul porteur du pouvoir des clefs, ,,claves regni coelorum . . . ., quas ante passionem suam Dominus uni repromisit, dedit omnibus post passionem: ut in unitate omnes, & in omnibus unitas, (id quod est Ecclesia) significaretur'' [6].

Le 24 janvier 1601, Cyrille Lucar écrivit à Lwow sa célèbre déclaration d'adieu, adressée à Démétrius Solikowski. Plus tard, ,,bonum cordium scrutatorem invocans, cum mentione judicii extremi, in quo comparebunt vivi & mortui'', il reniera cette lettre et la fera porter au compte de l'archevêque ou des jésuites [7]. Pourtant au milieu des troubles polonais, la lettre est une prise de position relativement équilibrée par rapport au catholicisme

---

[1] Polska Akademia Nauk, Biblioteka Kórnicka, MS 1398, k. 140; Kazimierz Lewicki, *Książę Konstanty Ostrogski a Unja Brzeska 1596 r.*, str. 200; N. Iorga, *Istoria Bisericii româneşti*, I, p. 256.

[2] A présent Mižgir'ja.

[3] Voir E. Golubinskij, *Исторія Русской Церкви*, s.l.e.a., II 2, стр. 65, н. 3; Emile Legrand, *Bibliographie hellénique*, 17me siècle, IV, p. 263-265.

[4] A. Randa, *Pro Republica Christiana*, S. 270-271.

[5] Iacobus Susza, *Meletius Smotriscius*, p. 182.

[6] A. Regenvolscius, *Systema Historico-Chronologicum*, IV, p. 467-469.

[7] Thomas Smith, *Collectanea de Cyrillo Lucario*, p. 79-80.

romain. Cyrille se considère comme exarque des patriarches de Constantinople et d'Alexandrie, délégué au royaume de Pologne pour satisfaire les orthodoxes orientaux qui attendaient des directives patriarcales, et au besoin, pour recommander leur cause au gouvernement. A cette époque, il regarde encore les ,,évangéliques'' comme corrupteurs des mœurs. Avec eux il ne peut y avoir union que sur les articles de la foi communs aux chrétiens, juifs et musulmans. Entre l'Eglise orientale et occidentale il existe une certaine affinité dans l'estime dû au siège de saint Pierre, une certaine concordance dans les domaines de la foi, du baptême, de la Trinité, des sacrements et ordinations, de l'autorité des écrits bibliques, des Pères grecs et latins, des premiers conciles. En outre elles ont certaines prières communes. Entre les deux confessions il y a moins opposition que diversité. L'union entre l'Eglise orientale et occidentale est à désirer, mais ne peut être espérée vite, puisque une grande partie des orthodoxes est soumise au sceptre d'une religion étrangère. Dans l'orbite chrétien cependant, l'union peut déjà être préparée de part et d'autre par le renouvellement de la vie et la prière. Pendant son séjour en Pologne, l'exarque a essayé avant tout de promouvoir la paix et la συμφωνία entre les uniates et ceux qui rejettent l'union, mais cette tentative doit maintenant être renvoyée à une meilleure occasion. Cyrille finit par espérer que la déclaration qu'il laisse entre les mains de Solikowski sera utilisée à discrétion par celui-ci pour le profit et la consolation de ceux qui en auront besoin [1].

Depuis le 8 février jusqu'au 19 avril 1601, depuis la pénitence préquadragésimale jusqu'au dimanche de Thomas dans le temps pascal, Cyrille prêcha à Jassy, capitale de la Moldavie [2]. Puis, il continua son voyage vers Alexandrie. Il est peu probable que ce fut lors de ce retour qu'il rencontra Marc Fuchs, pasteur de Transylvanie, comme le mentionne Gunnar Hering [3]. Nous savons que

---

[1] Iacobus Susza, *Meletius Smotriscius*, p. 181-186; Keetje Rozemond, *Patriarch Kyrill Lukaris und seine Begegnung mit dem Protestantismus des 17. Jahrhunderts, Kirche im Osten* 13, 1970, S. 10-11.

[2] Voir ci-dessous p. 91-143.

[3] Gunnar Hering, *Oekumenisches Patriarchat und Europäische Politik, 1620-1638, Veröffentlichungen des Instituts für Europäische Geschichte Mainz*, 45, Wiesbaden 1968, S. 21.

Fuchs entra en contact écrit avec Lucar sur l'introduction de Michel
Forgáts et Jean Benkner [1]. Or, ce dernier partit pour une mission
diplomatique à Constantinople le 19 octobre 1612, et il rentra de là
le 13 janvier 1613 [2], tandis qu'en octobre 1612, Cyrille Lucar
séjourna également à Constantinople [3], et à partir du mois de
décembre, en Moldavie et Valachie [4]. Comme sa correspondance
avec Fuchs aurait concerné le culte des saints [5], et que précisément
en 1613, un revirement léger de Cyrille peut être remarqué sur ce
point [6], il est presque certain que ce changement s'opéra alors sous
l'influence du pasteur de Transylvanie.

Par Constantinople, Cyrille retourna en 1601 à Alexandrie. Déjà
en route, ,,cura et favore Meletii'', il fut ordonné, vraisemblablement comme prêtre, pour que l'élection patriarcale lui soit ouverte.
Deux jours après son retour, le 13 septembre, Mélèce Pigas
mourut [7]. Le manuscrit BPG 122 contient un dernier sermon
prononcé par Cyrille à Pentecôte 1602 [8].

Dans l'édition présente, les règles en usage aux Pays-Bas pour
éditer des actes historiques ont été suivies [9]. Les nombreuses
anomalies et inconséquences d'orthographe et d'accentuation
sont maintenues sans commentaire dans les textes de Cyrille,
sauf dans les cas de grande obscurité, où l'orthographe correcte a
été donnée dans l'annotation. Quand Cyrille abrège ses phrases
par l'omission du verbe, celui-ci n'a été ajouté dans la note que

---

[1] Joseph Trausch, *Schriftsteller-Lexicon oder biographisch-literärische Denk-
Blätter der Siebenbürger Deutschen*, I, Kronstadt 1868, S. 386-387.
[2] *Chronicon Fuchsio-Lupino-Oltardinum sive Annales Hungarici et Trans-
silvanici*, ed. Josephus Trausch, Pars I, Coronae 1847, p. 265.
[3] Keetje Rozemond, *Patriarch Kyrill Lukaris und seine Begegnung mit dem
Protestantismus des 17. Jahrhunderts*, S. 12.
[4] Gunnar Hering, *Oekumenisches Patriarchat und Europäische Politik*, S.
26, Anm. 4; Emile Legrand, *Bibliographie hellénique*, 17me siècle, IV, p. 269-
313.
[5] Emile Legrand, *op. cit.*, p. 336.
[6] Emile Legrand, *op. cit.*, p. 301-302. Voir ci-dessous p. 63.
[7] Thomas Smith, *Collectanea de Cyrillo Lucario*, p. 80.
[8] Voir ci-dessous p. 146.
[9] *Regels voor het uitgeven van historische bescheiden*, samengesteld in op-
dracht van het bestuur van het Historisch Genootschap, geheel herziene 4e
druk, Groningen 1966.

dans le cas d'une interprétation exceptionnellement difficile. La numérotation récente des feuillets est donnée en premier, suivie du foliotage de la main de Cyrille. Seulement quand il y a certitude que Cyrille cite un autre texte, la référence est donnée dans une note; pour des pensées qui peuvent être empruntées à un auteur précis, mais qui peuvent aussi avoir été plus généralement connues à l'époque, point de référence n'est donnée, sauf quand le texte avait besoin d'une telle note explicative. Quand Cyrille fait une erreur de citation, la note se borne à donner la référence exacte; quand il cite une variante attestée dans l'apparatus des éditions, seule la référence du texte est donnée.

En 1940 déjà, le savant byzantiniste George Hofmann a écrit qu'un jugement irrécusable ne pourrait être porté sur Cyrille Lucar qu'après l'édition de tous ses sermons, pour la plupart autographes [1]. Les sept recueils de sermons, dont Hofmann a encore vu une partie en 1931 dans le Metochion du Saint Sépulchre à Istanbul [2], sont devenus introuvables par la suite [3]. Selon des rumeurs persistantes, la Bibliothèque Nationale d'Athènes en serait le dépositaire aujourd'hui. Dans la condition actuelle, l'édition qui va suivre présente la seule possibilité de connaître des sermons de Cyrille Lucar.

---

[1] G. Hofmann, *Patriarch Kyrillos Lukaris, Einfluss abendländischer Schriften auf seine Predigten, Orientalia Christiana Periodica*, VII, 1941, S. 251.

[2] G. Hofmann, *loc. cit.*

[3] Marcel Richard, *Répertoire des bibliothèques et des catalogues de manuscrits grecs*, 2me éd., Paris 1958, p. 114, no. 431.

I

Principium quo sum usus in concione habita Calliopoli [1], 1598, 6 Augusti.

† Πρέπον ὅτάν τις πρὸς ἡμᾶς ἁπάσῃ καρδίᾳ λέγειν (ἤτοι διδάσκειν) παρασκευασμένος ἐστι, ἵν' ὑμεῖς ἀκροάζησθε — ἀκροάζεσθαι δὲ οὔχ ἁπλῶς λέγω, ἀλλὰ καὶ τὸ ἐργάζεσθαι — μετὰ πάσης προθυμίας καὶ ἐπιμελείας. Οὕτω γὰρ καὶ ὑμῖν ἄξια (ᾱ) καὶ τῷ λέγοντι δίκαια (β̄), ᾱ. διὰ τὴν ψυχικὴν ὠφέλειαν, β̄. διὰ τὸν κόπον, ὅς οὐκ ἀπολεῖται. Τί αἰσχρότερον τοῦ μὴ ἀκροάζεσθαι λέγοντός τινος καὶ διδάσκοντος· ἢ τί ἀτοπώτερον τὸν ἀκροαζόμενον τὰ χρήσιμα μὴ τούτοις ἐπέχειν· καὶ τί χεῖρον τὸν ἐπέχοντα μὴ ἐργάζεσθαι; (Interroga:) "Ασμενως φροντίζεις . . . . ,,περὶ κέρδους". Ναί, recte. Ἐν ταῖς ἀνάγκαις ἐπιθυμεῖς . . . ,,βοήθειαν". Ναί, bene. Ἐν ταῖς ἀσθενείαις . . . ,,ὑγείαν". Certe. Τί δὲ κερδαλεώτερον ut verbum Dei audire, quid utilius ut illud tenere, quid magis sanat ut illud? Παῦλος· ,,ὁ λόγος τοῦ θεοῦ ἐνεργής, τομώτερος ὑπὲρ πᾶσαν μάχαιραν" [2]. Εἰ δ' ἀμεληθήσεται, Παῦλος 2· ,,ἢ ἀγγέλων οὐκ ἐφείσατο [3], ἀλλὰ πᾶσα παράβασις καὶ παρακοὴ ἔλαβεν ἔνδικον μισθαποδοσίαν, πῶς ἡμεῖς ἐκφευξόμεθα τηλικαύτης ἀμελήσαντες σωτηρίας" [4]. Καὶ ἄλλοθι, Ἑβραίους 5· ,,γῆ ἡ πιοῦσα πολλάκι τὸν ἐπ' αὐτῆς ὑετὸν ἐρχόμενον" [5] etc. Περὶ τῶν ἀκουόντων τὸν λόγον, Λουκᾶς η̄.· ,,ἐξεῖλθεν ὁ σπείρων· ὁ μὲν παρὰ τὴν ὁδόν, καταπατεῖται, τὰ πετείνα . . . , ὁ δὲ ἐπὶ τὴν πέτραν· οἱ ἐν καιρῷ πιστεύοντες καὶ ἐν καιρῷ ἀφιστάμενοι· ὁ δὲ ἐν μέσῳ τῶν ἀκανθῶν· ὑπὸ μεριμνῶν πλούτου etc.· ὁ δὲ ἐπὶ τὴν γῆν τὴν καλήν· οἱ καρποφοροῦντες καὶ τελεσφοροῦντες" etc. [6]. Βασίλειος, λόγῳ γῷ ,,ἄνελε τοίνυν τῆς καρδίας πᾶσαν τοῦ βίου μέριμναν, καὶ ὅλον

---

[1] Callipolis, hodie Gelibolu. Vide Michael Le Quien, *Oriens Christianus*, Parisiis 1740, t. I, col. 1123-1124; Θρησκευτικὴ καὶ Ἠθικὴ Ἐγκυκλοπαιδεία, 7, Athenae 1965, col. 263-264.
[2] Hb. 4:12.
[3] II P. 2:4.
[4] Hb. 2:2, 3.
[5] Hb. 5:7.
[6] Luc. 8:5-15.

μοι σεαυτὸν ἐνταῦθα συνάγαγε· οὐ γὰρ ὄφελός τι τῆς τοῦ σώματος παρουσίας, τῆς καρδίας σου περὶ τὸν γήϊνον θησαυρὸν πονουμένης" [1].

II

[128r] 125 Δεκεμβρίου κε, αφϟη τὴν διδαχὴν ταύτην πεποίηκα ἐν τῇ Κρήτῃ, εἰς τὴν ἁγίαν Αἰκατερίνην [2].

Καθῶς εἶναι δύσκολον πρᾶγμα νὰ γνωρίσῃ τινὰς τὴν σοφίαν ἑνὸς τεχνήτου, ἢ πρότερον δὲν γνωρίσῃ καὶ δὲν εἰδῇ τὴν τέχνην τοῦ τεχνήτου ἐκείνου, ὡς ἐπὶ ζωγράφου, τοιουτοτρόπως δύσκολόν ἐστι τὴν σοφίαν τοῦ θεοῦ, ᾗ χρᾶται ἐν τοῖς πράγμασιν, ἐὰν πρότερον μὴ γνωρίσῃ καὶ σκεφθῇ τοῦ σοφωτάτου τεχνήτου τούτου, τοῦ παντοδυνάμου θεοῦ, τέχνην τινα, ἔργόν τι, καὶ ἀποτέλεσμα, ἐξ ὧν δυναίτ' ἄν τις καὶ τὴν σοφίαν καταλαμβάνειν. Οὐδεὶς δὲ δύναται ἄλλοτι σκέψασθαί τις, ἡμὴ κτίσιν, ἢ ἀνάκτησιν, ἐξ ὧν ἡ σοφία, τουτ' ἔστιν ὁ σοφώτατος καὶ ἐπιτηδειότατος τρόπος τοῦ ποιεῖν τὰ πράγματα γνωρίζεται. Ἐπειδὴ δὲ κτίσμα (κτίσιν) ἡμεῖς πρῶτον ζητοῦμεν, ἡ δὲ κτίσις (κτίσμα) πρὸς τὸν κόσμον ἀναφέρεται, δεῦρο πρότερον περὶ κόσμου φιλοσοφήσωμεν.

Ὁ κόσμος πενταχῶς καλεῖται· ὡς Κλήμης, Στρωματέων βιβλίον 5 [3], Εὐσέβειος 2, Εὐαγγελικὴ προπαρασκευή, caput 12 [4], ,,ἀρχέτυπος", ἐν ᾧ Πλάτων τὰς ἰδέας [5]· ὃν ὁ Φίλων πνευματικόν φησι ἐν τῷ αἰσθητῷ ἐξεικονιμένον· ἕτεροι τὸν τοῦ θεοῦ νοῦν, ἐν ᾧ τὰ πάντα. Φίλων διατί ,,ἀρχέτυπος"· ,,προλαβὼν γὰρ ὁ θεὸς ἅτε θεός, ὅτι μίμημα καλὸν οὐκ ἄν ποτε γένοιτο καλοῦ δίχα παραδείγματος, βουληθεὶς τὸν ὁρατὸν τουτονὶ κόσμον δημιουργῆσαι προεξετύπου τὸν ἀρχέτυπον καὶ νοητὸν πρεσβυτέρου νεώτερον ἀπεικόνισμα" [6].

— ,,ἀγγελικόν"· ὃς τὰς τρεῖς τάξεις, ἤτοι τὰ ἐννέα τῶν ἀγγέλων τάγματα περιέχει.

— ,,στοιχειώδης κόσμος"· ὁ τὰ τέσσαρα στοιχεῖα· καὶ τὸν ἐκ πέμπτης

---

[1] Basilius Caesareensis, Ὁμιλία 3 Εἰς τὴν Ἑξαήμερον, PG 29, col. 53 BC.

[2] Metochion Cretense monasterii Sanctae Catharinae in monte Sina. De schola metochii vide Tryphon E. Euaggelidis, Ἡ παιδεία ἐπὶ Τουρκοκρατίας, Athenae 1936, t. II, p. 162-165.

[3] Clemens Alexandrinus, Στρωματεῖς, V, 14, PG 9, 137 A.

[4] Eusebius Caesareensis, Εὐαγγελικὴ προπαρασκευή, XIII, 13, PG 21, 1108 C.

[5] Vide Clemens Alex., loc. cit., 140 A = Eusebius Caesar., loc. cit., 1109 A.

[6] Philo Alexandrinus, Περὶ τῆς κατὰ Μωϋσέα κοσμοποιΐας, 16.

οὐσίας συνιστάμενον οὐρανόν, οὐχ ὅτι στοιχεῖον ἐκεῖνος, ἀλλ᾽ ὅτι κἀκεῖνος ἁπλοῦν σῶμα. Τὰ στοιχεῖα γὰρ ἁπλὰ λέγονται, ὅτι ἐξ ἐκείνων τὰ ἕτερα πράγματα γίνεται· ὁ οὐρανὸς δὲ ἁπλοῦν σῶμα, ὅτι ποιότητας οὐκ ἔχει, ἐξ ὧν ἡ φθορά, διὸ καὶ ἄφθαρτος. "Οτι δὲ τηροῦνται πυρὶ ἐν ἡμέρᾳ κρίσεως, Πέτρος ¹· ὅτι γέγραπται· ,,ἔργα τῶν χειρῶν σου εἰσι οἱ οὐρανοὶ αὐτοί" ², Δαβίδ· ,,οἱ οὐρανοὶ παρελεύσονται" ³, Χριστός. Διὰ τὴν τοῦ ἀέρος σφαῖραν νοεῖται, ἥτις καὶ παρὰ τοῦ προφήτου ,,οὐρανὸς" καλεῖται, φησὶ γάρ· ,,τὰ πετεινὰ τοῦ οὐρανοῦ" ⁴.

[128v] δ°ˢ′ ,,μέγας κόσμος"· ἡ τῶν ἀλόγων ἅπασα κτίσις. Εἰσὶν δὲ διάφορα εἴδη τῶν ἀλόγων διὰ τὴν ὡραιότητα τοῦ κόσμου, καθὰ καὶ ζωγράφος πλείοσι χρῆται διὰ τὸ κάλλος χρώμασι. Ἐπλάσθη δὲ ὕστερος πάντων κατὰ Γρηγόριον Νύσσης, κεφαλαῖον β̄ περὶ ἀνθρώπου· ,,οὐκ ἦν εἰκὸς τὸν ἄρχοντα πρὸ τῶν ἀρχομένων ἀναφανῆναι, ἀλλὰ τῆς ἀρχῆς ἑτοιμασθείσης ἀκόλουθον ἦν ἀναδειχθῆναι τὸν βασιλεύοντα" ⁵.

ε̄°ˢ′ ,,μικρὸς κόσμος"· ὁ ἄνθρωπος. Διὸ δὲ μικρὸς κόσμος, ὅτι ἐξεικονίζει τοὺς πάντας, τῷ δ̄Φ′ ὅμοιος κατὰ τὴν αἴσθησιν, τῷ γ̄Φ′ κατὰ τὰ στοιχεῖα, τῷ οὐρανῷ δ᾽ ὁμοίαν ἔχει τὴν κεφαλήν, τῷ β̄Φ′ κατὰ τὸ λογικόν, τῷ ᾱΦ′ κατὰ τὸ ,,θεῖον" ὅ φασι ἔχειν τὸν ἄνθρωπον. Καὶ ὁ ἄνθρωπος ἀποσκοτεῖ ἁμαρτάνων, μὴ συνιὼν τί ἔχει· ,,ἄνθρωπος ἐν τιμῇ ὢν οὐ συνῆκε" ⁶. Ibidem Γρηγόριος· ,,διὰ ταῦτα τελευταῖος μετὰ τὴν κτίσιν εἰσήχθη ὁ ἄνθρωπος, οὐχ ὡς ἀπόβλητος ἐν ἐσχάτοις ἀπορριφείς, ἀλλ᾽ ὡς ἅμα τῇ γενέσει βασιλεὺς εἶναι τῶν ὑποχειρίων προσήκων" ⁷. Ibi vide plura.

Τοῦτον τοιγαροῦν τὸν ε̄ον′ κόσμον ἡμῖν θεωρητέον, ὡς γνῶναι τὴν σοφίαν τοῦ θεοῦ δυνηθῶμεν, ἐπειδὴ οὐ μόνον ἐν τούτῳ τὰ πάντα ἐξεικονίζεται, ἀλλὰ καὶ δι᾽ αὐτὸν τὰ πάντα ἐστι. Δι᾽ αὐτόν ἐστιν ὁ δ°ˢ′ κόσμος, ἵνα κυριεύῃ αὐτοῦ· ,,ἄρχετε τῶν ἰχθύων" ⁸, etc.· δι᾽ αὐτὸν ὁ τρίτος· ἡ γῆ ὡς ἂν φέρη καρπόν, ἡ θάλασσα διὰ τὸν πλοῦν, ὁ ἀὴρ ὑποτάσσεται τὰ πετεινὰ αὐτοῦ τοῖς ἀνθρώποις παρέχων, τὸ πῦρ ὑπακούει, καλούμενον

---

¹ II P. 3:7.
² Ps. 101:26.
³ Cf. Mc. 13:31; Luc. 21:33.
⁴ Edwin Hatch and Henry A. Redpath, *A Concordance to the Septuagint*, II, Oxford 1897, p. 1129, πετεινός.
⁵ Gregorius Nyssenus, Περὶ κατασκευῆς τοῦ ἀνθρώπου, II, PG 44, 132 D.
⁶ Ps. 48:13, 21.
⁷ Gregorius Nyss., *loc. cit.*, 133 A.
⁸ Gen. 1:28.

γὰρ κατέρχεται· ὁ οὐρανὸς δι' αὐτὸν ἵνα κινούμενος κινῇ καὶ τὸν ἄνθρωπον·
οἱ ἄγγελοι ἵνα ὑπηρετῶσι· ἀδύνατον γὰρ ἂν εἴη ἡμᾶς προσαγωγὴν
ἔχειν πρὸς τὸν θεὸν ἡμὴ διὰ τῶν ἀγγέλων· Ἔξοδος 19, Ἰσραήλ· ,,μὴ
λαλείτω πρὸς ἡμᾶς ὁ θεός'' ¹. Διατί δὲ τὰ πάντα διὰ τὸν ἄνθρωπον;
Οὐδὲν γὰρ ὁ θεὸς ἐκτήσατο τιμιώτερον σχεδὸν εἰπεῖν κατά τι καὶ τῶν
ἀγγέλων αὐτῶν. Ἡ δὲ τιμὴ καὶ εὐγένεια ἐκ τούτου φαίνεται· ᾱ. ἐκ τῆς
συμβουλῆς· ,,ποιήσωμεν'' ². β̄ον ἐκ τοῦ τρόπου τῆς πλάσεως, χοῦν
λαβών ³· οὐχ ὅτι ὁ θεὸς χεῖρας (λέγε τὴν αἰτίαν).   [129r, 126]   δ̄ον ⁴ ἐκ
τῆς ψυχῆς, ἥτις κατὰ τὸν θεῖον Γρηγόριον φῦσίς ἐστι ζῶσα⁵. ,,Ἐνεφύση-
σεν εἰς τὸ πρόσωπον'' ³. Κατὰ τὸν Ἀριστοτέλη λέγεται ,,ἐντελέχεια'' ⁶,
παρὰ τὸ ἐντελὲς ἔχειν. Ἀθάνατος γὰρ αὐτή, ὅτι πᾶν τὸ κινούμενον ἀεὶ
ἀθάνατον· ἡ δὲ ψυχὴ καὶ τῶν ὀργάνων ἡσυχαζόντων κινεῖται· καὶ ἐκ
τούτου λοιπὸν ἡ τοῦ ἀνθρώπου εὐγένεια. ε̄ον περισώτερον δὲ ὅτι κατ'
εἰκόνα θεοῦ ἐπλάσθη, οὐ μόνον ὅτι ψυχὴν ἔχει ἀθάνατον, ἀλλ' ὅτι κύριος·
,,κυριεύσατε τῆς γῆς'' ⁷. Καὶ καθὰ ὁ θεὸς ἐν τῷ κόσμῳ, καὶ οἱ ἄνθρωποι
τῶν ἰδίων σωμάτων κυριεύουσι. Τίνος γὰρ ἂν ναῦς ἄνευ κυβερνήτου
ἀξία; Καὶ ὅτι σοφός, ἤγαγεν ὁ θεὸς πρὸς αὐτὸν πάντα τὰ ζῶα τοῦ ἰδεῖν
τί καλέσῃ αὐτά ⁸. Οὐχ οὕτω θαυμάζεται φῦσις φλέβας μολύβδου καὶ
κασσιτέρου καὶ θείου γενήσασα, ὡς τὸν χρυσόν· οὕτω ὁ θεὸς ἐν τοῖς
λοιποῖς ὡς τὸν ἄνθρωπον.

Ὦ τίμιον κτίσμα, ὦ σοφία τοῦ παντοδυνάμου θεοῦ ἐν τούτῳ ἀπαστρά-
πτουσα! Τοῦτο τὸ κτίσμα σκεπτέον τῷ βουλομένῳ τὴν σοφίαν καταλαβεῖν·
δύναται δ' ἕκαστος, ἐπεὶ πλησιώτερον οὐδὲν ἀνθρώπῳ, ἢ ἄνθρωπος. Μὴ
ἔξελθε τῆς σαυτοῦ γνώσεως, γνῶθι σαυτὸν ⁹ τί ᾖς, τί εἶ, τί ἔσῃ, καὶ
γνῶσε σαφῶς ἐν σοὶ τὴν τοῦ θεοῦ σοφίαν. Ἀδύνατον δὲ τὸν μὴ γνοῦντα
σαυτὸν πρότερον εἰς τὴν τῆς σοφίας γνῶσιν ἐλθεῖν. Σολομῶν γάρ, εἰμὴ
πρότερον ἔγνω καὶ ὁμολόγησεν σαυτὸν παιδάριον τὴν εἴσοδον καὶ τὴν
ἔξοδον μὴ εἰδότα ¹⁰, οὐκ ἂν ἡυμοίρησεν αἰτισάμενος παρὰ θεοῦ τὴν

---

¹ Ex. 20:19.
² Gen. 1:26.
³ Gen. 2:7.
⁴ ζ̄ον omissum.
⁵ Gregorius Nyssenus, Περὶ ψυχῆς καὶ ἀναστάσεως, PG 46, 29 B: ,,οὐσία
ζῶσα''.
⁶ Aristoteles, Περὶ ψυχῆς, Β, 1, 412a, 412b.
⁷ Gen. 1:28.
⁸ Gen. 2:19.
⁹ Plato, Πρωταγόρας, 343 B.
¹⁰ III Regn. 3:7.

καρδίαν τὴν φρονίμην καὶ συνετήν [1], 3 Regnorum. „Ἐὰν μὴ γνῷς σαυτήν, ἡ καλὴ ἐν γυναιξί, ἔξελθε ἐν πτέρναις τῶν ποιμνίων καὶ ποίμαινε τὰς ἐρίφους σου ἐπὶ σκηνώμασι τῶν ποιμένων" [2], Canticum I (τέλος κτίσεως). (ἀρχὴ ἀνακτίσεως). Ἐκ τῆς ἀνακτήσεως δ' αὖθις ἡ σοφία. Οὐ γὰρ τοῦ τεχνήτου μόνον καινόν τι ὑπουργησαμένου τὴν τέχνην θαυμάζομεν, ἀλλ' ὅταν τὸ τέχνασμα ἀπολεσθὲν καὶ σηπωθέν, εἰς τὸ πρότερον ἀνάγει ἀξίωμα διορθώσας. Ὁ ταλαίπωρος ἠπατήθη Ἀδὰμ τὴν ἐντολὴν παραβάς. Τί δίκαιον ἦν ποιῆσαι τὸν θεὸν ἢ παιδεύειν αὐτὸν μὴ πεισθέντα τῇ ἐντολῇ, καὶ μὴ φοβηθέντα τὴν ἀπειλήν, ἧ δ' ἂν ἡμέρᾳ φάγῃ [3] etc. Παιδεύει δὲ μεθ' οἵας τάξεως ἄκουσον, ἵνα μὴ σὺ τοὺς κατωτέρους ἡμαρτηκότας ὀργισθεὶς ἁμάρτοις παιδεύων· ὅπως δὲ τὴν τάξιν ταύτην φυλάττων δίκαιος εἶ καὶ ἐλεήμων.

[129v] Ut in hoc mundo mos est, τοὺς καταδίκους κρίνεσθαι, sic et Adam. Πῶς δέ, τις φήσειε, ἄνθρωπος παρ' ἀνθρώπου κρίνεσθαι, καὶ οὐ παρ' ἑαυτοῦ; Ἀπόκρισις· διὰ τὴν φιλαυτίαν· ὁ γὰρ κακοῦργος καὶ κακῶς ποιῶν καλῶς νομίζει ποιεῖν· παρὰ τῆς γραφῆς δὲ ἡ φιλαυτία θηρίον πονηρόν. Περὶ Ἰωσήφ· „θηρίον τὸ πονηρὸν κατέφαγεν αὐτόν" [4]· νομίζοντες γὰρ οἱ ἀδελφοὶ φίλαυτον αὐτὸν ἀπεμπόλησαν. Sic itaque: Κριτὴς ὁ θεός. Ῥητορεύει ἐκ μέρους τοῦ θεοῦ ἡ δικαιοσύνη καὶ ἀλήθεια [5]. „Θέε, σὺ δίκαιος καὶ ἀληθινός· ἐδίδαξας τὸν ἄνθρωπον, παρήγγειλας, ἀπήλεισας· αὐτὸς δὲ οὐκ ἐπείσθη. Ὡς παραβάτην, ἀποστάτην, ὑπερύφανον, ἅρπαγα, λέμαργον, παίδευσον, τιμώρησον, ἀποδίωξον·" etc. Μαλαχίας 3· „καὶ ἤκουσεν κύριος καὶ προσέσχε καὶ ἔγραψεν βιβλίον μνημοσύνου" [6]. Ἐρωτᾶται· „ὁ Ἀδὰμ πῶς ἔστι γυμνός;" Κατάδικος ὁ Ἀδάμ. Ῥητορεύει ἐκ μέρους τοῦ Ἀδὰμ ἥ τε ἐλεημοσύνη καὶ εἰρήνη [5]. Il processo è manifesto, non ha ponto di potersi fondar. Παρίσταται ὁ κατάδικος Ἀδὰμ κωφὸς καὶ ἄλαλος· „ἐγὼ δὲ ὡσεὶ κωφὸς οὐκ ἤκουον καὶ ὡσεὶ ἄλαλος" [7] etc. Διὸ παρακαλεῖ, δέηται· „εὐδόκησον, κύριε, τὴν γήν σου τὸ πλάσμα σου, ἀπόστρεψον τὴν αἰχμαλωσίαν αὐτοῦ [8] etc., οἰκτίρμων

---

[1] III Regn. 3:9-12.
[2] Cant. 1:8.
[3] Cf. Gen. 2:17.
[4] Gen. 37:20, 33.
[5] Cf. Ps. 84:11.
[6] Mal. 3:16.
[7] Ps. 37:14.
[8] Cf. Ps. 84:1.

ἐλεήμων ὁ κύριος" [1]. Ὁ θεὸς καὶ πατὴρ τὴν κρίσιν πέμπει πρὸς τὸν υἱόν, ἵνα ἀποφασίσῃ· "ὁ δὲ κύριος", φησὶν ἡ γραφή, "εὗρε χρηστότητα" [2]· τουτ' ἔστι τοιοῦτον τρόπον, ὃς καὶ τὴν ἀλήθειαν δικαιεῖ, καὶ τῇ ἐλεημοσύνῃ οὐκ ἀνάξια πράττει. "Σὺ δικαιοσύνῃ δικαιωθήσῃ· πρὸς σὲ τὴν ἐλεημοσύνην· μεταμεμέλημαι ὅτι ἐποίησα, ἤγουν χρή ἐμὲ τὴν μετάνοιαν βαστάσαι". Διὸ εἰ καὶ συνήντησαν ἥτε ἐλεημοσύνη καὶ ἀλήθεια πρότερον, ὕστερον δὲ κατεφίλησαν [3]. Ἔχει δ' ἡ δικαιοσύνη τὸν πρῶτον τόπον, διὸ γέγραπται· "δικαιοσύνη ἐνώπιον αὐτοῦ προπορεύσεται" [4]· διὸ καὶ Ἀδὰμ ἐκ τοῦ παραδείσου ἀποδιώκεται. Ὅταν δὲ καιρὸς ἦλθεν καὶ τῆς ἐλεημοσύνης, ἐξαπέστειλλεν τὸν ἄγγελον πρὸς τὴν παρθένον· "χαῖρε, κεχαριτωμένη" [5]· πρὸς δὲ τὴν ἀνθρωπείνην φύσιν τὴν ἐξορισθεῖσαν· "ἰδοὺ ὁ βασιλεύς σου ἔρχεται" [6] σώζων αὐτός. Ἔρχεται ἵνα σαρκωθῇ (ἐνανθρωπήσῃ, συναναστραφῇ) διά σε, ἵνα σε ἀναπλάσῃ καὶ ἀνακτίσῃ. Ὁρᾷς εὐσπλαχνίαν εἰς τὴν ἀνάκτησιν, ὁρᾷς σοφίαν. Ὦ σοφία μεγάλη καὶ θαυμαστή! Sapientia 6· "λαμπρὰ εἶ καὶ ἀμάραντος, ὁρῶσί σε οἱ ἀγαπόντες, καὶ εὑρίσκουσιν οἱ ζητοῦντες" [7]. Ἀποκάλυψις 13· "ὧδ' ἔστιν ἡ σοφία" [8], τουτ' ἔστιν τοὔνομα γνῶναι τοῦ ἀντιχρίστου, ἵνα μὴ τὶς πλανηθῇ. Ὧδ' ἔστιν ἡ σοφία, γνῶναι πῶς ἡ ἡμετέρα ἀνάκτησις γίνεται, μὲ ποίαν σοφίαν, με ποῖον τρόπον. Ποίῳ δ' ἑτέρῳ ἢ τῷ τρόπῳ τῆς σαρκώσεως καὶ γεννήσεως; Ἕτερον καὶ ἕτερον, ἡ σάρκωσις εἰς τὸν λόγον τοῦ εὐαγγελισμοῦ, ἡ γέννησις εἰς τὴν τῶν ἡμερῶν τούτων ὑπόθεσιν.

[130r] 127 Ὁ δὲ τῆς γεννήσεως λόγος πολλὰ ἡμῖν γεννᾷ εἰς τὸ θεωρῆσαι· γεννᾷ δὲ μίαν μονάδα, δύο δυάδας, τρεῖς τριάδας. Μία μονάς, δύο δυάδες καὶ τρεῖς τριάδες ἐξ ψηφίζονται, ἵνα ἐκ τοῦ ἕκτου ἀριθμοῦ τούτου μάθῃς τὸν ἄνθρωπον, δι' ὃν ἡ γέννησις, τῇ ἕκτῃ γεγενῆσθαι ἡμέρᾳ, τῇ ἕκτῃ ἡμέρᾳ δεδιώχθαι τοῦ παραδείσου, τῷ ἕκτῳ μηνὶ ἠυαγγελεῖσθαι τῇ ἕκτῃ χιλιάδι· ἢ καὶ ἄλλως, ἐπεὶ δύο εἰσὶ τριάδες· διὰ τῆς μιᾶς, ὁ εἷς θεός, ἡ ἁγία τριάς, ὁ πατήρ, υἱός καὶ ἅγιον πνεῦμα· διὰ δὲ τῆς ἑτέρας τὴν δικαιοσύνην καὶ ἀλήθειαν, τὴν ἐλεημοσύνην καὶ εἰρήνην [3] καὶ τὸν κατάδικον

---

[1] Ps. 102:8; Ps. 144:8.
[2] Cf. Ps. 84:13.
[3] Cf. Ps. 84:11.
[4] Ps. 84:14.
[5] Luc. 1:28.
[6] Mt. 21:5; Ioa. 12:15.
[7] Cf. Sap. 6:12.
[8] Ap. 13:18.

Ἀδάμ. Μία μονὰς ἡ γέννησις αὕτη· δύο δυάδες οὗ ἡ γέννησις θεοῦ καὶ ἀνθρώπου, καὶ περὶ τὴν γέννησιν τόπος καὶ χρόνος· τρεῖς τριάδες· διὰ τὴν γέννησιν· ἄγγελοι, ποιμένες καὶ μάγοι· δι' ἃ ἡ γέννησις· δόξα θεοῦ, σωτηρία ἀνθρώπων, κατάλυσις τοῦ ἐχθροῦ· κατὰ τῆς γεννήσεως· ταραχὴ Ἡρώδου, ἐπιβουλὴ Ἡρώδου, βρεφοκτονία. Μία μονὰς ἡ γέννησις τοῦ υἱοῦ τοῦ θεοῦ· διπλῆ δ' αὕτη, μία προαιώνιος ἐκ πατρός, καθ' ἣν ἀμήτωρ γεννᾶται· ἑτέρα δὲ χρονική, καθ' ἣν ἀπάτωρ γεννᾶται παρὰ μητρός. Ἔστιν καὶ ἑτέρα γέννησις περὶ ἧς μετὰ ταῦτα.

Ἡ πρώτη γέννησις, καθ' ἣν ἀμήτωρ, λέγεται ἡ παρὰ μόνου τοῦ πατρὸς γινομένη· ἐν γὰρ τῷ θεῷ μία οὐσία, τρεῖς δ' ὑποστάσεις· ὧν τύπος ἐν τῷ ἀνθρώπῳ φαίνεται· ἐν γὰρ τῷ ἀνθρώπῳ νοῦς (πατήρ), γνῶσις (υἱός), καὶ ἀγάπη (πνεῦμα). Ὁ νοῦς γινώσκων ἑαυτὸν γεννᾷ τὴν γνῶσιν. Εἰσὶ δὲ δύο διακεκριμένως τὰ προσώπω, ἐν δὲ τῇ οὐσίᾳ ἕν. Ἀπόρημα· πῶς δ' ἄν τις φήσειε, δύο εἰσὶ καὶ ἕν; Ἔστις εἷς ὁ πατήρ, εἷς ὁ υἱός, θεὸς ὁ πατήρ, θεὸς ὁ υἱός. Εἰ ὁ πατὴρ γεννᾷ τὸν υἱόν, οὐχ ὁ θεὸς πατὴρ γεννᾷ τὸν θεὸν υἱόν; Δύο ἄρα θεοί. Οὐχ οὕτω χρὴ νοεῖν. Ἀπόκρισις· ἀποκρίνονται ἐπὶ τοῦτο οἱ τῆς ἐκκλησίας διδάσκαλοι· εἰ γὰρ καὶ φῶς ἐκ φωτὸς ἐξέλαμψεν, καὶ θεὸς θεὸν ἐγέννησεν, οὐδ' ὅμως δύο θεοί· ὁ γὰρ πατὴρ ἄλλον σεαυτὸν ἐγέννησεν, ἄλλον τῇ ὑποστάσει, σεαυτὸν τῇ φύσει καὶ θεότητι. Ἀντιπίπτον· πῶς δ' οὕτω περὶ θεοῦ λαλεῖν τολμῶμεν, εἰ ἀδύνατον θεὸν γνῶναι (Φέρε τὸ τοῦ Σιμωνήδη παρ' Ἱέρωνος ἐρώτημα περὶ θεοῦ [1]) καὶ εἰ, ὡς ὁ τῆς νυκτερίδος ὀφθαλμὸς πρὸς τὸν ἥλιον· καὶ εἰ κατὰ τὸν Ἀριστοτέλη τὸ ἄπειρον δύσκολον γνῶναι [2]· ὁ δὲ θεὸς ἄπειρος πῶς γινώσκεται;

[130v] Ὁ θεὸς τριχῶς γινώσκεται·

κατ' ἀπόφασιν· Διονύσιος, οὐρανία ἱεραρχία, τὰς μὲν ἀποφάσεις περὶ θεοῦ ἀληθεῖς, τὰς δὲ καταφάσεις ἀσυνδέτους [3]. Διὸ γνωρίζεται ὁ θεός,

---

[1] Xenophon, Ἱέρων ἢ τυραννικός, I, 1, 2: Σιμωνίδης ὁ ποιητὴς ἀφίκετό ποτε πρὸς Ἱέρωνα τὸν τύραννον. Σχολῆς δὲ γενομένης ἀμφοῖν εἶπεν ὁ Σιμωνίδης· ,,Ἆρ' ἄν μοι ἐθελήσαις, ὦ Ἱέρων, διηγήσασθαι ἃ εἰκὸς εἰδέναι σε βέλτιον ἐμοῦ;'' ,,Καὶ ποῖα ταῦτ' ἐστίν'', ἔφη ὁ Ἱέρων, ,,ὁποῖα δὴ ἐγὼ βέλτιον ἂν εἰδείην σοῦ οὕτως ὄντος σοφοῦ ἀνδρός;'' ,,Οἶδά σε'', ἔφη, ,,ἐγὼ καὶ ἰδιώτην γεγενημένον καὶ νῦν τύραννον ὄντα· εἰκὸς οὖν ἀμφοτέρων πεπειραμένον καὶ εἰδέναι σε μᾶλλον ἐμοῦ πῇ διαφέρει ὁ τυραννικός τε καὶ ὁ ἰδιωτικὸς βίος εἰς εὐφροσύνας τε καὶ λύπας ἀνθρώποις''.

[2] Aristoteles, Ῥητορικά, Γ 8, 1408 b.

[3] Cf. Pseudo-Dionysius Areopagita, Περὶ τῆς οὐρανίας ἱεραρχίας, II, 3, PG 3, 141 A.

ὅταν λέγομεν τὸν θεὸν οὐκ εἶναι οὐδὲν τῶν πραγμάτων· διὸ καὶ ἄλλοθι Διονύσιος τὸν θεὸν οὔτε πῦρ, οὔτε φῶς, οὔτε ἥλιον, οὔτε ἡμέραν, οὔτε σκότος, οὔτε νύκτα, ἀλλ᾿ ὑπὲρ τὰ πάντα [1]. Ἡ γνῶσις αὕτη σκοτεινή.

κατὰ νόησιν· ὅταν γὰρ καπνὸν πῦρ νοοῦμεν. ,,Τὰ ἀόρατα τοῦ θεοῦ τοῖς ποιήμασι νοούμενα καθορᾶται'' [2], φησὶ Παῦλος. Ἔξοδος 33. ὁ θεὸς πρὸς τὸν Μωϋσῆν ζητοῦντα γνῶναι τὸν θεόν· ,,ὄψει τὰ ὀπίσω μου'' [3], τὰ μετ᾿ ἐμὲ κτίσματα. Δαβίδ· ,,οἱ οὐρανοὶ διηγοῦνται δόξαν θεοῦ'' [4]. Λέγεται δ᾿ αὕτη ἀτελὴς γνῶσις.

κατὰ προσαγωγήν· ὡς γὰρ ὁ νόμος παιδαγωγὸς ἡμῖν (Γαλάτας 3) γέγονεν εἰς Χριστόν [5], οὕτω ὁ Χριστὸς πρόσαγωγός εἰς τὴν γνῶσιν τοῦ θεοῦ. Τρεῖς γνῶσεις Ἀδὰμ παραβὰς ἀπώλεσεν· τῆς διοικήσεως τῶν πραγμάτων, ἣν ἐκτησάμεθα διὰ τῆς ἠθικῆς φιλοσοφίας· τῆς ἀληθείας τῶν πραγμάτων, ἣν διὰ τῆς φυσικῆς φιλοσοφίας· τοῦ θεοῦ, ἣν διὰ τῆς θεολογίας, ἧς διδάσκαλος ὁ Χριστός. Διὸ ὅταν λέγει· ,,ἀγαπήσει κύριον τὸν θεόν σου'' [6] etc., ἕνα θεόν· ὅταν· ,,πορευθέντες διδάξατε πάντα τὰ ἔθνη βαπτίζοντες αὐτοὺς εἰς τὸ ὄνομα τοῦ πατρὸς καὶ τοῦ υἱοῦ καὶ τοῦ ἁγίου πνεύματος'' [7], διδασκόμεθα τὴν ἁγίαν τριάδα· ὅταν· ,,ἐγὼ ἐκ τοῦ πατρὸς ἐξῆλθον'' [8], ὅτι γεννᾶται· ὅταν ὅτι ,,ἐγὼ καὶ ὁ πατὴρ ἕν ἐσμέν''[9], ὅτι ὁμοούσιος τῷ πατρί· ὅταν· ,,τὸ πνεῦμα τῆς ἀληθείας ὃ παρὰ τοῦ πατρὸς ἐκπορεύεται'' [10], μανθάνω τὴν ἐκπόρευσιν παρὰ πατρός· εἰς τόσον ὅτι διδάσκαλον ἔχοντας τὸν Χριστὸν τολμῶμεν λέγειν καὶ βεβαίως ὁμολογεῖν ἕνα πατέρα, ὃς γεννᾷ τὸν υἱόν, θεὸς ἀληθηνὸς ἐκ θεοῦ ἀληθηνοῦ [11], πλὴν εἷς θεὸς καὶ ἓν πνεῦμα ἅγιον ἐκπορευόμενον παρὰ πατρός, πλὴν εἷς θεὸς τῇ οὐσίᾳ τρεῖς ἔχων ὑποστάσεις. Ἀσυγχύτως διακρίνεται ὁ πατὴρ τοῦ υἱοῦ τῇ ἐνεργιτικῇ καὶ παθητικῇ γεννήσει, τὸ πνεῦμα τοῦ πατρὸς τῇ ἐνεργιτικῇ καὶ παθητικῇ ἐκπορεύσει, τὸ πνεῦμα τοῦ υἱοῦ τῷ

---

[1] Cf. Ps.-Dionysius Areop., Περὶ μυστικῆς θεολογίας, V, PG 3, 1045 D-1048 B.
[2] Ro. 1:20.
[3] Ex. 33:23.
[4] Ps. 18:2.
[5] Gal. 3:24.
[6] Mt. 22:37; Mc. 12:30; Luc. 10:27.
[7] Mt. 28:19.
[8] Ioa. 16:28.
[9] Ioa. 10:30.
[10] Ioa. 15:26.
[11] Symbolum Nycaenum et Nycaeno-Constantinopolitanum.

τρόπῳ τῆς ὑπάρξεως· φησὶ γὰρ Ἰουστῖνος ὁ φιλόσοφος· „διοίσει τῷ τρόπῳ τῇ ὑπάρξεως" ¹.

[131r] 128 Ἡ δευτέρα γέννησις, καθ' ἣν ἀπάτωρ, ἡ χρονική. Ἔστι δὲ γέννησις, μεταβολὴ κατὰ κίνησιν γινομένη, ἐκ τοῦ μὴ ὄντος εἰς τὸ εἶναι παράγουσα. Hîc duo considerantur: μεταβολὴ καὶ κίνησις. Μεταβολὴ triplex: ἐξ ὑποκειμένου εἰς ὑποκείμενον· ἐκ λευκοῦ μέλαν, et contra· ἀλλοίωσις· ἐξ ὑποκειμένου εἰς οὐχ ὑποκείμενον· et haec dicitur φθορά· ἐξ οὐχ ὑποκειμένου εἰς ὑποκείμενον· et haec γέννησις. Κίνησις triplex: βιαία (1) καὶ κατὰ συμβεβηκός (2), ut eiectio sagitae (1), et sursus albedinis (2); φυσική, ut motus elementorum in propriis locis; ὑπερφυσική, ut motus ignis in materia non calefaciens: ἐν τῇ βάτῳ ². Ἡ τοῦ Χριστοῦ γέννησις μεταβολή ἐστι ἐξ οὐχ ὑποκειμένου εἰς ὑποκείμενον, κατὰ κίνησιν ὑπερφυσικήν. Ὅτι ἐκ παρθένου, quod si quis obiiceret fuisse desponsatam, redde rationes; si quis illud euangelistae: „ἕως οὗ ἔτεκεν" ³, distingue de „ἕως".

Ἡ πρώτη δυὰς οὗ ἡ γέννησις λέγομεν θεοῦ καὶ ἀνθρώπου. Hîc aliqua significatur communio, quae est vel in natura, vel in persona. In natura fit communio, multipliciter. Vide in verbo „Unio" *. Quod vero unio non sit facta in natura cum S. Gregorio ostende (pagi-

---

* [89r] 86 Index (vide Introductionem, p. 5).

Unio multifariam (12) dicitur: κατὰ σωρείαν, ὡς ἐπὶ διαφόρων σπερμάτων, οἷον σίτου, κριθῆς, κέγχρου καὶ τῶν τοιούτων· κατὰ κρᾶσιν, ὡς πὶ δύο ὑγρῶν, οἷον ὕδατος, οἴνου etc.· κατὰ φύρσιν, ὡς ἐπὶ ξηροῦ καὶ ὑγροῦ, οἷον ἀλεύρου, ὕδατος etc.· κατὰ σύγχυσιν, ὡς ἐπὶ τηκτῶν, οἷον χρυσοῦ, ἀργύρου etc.· κατὰ ἁρμονίαν, ὡς ἐπὶ λίθων· κατὰ παράθεσιν, ὡς ἐπὶ σανίδων· κατὰ συναλοιφήν, ὡς ἐπὶ λαμπάδος ἐκ πυρὸς προερχομένης καὶ αὖθις αὐτῷ ἡνωμένης· κατὰ κόλλησιν, ὡς ἐπὶ χαλκοῦ καὶ μολίβδου· κατ' οὐσίαν, ὡς ἐπὶ ἀτόμων· κατὰ σχέσιν, ὡς ἐπὶ γνωρίμων καὶ φίλων καὶ συγγενῶν εἰς ἓν θέλημα συνερχομένων· κατὰ σύνθεσιν, ὡς ἐπὶ ψυχῆς καὶ σώματος ⁴· ἡ δὲ καθ' ὑπόστασιν ἕνωσις ἐπὶ μόνης λέγεται τῆς ἐν Χριστῷ θεότητος καὶ ἀνθρωπότητος· ἀποτελεῖ γὰρ μίαν ὑπόστασιν τὸ σύνθετον τῶν ἐνουμένων σώζουσαν τὰς συνελθούσας φύσεις πρὸς γνωσιν.

---

¹ Iustinus Philosophus et Martyr, Ἀποκρίσεις πρὸς τοὺς ὀρθοδόξους (opus spurium), Responsio 139, PG 6, 1392 C-1393 A.
² Ex. 3:2, 3.
³ Mt. 1:25.
⁴ Vide Suidae Lexicon in verbo ἕνωσις.

na III *), et ex hoc: quia Christus duas habet naturas, et duas voluntates habet. ,,Πάτερ, εἰ βούλει παρένεγκε τὸ ποτήριον τοῦτο ἀπ' ἐμοῦ· πλὴν οὐ τὸ ἐμὸν ἀλλὰ τὸ σὸν γεννηθήτω θέλημα" ¹· τὰ δὲ θελήματα ἐν Χριστῷ οὐκ ἐναντία. Et duas ἐνεργείας. Διονύσιος· ,,θεανδρικήν" ². Χριστός γεννᾶται (μία φυσική) ἐκ παρθένου (ἑτέρα ὑπερφυσική). Χριστὸς περιπατεῖ (μία) ἐπὶ τῶν ὑδάτων (ἑτέρα). Conclude quod in hypostasi facta sit unio [131v] et affer in medio ferum ardens, vel adamanti exemplum, vel hominis duas habentis scientias, verbi gratia et medicinam et retoricam calentis. Deinde triplicem unionem, ut habetur pagina 108 **.

---

* [114v] III Dubitatio de Christi incarnatione: τί τὸ βιάσαν τὸν υἱὸν τοῦ θεοῦ σαρκωθῆναι; Responsio: ὅτι ἀνοίκειον ἦν τὸ ἀποστῆναι τῆς οἰκείας εἰκόνος καὶ παριδεῖν αὐτὴν ἀπωσθεῖσαν ὡς ἀλλοτρίαν καὶ μισητήν, διὰ τοῦτο ἐπὶ τὴν οἰκείαν εἰκόνα χωρεῖ, κατὰ τὸν θεῖον Γρηγόριον ³ μηδὲν ἀνάξιον ὂν τοῦτο θεοῦ· ὅτι εἰ μὲν αὐτὸς γενόμενος ἄνθρωπος ἐξέστη τῆς ἑαυτοῦ φύσεως, ἢ ὅλως μετέσχε τῶν ταύτης ἐλαττομένων, ἔχει λόγον ἡ ἀπορία· εἰ δὲ αὐτὸς μὲν μετέδωκε τῇ ἀνθρωπίνῃ φύσει τῶν ἰδίων αὐχημάτων, αὐτὸς δὲ μεμένηκε ὡς τὸ πρὶν ἀμετάβλητος, τί τοῦτο παρέβλαψε τὴν ἐκείνου μεγαλειότητα;

** [111r] 108 Κυρίλλου μελέται εἰς τὰ εὐαγγέλια τοῦ ἔτους (Vide Introductionem p. 5). De conceptione Domini.

Triplex in Christo unio: deitatis ad animam, animae ad deitatem; deitatis ad carnem, et carnis ad deitatem; et animae ad carnem. Prima unio est personae et non naturae, et non personae humanae, sed divinae, non assumptae sed assumentis, non cuiuslibet sed solius Verbi. Una enim est in Christo personalitas ex parte assumentis. Ideo Christus ut homo non est persona. Quia divina natura cum in nullo supposito possit subsistere, praeterquam in propria hypostasi, ideo unio non potest esse in persona hominis, sed dei. [111v] Et propterea deus in una personarum suarum fecit seipsum suppositum humanae naturae. Unde Hugo: ex quo hominem deus assumpsit, totum assumpsit, carnem scilicet et animam, id est hominis naturam, non hominis personam, sed hominem in personam. Caro enim illa et anima, antequam Verbo unirentur in personam, non erant inter se unita ad personam. Unio siquidem una fuit ad unum, Verbi, carnis et animae, non prius Verbum et caro, nec prius Verbum et anima, nec prius anima et caro, sed simul Verbum,

---

¹ Luc. 22:42.
² Ps.-Dionysius Areop., Ἐπιστολή V, PG 3, 1072 C.
³ Gregorius Nyssenus, Λόγος κατηχητικός ὁ μέγας, IX-XVI, PG 45, 40 D-52 D.

Quare filius est incarnatus et non pater neque spiritus? Primum ut non sint duo filii in deitate, secundo quia ἐχρῆν φανεροῦσθαι ἐν τῇ σαρκώσει τὴν δύναμιν καὶ τὴν σοφίαν, τὴν μὲν δύναμιν ὅτι νενικημένον τὸν ἄνθρωπον νικητὴν ἀνέδειξε, τὴν δὲ σοφίαν ὅτι τοιοῦτον ἀνακτήσεως τρόπον ἐφεῦρε. Sunt et aliae rationes. Hîc nota charitatem Dei quod filium suum miserit nulla lege, nulla re coactus, sed propter amorem. Dives pauperem naturam. Rex servitricem (amplifica). Διὸ οὐκ ἀγγέλων ἐπιλαμβάνεται, ἀλλὰ σπέρματος 'Ἀβραάμ [1]. Διὸ ὑπήκοος γέγονεν μέχρι . . . . . [2] Διὸ υἱοὺς ἰδίους ἐποίησεν ἡμᾶς, προορίσας εἰς υἱοθεσίαν [3] χάριτος, καὶ ,,ἐγὼ εἶπα· θεοὶ ἐστέ'' [4] etc. Διὸ καὶ κληρονόμους· ,,εἰ υἱοὶ θεοῦ καὶ κληρονόμοι, καὶ συγκληρονόμοι Χριστοῦ'' [5].

Δευτέρα δυὰς τόπος καὶ χρόνος. Περὶ τόπου. Πᾶν τὸ κινούμενον· [1] ἐκ τόπου εἰς τόπον· ὁ Ἰησοῦς εἰς ἔρημον τόπον [6]. [2] περὶ τόπον· τὰ οὐράνια σώματα· Gregorius Nyssenus, κεφαλαίῳ ᾱφ´ περὶ ἀνθρώπου κατασκευῆς, quod coelestia circa locum, ideo dicit: ,,ὅτε περιέσχεν ἐν κύκλῳ τὰ

---

anima et caro, nec coepit persona esse Verbum, quando homo esse coepit, sed hominem sic assumpsit, ut persona esse homo inciperet. Itaque Verbum persona suscepit hominem non personam, sed naturam, et quid suscepit et quod suscepit persona una esset in trinitate. Ergo Christus persona ad infernum descendit, sed secundum solam animam, et Christus persona in sepulchro iacuit, sed secundum solam carnem; et Christus persona ubique fuit, sed secundum solam divinitatem, etc. Et fortassis cogitat quis tria quaedam composuisse Christum, id est divinitatem, animam et carnem? Absit. Non enim pars Christi Verbum et pars homo, sed totus Christus Verbum, et totus homo. Divinitas pars non fuit, nec in ipsa pars fuit. In humanitate sola partes sunt corpus et anima, ubi alterum illorum est pars hominis. Verum est ergo quod in sepulchro Christus iacuit; nec tamen ibi totus homo iacuit, quamvis totus homo Christus fuit. Anima enim et caro dei Verbo in persona unita fuit. Ideo ubi caro erat Verbum deesse non potuit. Haec Hugo [7].

---

[1] Cf. Hb. 2:16.
[2] Cf. Phil. 2:8.
[3] Cf. Eph. 1:5.
[4] Ioa. 10:34.
[5] Ro. 8:17.
[6] Mt. 14:13; Mc. 1:35.
[7] Excerpta ex operibus spuriis Hugonis Victorini *Apologia de verbo incarnato* et *De verbo incarnato collatio II*, PL 177, 302-320.

πάντα τὸ οὐράνιον σῶμα . . . ." ¹. [3] ἐν τόπῳ, ut artifex. sic generatio fit in loco, quia Christus est in loco. ibidem Nyssenus: „ . . . . τὴν δὲ μέσην τοῦ παντὸς ἀπέλαβε χώραν τὰ βαρέα καὶ κατωφέρη τῶν σωμάτων . . . ." ². Esse in loco tripliciter: [1] κατὰ μέρος, ὡς ὁ κλάδος τοῦ δένδρου ἐν τῷ ὕδατι ὢν ἅπαν τὸ δένδρον λέγεται εἶναι· [2] κατ᾽ ἄλλο, ὡς ἡ ναῦς οὖσα ἐν τῇ θαλάσσῃ, καὶ οἱ πλέοντες λέγονται· [3] ἐξ ἑαυτοῦ, ὡς ὁ Χριστὸς ἐν δεξιᾷ τοῦ πατρός. Tertio modo Christus est in loco. Ὁ δὲ τόπος ἢ κοινός ἐστι, ut ᾿Αθῆναι, ἢ ἴδιος, ὡς ἡ τοῦ Πλάτωνος καθέδρα. Τόπος ἐν ᾧ ὁ Χριστὸς γεννᾶται κοινὸς Βηθλεέμ, οἶκος ἄρτου, ἴδιος σπήλεον. Mons quidam est iste Βεθλεέμ, super quem est locus sanctus, ubi habetur panis vitae. „Τίς ἀναβήσεται εἰς τὸ ὄρος κυρίου ἢ τίς στήσεται ἐν τόπῳ" ³ etc. ᵃ Hic dixi: „quis non desideraret esse civis huius loci in quo natus est Christus?" Deinde ad Creta descensi, quae vocatur „πολυθαύμαστος", et ad Beatissimum Patriarcham ⁴, quem laudavi. ᵃ

[132r] 129 Χρόνος· διάστημα κινήσεως. Μεγάλη συγγένεια ἐν μέσῳ χρόνου καὶ κινήσεως· ὁ γὰρ χρόνος ἐκ τῆς κινήσεως, καὶ ἡ κίνησις ἐκ τοῦ χρόνου γνωρίζεται. Ἐξ κατὰ ᾿Αριστοτέλη χρόνου διαφοραί· νῦν, ἤδη, νεωστί, ἐξαίφνης, ποτέ, τότε ⁵. Tres primae non possunt dici de Christi generatione, tres ultimae possunt, et presertim sixta. Τότε enim ἐγεννήθη, ὅταν ἦλθε τὸ πλήρωμα. Τότε ἦλθεν τὸ πλήρωμα τοῦ χρόνου ⁶, ὅταν ἐξῆλθεν δόγμα παρὰ καίσαρος ⁷, et narra breviter. Γρηγόριος Νύσσης· „τότε, ὅτε πάντες ἐξέκλειναν, ὅτε οὐκ ἦν ὁ συνιών" ⁸, etc. Obiectio, si propter in nos amorem et charitatem est incarnatus, ut habetur Ephesios 5: „διὰ τὴν πολλὴν ἀγάπην ἣν ἠγάπησεν ἡμᾶς, καὶ νεκροὺς ὄντας συνεζωοποίησεν τῷ Χριστῷ" ⁹. Respondetur quia ante aegritudinem non datur medicina. Instantia: quare post lapsum Adae? Respondetur quia, sicut primus homo per superbiam

---

a-a) Additum a Cyrillo posterius.

¹ Gregorius Nyssenus, Περὶ κατασκευῆς τοῦ ἀνθρώπου, I, PG 44, 128 C.
² Gregorius Nyss., loc. cit.
³ Ps. 23:3.
⁴ Meletius Pigas, natus Cretensis. Vide Introductionem, p. 6, 7, 10-16.
⁵ Aristoteles, Φυσικὴ ἀκρόασις, Δ 13, 222.
⁶ Cf. Gal. 4:4.
⁷ Luc. 2:1.
⁸ Gregorius Nyssenus, Λόγος εἰς τὴν γέννησιν τοῦ Χριστοῦ (opus dubium), PG 46, 1132 C.
⁹ Eph. 2:4.

est lapsus, ita ubi vires suas cognoverit se non posse lege naturae et scripta, ac semet ipsum humiliaverit, tunc Christus opem ferre voluit. Si obiicitur quare in fine mundi, quia sic erat profetizatum. Ἀββακούμ· „ἐν τῷ ἐγγίζειν τὰ ἔτη ἐπιγνωσθήσει, ἐν τῷ παρεῖναι τὸν καιρόν" ¹. Et quis est tempus iste, nisi quem praedixerat Daniel, 70 hebdomadas ². Ò tempus, ò tempus! Nauta si prospero tempore navigare neglexerit, nonne reprehenderetur? Nos bonum habemus tempus. Tria sunt tempora, 1. peccati, 2. gratiae, 3. gloriae. Primum est adversum, legis naturalis et scriptae. Secundum est Christi, quo sicurè navigamus in portum gloriae. Paulus: „νῦν καιρὸς εὐπρόσδεκτος" ³. Ἡσαίας· „ἐν καιρῷ δεκτῷ ἐπακούσομαί σου" ⁴ etc. Exodus 20, versu 5: „ego sum Deus Zelans tribuens filiis tertiae et quartae generationis" ⁵. generationes autem sunt illa quattuor à Mathaeo numeratae ab Abraham usque ad David etc., caput 1 ⁶. Exodus 19, versu 11: „in die enim tertia descendet dominus coram omni plebe super montem Sinai" ⁷, etc.

[132v] Πρώτη τριάς· οἱ ἄγγελοι, οἵτινε παρῆσαν οὐκ εἰς διακονίαν τοῦ Χριστοῦ, — οὐ γὰρ ἦλθε διακονισθῆναι, ἀλλὰ διακονίσαι ⁸ — ἀλλ' εἰς ὑπηρεσίαν ἀνθρώπων. Διχῶς ὑπηρετοῦσι. Πρῶτον κοινῶς, τοῖς πᾶσι· ἕκαστος γὰρ ἔχει τὸν ἄγγελον αὐτοῦ. Ματθαῖος 18· „οἱ ἄγγελοι αὐτῶν διὰ παντός" ⁹ etc. Δεύτερον μερικῶς, τοῖς ἐκλεκτοῖς· καὶ αὕτη ἡ ὑπηρεσία ἢ κατὰ προμήθειαν, ὡς τῷ Ἡλίᾳ ¹⁰, ἢ κατὰ προασπισμόν, ὡς τῷ Ἐλισσαιέ¹¹, ἢ κατὰ βοήθειαν, ὡς τῷ Πέτρῳ¹², ἢ κατ' ἀποκάλυψιν, ὡς τοῖς μάγοις¹³, τῷ Ἰωσήφ¹⁴. Item venerunt et παρῆσαν in incarnatione, ut illud incognitum illis mysterium viderent. Prima obiectio, si omnes angeli descenderant. Respondetur affirmative. εἰ

---

¹ Hab. 3:2.
² Dan. 9:24.
³ II Cor. 6:2.
⁴ Is. 49:8.
⁵ Ex. 20:5.
⁶ Generationes a Matthaeo numeratae sunt quattuordecim. Mt. 1:2-6.
⁷ Ex. 19:11.
⁸ Mt. 20:28.
⁹ Mt. 18:10.
¹⁰ III Regn. 19:5-7.
¹¹ IV Regn. 6:17.
¹² Act. 12:7-11.
¹³ Mt. 2:12.
¹⁴ Mt. 1:20, 21.

γὰρ θεὸς κατῆλθε, πῶς οὐκ οἱ ἄγγελοι; πάντες εἰσὶ λειτουργοί· Daniel 7: ,,χίλιαι χιλιάδες ἐλειτούργουν καὶ μύριαι μυριάδες παρειστήκεισαν" [1]. Secunda obiectio, si habent corpora. Vide magistrum sententiarum [2].

Ποιμένες· τούτοις ἀναγγέλει ὁ ἄγγελος. (Refer verba Lucae [3]). Questio: διατί τοῖς ποιμέσιν τὴν τοῦ Χριστοῦ γέννησιν ἀναγγέλει; Prima responsio: ut significaret nobis summum pastorem natum, ὅστις ποιμανεῖ τὸν λαὸν αὐτοῦ τὸν Ἰσραήλ, ὅστις τῇ ῥάβδῳ τῆς εὐθύτητος [4] παιδεύσει τὸν λαὸν λέγων· ,,ὦ γεννεὰ ἄπιστος" [5] etc., et ,,τὸν οἶκον τοῦ πατρός μου πεποιήκατε οἶκον ἐμπορίου" [6] etc., et in alio adventu: ,,ποιμανεῖ ἐν ῥάβδῳ σιδερᾷ" [7]. [133r] 130 Secunda responsio: I Corinthios I: ,,τὰ μωρὰ τοῦ κόσμου [a] ἐξελέξατο ὁ θεός" [8] etc., ut significaret propter homines rudes fore ut omnes homines convertat. Διὸ καὶ ἐξ ἁλιέων ἀποστόλους καὶ ἐξ ἐθνῶν κήρικας.

Μάγοι, οἵτινες ἦγον τὸ γένος ἐκ Βαλαάμ [9]. Ubi stellam viderunt, cognoverunt statim, ἐκ τῆς οὐσίας, ἐκ τοῦ κεῖσθαι, ἐκ τῆς ποσότητος, ἐκ τῆς κινήσεως, ἐκ τῆς σημασίας, ἐκ τῆς ὑπηρεσίας. Vide paginam *.

---

* [115r] 112 Μελέται Κυρίλλου (vide Introductionem p. 5). 13ᵃ die Iesum viderant.

Stella quae illos ducebat multipliciter ab aliis differebat: p° in substantia, quia aliarum stellarum materia est de quinta essentiae, huius vero materia fuit de substantia corruptibili; 2° quia aliae stellae sunt verbo Dei creatae, sed ista ministerio angeli à verbo facta est; 3° in duratione, quoniam aliae à principio mundi sunt conditae, ista Christo nato creata est, postea esse desinit; 4° in situ, quia aliae sunt in coelo, ista autem non fuit sita in firmamento, sed in aëre non longè à terra; 5° in magnitudine, quia secundum

---

a) MS: θεοῦ.

---

[1] Da. (Th.) 7:10.
[2] Petrus Lombardus, *Sententiae*, II, De creatione, Distinctio VIII, Utrum Angeli omnes corporei sint . . . .
[3] Luc. 2:10-12.
[4] Cf. Ps. 44:7.
[5] Mt. 17:17; Mc. 9:19; Luc. 9:41.
[6] Ioa. 2:16.
[7] Ps. 2:9.
[8] I Cor. 1:27.
[9] Μελέται Κυρίλλου 115 r. (vide supra): ,,Magi venerunt ab Oriente. Isti enim ducebant genus à Balaam qui num. 24. profetavit quia orietur stella ex Iacob, etc." (Nu. 24:17).

Ubi fuerunt in Ierusalem, disparuit stella. Vide paginam **. Ubi adorarunt, donarunt χρυσόν, λίβανον, καὶ σμῦρνα· λογικόν, θυμικόν, ἐπιθυμιτικόν· πίστιν, ἐλπίδα, καὶ ἀγάπην· νηστείαν, προσευχὴν καὶ ἐλεημοσύνην. Quare magi sint electi et non Iudaei, decide prout tibi placeat. Viderunt stellam materialem, quam viderant; πνευματικόν, fidem; νοητόν, angellos. ,,καὶ οἱ ἀστέρες δύσουσι τὸ φῶς αὐτῶν'' [1]· λογικόν, τὴν παναγίαν· ,,χαῖρε, ἀστῆρ ὁ φαών'' [2]· οὐσιώδη, τὸν Χριστόν· ,,ἐγὼ εἰμὶ ὁ ἀστήρ'' [3] etc.

Ptolomaeum, quaelibet stellarum firmamenti nobis visibilis maior est tota terra [4], forte ista non fuit ultra quantitatem duorum vel trium cubitorum; 6° in motu, quia aliae moventur circulariter ab oriente in occidentem, haec autem ferebatur motu recto ab ortu in meridiem; 7° in statu. aliae enim moventur motu continuo et numquam stant, ista autem ibat cum euntibus et acquiescebat stantibus; 8° in vicissitudine apparitionis et occultationis. cum enim intraverunt Hierusalem occultavit se, deinde, ubi Herodem reliquerunt, monstravit seipsam. 9° in tempore. aliae enim lucent solum nocte, ista vero in meridie, neque à luce impediebatur, sed solis radios prae fulgore superabat; X° in significatione. aliae enim temporum et annorum distinctionem, ista vero creatoris nativitatem; XI° in effectu. aliae enim habent alios effectus in inferiora, ista vero solum natum salvatorem significavit; XII° in ministerio. aliae enim stellae omnibus gentibus ministrant, ista vero soli Christi nativitati; XIII° in singularitate. aliae enim stellae omnibus apparent, ista verò tantum magis; XIV° in motore. aliae enim non habent motorem proprium et ista habuit angelum qui nativitatem Christi pastoribus nunciavit.

** Stella disparuit in Hierusalem hisce de causis. pᵃ propter ipsos magos, ut qui prius fuerant commoniti coelesti signo, confirmarentur etiam dicto prophetico ex doctorum ibi residentium responso; 2ᵃ propter Christum, ut nativitas in civitate regia publicaretur, et profetia de sua nativitate impleta monstraretur; 3ᵃ ut studio magorum damnaretur pigritia Iudaeorum, qui gentibus Christum sollicitè quaerentibus ipsi non sunt moti ad quaerendum; 4ᵃ ut Iudaei Christum non recipientes inexcusabiles de adventus eius notitia remanerent, cum magi Iudaeis tempus, et Iudaei magis locum ostenderent.

---

[1] Ioel 4:15.
[2] Unde? 'Ακάθιστος, I?
[3] Ap. 22:16.
[4] Ptolemaeus Mathematicus, Μαθηματικὴ σύνταξις, A, 6, ΄Ότι σημείου λόγον ἔχει πρὸς τὰ οὐράνια ἡ γῆ.

[133v] Δευτέρα τριάς· δι' ἃ ταῦτα γέγονεν· διὰ τὴν τοῦ θεοῦ δόξαν. Διχῶς δοξάζεται ὁ θεός· ᾱᵒⁿ ὅταν πρὸς ἐκεῖνον τὰ παρ' ἡμῖν ἀγαθὰ ut ad creatorem ἀναφέρεται· contra gentiles, Romanos 1: ,,γνῶντες τὸν θεὸν οὐχ ὡς θεόν'' [1] etc. β̄ᵒⁿ ταπεινοῦσθαι et semet ipsos indignos benefficiorum recognoscere. ,,. . . .et gratias agebat'' [2].

Σωτηρία τῶν ἀνθρώπων. Πράξεις 4· ,,οὐκ ἔστιν ἐν ἄλλῳ εὑρεῖν σωτηρίαν ἡμῆ ἐν τῷ ὀνόματι Ἰησοῦ Χριστοῦ'' [3]. Ἠλευθέρωσεν ἡμᾶς ἐκ τῆς ἁμαρτίας. Διχῆς ἡ ἁμαρτία· πρακτική, καὶ προπατωρική. Ἐκ τῆς προπατωρικῆς τῷ ἁγιασμῷ, τῷ βαπτίσματι. Ἐφεσίους 5· ,,ἵνα ἁγιάσῃ καθαρίσας τῷ λουτρῷ τοῦ ὕδατος'' [4] etc. Ἐκ τῆς πρακτικῆς τῇ δυνάμει τῶν μυστηρίων, κοινωνίας, ἐξομολογήσεως etc. Γαλάτας 3· ,,Χριστὸς ἡμᾶς ἐξηγόρασεν'' [5].Τίτον 2· ,,ὃς ἔδωκεν ἑαυτὸν ὑπὲρ ἡμῶν ἵνα λυτρώσηται ἡμᾶς ἀπὸ πάσης ἀνομίας'' [6] etc.

[134r] 131 Ἡ κατάλυσις τοῦ διαβόλου, ὃς ἐκαυχᾶτο τὸν ἄνθρωπον ἔχειν δεδουλομένον. Διὸ ἤκουσε· ,,τί ἐγκαυχᾷ ἐν κακίᾳ ὁ δυνατός;'' [7] (psalmum 51) etc. ,,δια τοῦτο καθέλοι σε καὶ μεταναστεύσαι σε'' [8] etc. Καὶ ὡς ὁ Πλάτων τοὺς τῆς πολιτείας φύλακας δυσὶ ταῖς χερσὶν πολεμεῖν [9], οὕτω καὶ ὁ Χριστὸς δύο τινὰ ἐδίδαξε τὸν ἄνθρωπον, ᾱᵒⁿ τὴν τοῦ κόσμου νίκην, νικᾶν τὰς δόξας, τὰ πλούτη, β̄ᵒⁿ τὴν κατάργησιν τῆς ἁμαρτίας, νικᾶν τὰ πάθη· οὕτω νικᾶν τὸν διάβολον, καταλύειν τὰς αὐτοῦ δυνάμεις, ἀποβάλλειν τὴν αὐτοῦ τυραννίδα, ἄνεσιν.

Τέλος τοῦ πρώτου μέρους. Λείπεται ἡ τρίτη τριὰς ἐν τῷ δευτέρῳ μέρει.

Δεύτερον μέρος.

Ἡ τοῦ κόσμου θεωρία ὅτι ἦν μερικωτέρα, διὸ τὸν κόσμον εἰς πέντε ἐμέριζε [10]. Εἰ δὲ καθόλου ὀψόμεθα, διχῆ ἡμῖν ὁ λόγος παραδώσει·

---

[1] Ro. 1:21.
[2] Christi oratio eucharistica. Supra erasum: ,,ὁ χριστὸς ἠυχαρίστει''.
[3] Cf. Act. 4:12.
[4] Eph. 5:26.
[5] Gal. 3:13.
[6] Tit. 2:14.
[7] Ps. 51:3.
[8] Ps. 51:7.
[9] Plato, Πολιτεία Δ, 439 B: ,,Ὥσπερ γε, οἶμαι, τοῦ τοξότου οὐ καλῶς ἔχει λέγειν, ὅτι αὐτοῦ ἅμα αἱ χεῖρες τὸ τόξον ἀπωθοῦνταί τε καὶ προσέλκονται, ἀλλ' ὅτι ἄλλη μὲν ἡ ἀπωθοῦσα χείρ, ἑτέρα δὲ ἡ προσαγομένη''.
[10] Vide p. 20-21.

πνευματικόν, ἄυλον, ὑλικὸν καὶ σωματικόν. Ἐπειδὴ δὲ ὁ ἄνθρωπος μικρὸς κόσμος, διχῆς κἀκεῖνος· πνευματικός, ἄυλος, ὑλικὸς καὶ σωματικός, ἔξω καὶ ἔσω. Καὶ καθὼς ὁ ἔξω ἔχει πέντε αἰσθήσεις, οὕτω καὶ ὁ ἔσω· νοῦν, διάνοιαν, δόξαν, φαντασίαν καὶ αἴσθησιν. Ἑκάστη τούτων μίαν ἔχει ἰδιότητα· ὄρεξιν, ὁρμήν, βούλησιν, βούλευσιν, αἵρεσιν. (Ἀποδείκνυε ὅτι εἶδεν ἡ γυνὴ τὸ ξύλον ὅτι καλὸν εἰς βρῶσιν. [1] etc.) De quacunque dic quid sit. Quis cum aliis sensibus non utens βουλεύσει et αἱρέσει, male facit. Semperque erat. Brevius hoc dicam. Tres sunt animae partes, λογικόν, θυμικόν, ἐπιθυμιτικόν. Εἴ τις μόνῳ τῷ ἐπιθυμητικῷ κυβερνᾶται, ἁμαρτάνει· εἴ τις μόνῳ τῷ θυμικῷ, ἁμαρτάνοι, ἐπειδὴ τὸ λογικὸν μόνον σοφίαν καὶ φρόνησιν ἐκείνοις δίδωσι, καὶ ἄνευ ἐκείνου οἱ ἄνθρωποι [134v] οὐκ ἄνθρωποι, ἀλλ' ἄλογοι, ὡς καὶ ὁ Ἡρώδης ὁ ἀλόγως ταρασσόμενος διὰ τὴν τοῦ Χριστοῦ γέννησιν [2].

Ἡ δὲ ταραχὴ τρεῖς ἔχει ῥίζας· ᾱ^ην′ μίσος, β̄^αν′ φθόνον, γ̄^ην′ φόβον. Ὁ φόβος τριχῆς· φυσικός, ὃν ἅπαντες· σαρκικός, ὡς ὁ τοῦ Πέτρου [3]· κοσμικός, ὡς ὁ τοῦ Φαραώ [4], καὶ τοῦ Ἡρώδου. Τὸ μίσος, ὁ φθόνος, κακαὶ ῥίζαι, ἃς ὁ Χριστὸς ἐκριζεῖ ταύτῃ τῇ ἐντολῇ, ἐξ ἧς ἅπας ὁ νόμος [5]. Ἀγάπα τὸν πλησίον σου, κατὰ μίσους, ὡς ἑαυτόν, κατὰ φθόνου. Ματθαῖος ε̄· ,,πᾶς ὁ ὀργιζόμενος· τῷ ἀδελφῷ αὐτοῦ . . . .'' [6]· ,,ἐὰν προσφέρῃς ἐπὶ τῷ θυσιαστηρίῳ'' [7] etc. Respondet quod habet causam. Decide cum illa parabola, Ματθαῖος 18, de rege, ὅστις συνῆρε λόγον [8]. Nos tria debita habemus erga deum: διὰ τὴν ἁμαρτίαν quae est magna. ,,ἱλάσθητι τῇ ἁμαρτίᾳ· πολὺ γάρ ἐστι'' [9]· διὰ τὸ χρέος τὸ χριστιανικόν· ,,πληρῶσαι πᾶσαν δικαιοσύνην'' [10]· ,,ἐὰν οὐ περισσεύσῃ. . . .''[11]· διὰ τὸ μεγάλο χρέος· ,,τί ἀνταποδώσω τῷ κυρίῳ περὶ πάντων . . . .'' [12]. Nos itaque cum expectemus horum debitorum solutionem à deo, audebimus non parcere fratri, καὶ φθονεῖν ἐκείνῳ; Ὁ φθόνος

---

[1] Gen. 3:6.
[2] Mt. 2:3.
[3] Mt. 14:30.
[4] Ex. 1:8-22.
[5] Mt. 22:40.
[6] Mt. 5:22.
[7] Mt. 5:23.
[8] Mt. 18:23 sqq.
[9] Cf. Ps. 24:11.
[10] Mt. 3:15.
[11] Mt. 5:20.
[12] Ps. 115:3.

ρομφαῖα· psalmus 36: ,,ἡ ρομφαῖα αὐτῶν εἰσέλθοι εἰς τὰς καρδίας αὐτῶν'' ¹. ἐκ τούτων ἡ ταραχή.

Ἐκ τῆς ταραχῆς ἡ ἐπιβουλή, ἥτις ἢ ἐκ καταλαλιᾶς, ἥτις κακὸν πρᾶγμά ἐστιν, ὡς Ἀαρὼν καὶ Μαρία κατὰ τοῦ Μωϋσέως· διὸ καὶ ἐλεπρώθη Μαρία ², ἥτι εἰς τὴν ψυχὴν ἀλληγορεῖται· ἢ ἐκ πανουργίας, ἢ ἐχρήσατο ὁ Δαβὶδ κατὰ τοῦ Οὐρίου ³, ὡς καὶ Ἡρώδης κατὰ τοῦ Χριστοῦ πανουργεύεται ἐρωτῶν τοὺς μάγους, καὶ ἐπανακάμπτειν παρακινῶν αὐτούς, ἀλλ' ἄγγελος μὴ ἐπανακ[ά]μπτειν ἐκέλευσεν, καὶ τὸν Ἰωσὴφ εἰς Αἴγυπτον φεύγειν ⁴.

[135r] 132 Οὕτω Ἡρώδης εἰς μανίαν τραπεὶς τὴν βρεφοκτονίαν κατεργάζεται. Ὁ Κάϊν ἔμπροσθεν ἐταράχθη κατὰ τοῦ Ἄβελ. Μετὰ ταῦτα ἐπιβουλεύθη διὰ τῆς πανουργίας. ,,Διέλθωμεν εἰς τὸ παιδίον'' ⁵ etc., καὶ ἐφόνευσεν. Οὕτω καὶ Ἡρώδης τὰ βρέφη ἀποκτείνει. Βρέφη λέγονται οἱ ἁπλοί (Ματθαῖος 18· ,,ἐὰν μὴ γένητε ὡς τὰ παιδία...'' ⁶), οὓς ἀποκτείνομεν τῇ ἀδικίᾳ. Βρέφη λέγονται οἱ πτωχοί (,,ὃς ἓν τῶν παιδίων τούτων δέξηται ἐν τῷ ὀνόματί μου, ἐμὲ δέχεται·'' ⁷), οὓς ἀποκτείνομεν, ὅταν ἀποδιώκομεν. Οὐκ ἐλπιστέον ἐπὶ πλοῦτον. Φέρε τὸν Γεδεὼν τὸν πειράσαντα ἐν τῷ ποταμῷ τὸν λαόν ⁸. Βρέφη καὶ ἃ ἀπέκτεινεν ὁ ἀσεβέστατος Ἡρώδης, βουλόμενος συν ἐκείνοις φονεῦσαι καὶ τὸν Χριστόν, μὴ γνοὺς ὅτι ἡ βουλὴ τοῦ θεοῦ οὐ καταλύεται· φέρε τὸ τοῦ Γαμαλιὴλ ἐκ τῶν Πράξεων ⁹.

Ὁρᾶτε τί ποιεῖ ὁ κόσμος, πόσα πάθη ἔχει. Ὁ προφήτης· ,,τί σοι καὶ τῇ ὁδῷ Αἰγύπτου τοῦ πιεῖν ὕδωρ γηῶν; τί σοι καὶ τῇ ὁδῷ Ἀσσυρίων τοῦ πιεῖν ὕδωρ ποταμῶν;'' ¹⁰ Ἔασον τὸν κόσμον, ἆρον τὰς τοῦ νοὸς πτέρυγας ἐκ τῶν χαμερπῶν, καὶ λόγιασε ὅτι σε ὁ θεὸς ἔκτισεν μεγάλῃ σοφίᾳ. (Καὶ καταλεπτῶς ὁ ἐπίλογος καὶ τέλος.)

---

¹ Ps. 36:15.
² Nu. 12.
³ II Regn. 11.
⁴ Mt. 2:7-13.
⁵ Gen. 4:8.
⁶ Mt. 18:3.
⁷ Mc. 9:37.
⁸ Iudc. 7:4-7.
⁹ Act. 5:38, 39.
¹⁰ Ier. 2:18.

III

Fatta in Candia, 1599 alli 25 Marzo, à S. Catherina[1].

Prœmio

Se l'ingresso del lucido sole nel più benigno segno del ciœlo, ch'è la virgine, estingue il furor del sommo calore che fieramente percoteva la terra mentr'era in lione, mitiga il cane cœleste e ci rende un dolce e caro tempo, puoiche senza punto di morare il padre autumno à piena mano ci sparge li suoi ricchi thesori, è ben raggione ch'il Verbo d'iddio ch'è sole mystico et intelletuale mentre nella prima vera insieme insieme con la voce dell'angelo Gabriele s'inviscera nel ventre della virgine sua cara madre, ci renda tal staggione molto gioconda e cara, non gia perche elapso l'horrido fredo attemperata l'asia ci spira il dolce zephyro, e la madre terra abondantemente ci produce li suoi vaghi fiori, ma per esser ci stato tal tempo essordio fœlice della salute nostra, della depositione dell'inimico nostro, con sicura speranza perche gia cessino le nostre pœne e i nostri guai. Onde la natura nostra, che per inanti infœlice viveva nelle concupiscentie e mirava sempre al basso centro, pora miracolosamente vedesi saglier dal fondo all'alto, dalla maledittione alla benedittione, dal peccato alla giustitia, dalla morte alla vita.

> „Iam nova progenies cœlo demittitur alto
> . . . . ferrea
> desinet ac toto surget gens aurea mundo.
> Occidet et serpens et falax herba veneni,
> occidet"[2].

Conversio Infinita merce à noi, santa e benedetta virgine, che ihai causato tanta fœlicità, per la quale si ben lingua humana à te ringratiare com'a tè deve, et te lodare com'a tè deve non vale. Io non di meno si bene debil di forza, incipiam, incipiam. Tu dirige mentem. Voi, animi nobili, praestate mi il favor vostro stando con attentione, che senza punto esser vi molesto daro principio.

---

[1] Vide p. 20, n. 2.
[2] P. Vergilius Maro, *Ecloga* IV, 7, 8, 9, 24, 25.

[136r] 133 È commune opinione che quelle cose che sono dagli elementi composte sono corruptibili, dissolubili, sogette à quella corruptione che è causata dalla repugnantia delle diverse qualità che ivi ne sono, perche la natura non puo aeternamente conservare un corpo nel qual insono continue guere e bataglie, in quo ut quidam poœta dicit:

„frigida cum calidis pugnant, humoribus sicca" [1].

L'alto iddio puoiche (si bene) l'huomo secondò il corpo lo creò dagli quattro elementi, e tutto ha composto di carne e spirito — e pero si considerano in lui molte e repugnanti qualità —, nulle di meno non permette, puoiche l'ha creato, che lui sia coruptibile, dissolubile, ma che sia immortale. Perciò in lui non repugna il senso alla raggione, la carne al spirito, non gli nocciono gli humori ne freddo ne caldo, l'asia non l'infetta, infirmità non l'assediano. Gli è facile viver, gli è facile à far il bene, purche volesse permanere e perseverare in tanto stato. Ma puoiche per le fenestre degli sensi ascende il peccato e fatto captivo l'huomo, si vede una gran mutatione, perche lui inaspetatemente si bandeggia dal paradiso (da felice toto), si priva dalla beatissima fruitione delli beni del paradiso, e quelche è piu, si priva della vision e cognition d'iddio. Nec aliqua amplius cum deo potitur familiaritate. Onde l'huomo disperato poter più ritornare alla sua prima signorile habitatione delibera arar l'inobœdiente terra (inobediens propter peccatum; primo enim flores et fructus, modo vero spinas producit), coltivar li resistenti campi, continuamente affaticarsi per sostentar la misera vita sua. Deh, chi puo gia esser colui che nell'animo cosi repentina mutation tencensendo [?] non lachrimi e non pianggi? Chi puo gia esser colui che per cosi commune disgratia non sentendo in se ramarico e cordoglio non deplori? Iddio istesso ha pigliato gran dispiacere per tanto caso. Hoc colligitur ab illo loco scripturae, che iddio se n'andava pensabundo in paradiso [2]. Nec mirum si deo displicit, cum hoc antea sciret. Praescire enim et praeconoscere ita deo est necessarium, ut liberum creare. Imò ita praescit et praecognoscit, ut nulla

---

[1] P. Ovidius Naso, *Metamorphoses*, I, 19: Frigida pugnabant calidis, umentia siccis.

[2] Gen. 3:8.

res sit futura, quae non sit coram deo praeterita. Ideo quidam propheta, qui fecit quae futura sunt [1]. Sic itaque casum Adae praesciebat, sed casus displicuit. Non enim talem ut caderet creavit, sed ut fœlix sempiternè esset. Haec erat dei intentio. [136v] Quam intentionem altius deus exequeretur, si voluisset, dando homini tantam gratiam ut nunquam amplius peccasset, sed noluit. Cum enim hominem nobilem creasset, eminenter illum gradum gloriae consequi voluit. Gradus autem gloriae tres; primus: habere gloriam coessentialem, qui deo soli convenit; secundus: habere gloriam quodammodo coessentialem, sed non esse de essentia animae, qui convenit Christo, qui ut deus sibi ipsi ut homini donat gloriam. ideo dicunt quod fluit ab intrinseco gloria in Christo; tertius: consequi propriis viribus mediante dei auxilio, qui convenit homini et angelis. Et est gradus iste eminens, secundus eminentior, tertius eminentissimus. Secundum tertium gradum voluit deus ut consequeretur homo contra hostem vires ostendens. Non altrimente ch'un soldato, mentre serve à un capitanio, quella volta sara maggiormente degno della gratia del suo signore, quando con qualche prova segnalata mostra il valor suo contra l'inimico, sic voluit deus ut faceret Adam. Sed postquam non fecit, ma effeminato e mal cauto si ha lasciato perforare dal dardo del inimico suo, displicet deo, sed et castigat vehementer, nam privat illum visione sua, et eiicit de paradiso. Sed antequam illum de paradiso emitteret, come dice la scrittura caput 3 [2], praecesserunt tria: maledictio (1), vestimenta, vel tunicae pelliceae (2), et loquutio dei (3).

Maledictio merito, nam illis hoc minatus erat, quamvis deus dum minatur duplici solet uti proposito, primum uno codicionato, secundum altro immutabili. *Exemplum primum.* Condetionate loquitur deus, ut quando dixit: ,,delebo hominem", deinde non delevit, quia intelligebatur: ,,nisi illum, qui iustus sit". Ideo post illud ,,delebo hominem" legitur: ,,Noë verò invenit gratiam coram deo" [3]. *Exemplum secundum.* Et quando praecipit Ionae ut praedicet Ninevae: ,,adhûc 40 dies et Nineve subvertetur" [4], deinde hoc non

---

[1] Ier. 13:1-11; 19.
[2] Gen. 3.
[3] Gen. 6:8.
[4] Ion. 3:4.

est factum; nam dictum illud condicionatum erat: nisi illi agerent
poenitentiam. Neque credendum quod ista condicio in deo ponat
mutationem (absit), sed potius misericordiam, bonitatem ac
benignitatem. Proposito immutabile, ut quando deus loquitur ad
Adam dicens: „quocunque die comederis morte morieris"[1]. Non
dicit simpliciter „morieris", sed „morte", ut per illam mortem
intelligeret maledictionem [137r] 134 immutabiliter Adae im-
ponenda. Neque quis obiiciat, si Adam pœnituisset, quod deus
pepercisset. Nam Adam pœnituisse omnino credere volo. Nam si
non pœnituit, vel hoc propter ignorantiam fecit (1), vel propter
obstinationem (2), vel quia tempus non habuit (3), vel quia non
acceptabatur (4). Propter primum esse non potest; collige ex
scriptura Adae omnipotentiam (scientiam). Propter secundum esse
non potest; nam ubi timor est, ibi nulla obstinatio. in Adam erat
timor; dixit enim: „audivi vocem tuam et abscondi me"[2]; ergo
etc. Propter tertium esse non potest; nam publicanus ille evangelicus
„deus esto mihi propitius"[3], dixit solum, et iustificatus est. Propter
quartum esse non potest, quia Adam non poterat mentem domini
praecisè scire. Ex his itaque nos concludimus aliquam habuisse
pœnitentiam hominem in paradiso. Sed quoniam dei propositum
erat immutabile, iustissime ei maledixerat. „δικαιοσύνη ἐνώπιον
αὐτοῦ προπορεύση"[4].

De tunicis pelliceis est sciendum propterea illos indutos esse, ut prae-
significaretur quod post maledictionem plures in tribulationes, plura
in peccata mere deberent. Nam ipse David mundum in mare spacio-
sum comparavit habens innumera reptilia[5], quae sunt peccata etc.

De dei loquutione, quae fuit ista: „ecce, Adam factus est tanquam
unus ex nobis"[6]. „Ecce", quasi diceret: „ecce, quod Adam
non credebat, evenit ei". „Adam" nominat, ut illi reduceret
in memoriam priorem statum, in quo erat totius mundi dominus.
Ideo et Adam quattuor litteri scribitur, et unaquaeque unam orbis
partem in se continet. „Factus est": ingratitudinem eius, nam cum

---

[1] Gen. 2:17.
[2] Gen. 3:10.
[3] Luc. 18:13.
[4] Ps. 84:14.
[5] Ps. 103:25.
[6] Gen. 3:22.

sciret se à deo creatum, non servavit praeceptum et comandamentum sui creatoris. ,,Tamquam unus ex nobis", nam Adam cum scivisset in divinis unam esse essentiam et tres personas, voluit et ille quarta persona conumerari. Ideo D. Augustinus psalmo 68 dicit: ,,Adam et Eva voluerunt rapere deitatem" [1]. Alii dicunt per hironiam hoc dictum esse intelligendum, cum Adam absque dei licentia voluisset deificari. Ideo deridetur, quod si mirum alicui erit, sciat dupliciter posse loqui per ἡρωνίαν (derideri), vel propter puram derisionem (heronice), ut Iudaei de Christo tunica vestito et corona spinarum: ,,ecce rex Iudaeorum" [2]; vel propter correctionem, et ita deus. Sic David: ,,qui habitat in coelis, irridebit etc. et dominus subsannabit eos" [3]. ,,Ecce, Adam factus est tamquam unus ex nobis" [4].   [137v]   Alii tantum dictum ad consolationem Adae dictum esse; ideo non ut legitur dictum esse intelligendum, sed ita: ,,ecce, unus ex nobis factus est tanquam Adam", quasi diceret una trinitatis persona fore ut summat carnem nostram. Quando deus de se pluraliter loquitur, pluralitatem nobis significat personarum. Dicit tanquam: ,,nam Adam de terra terrenus, Christus de coelo coelestis" [5]. Dicit ,,factus est", cum potius ,,fiet" deberet, sed hoc, nam in praedestinatione dei quae sunt futura respectu nostri iam sunt facta. Collige hoc ex scriptura. ,,In principio creavit deus coelum" [6], dicit scriptura. Deinde dicit inferius quod secunda die dixit deus: ,,fiat firmamentum et factum est firmamentum et vocavit firmamentum coelum" [7]. Primum itaque fecit praedestinative, deinde exequutiva. Ita conclude de ,,factu est". Nam nisi filius dei homo fieret, Adam non esset maledictione solutus et benedictus — ,,in semine tuo benedicentur omnes" [8] — et non spoliaretur tunica pellicea [9], et indueretur illa prima stola, quam habuit in statu innocentiae, de qua fit mentio in evangelica parabola

---

[1] Aurelius Augustinus, *Enarrationes in psalmos* LXVIII, sermo I, 9.
[2] Mt. 27:29; Mc. 15:18; Ioa. 19:3.
[3] Ps. 2:4.
[4] Gen. 3 : 22.
[5] I Cor. 15:47.
[6] Gen. 1:1.
[7] Gen. 1:6-8.
[8] Act. 3:25.
[9] Gen. 3:21.

prodigi [1], quae est ipse Christus, nam qui in Christo sunt baptizati, Christum sunt induti [2]. Haec igitur tria praecesserunt.

In maledictione tres sunt maledicti: serpens, Adam et Eva, ubi considerandus numerus numerans et res numerata. Per numerum numerantem trinitas intelligitur, quae homini maledixit. Non enim putandum filium, quia incarnari volebat, non maledixisse, cum opera trinitatis sint indivisa. Per rem numeratam totum hominem significatur fuisse maledictum. Per serpentem partem hominis rationalem; nam serpens pro prudenti accipitur in scriptura, ut ,,sed serpens erat callidior'' [3], calliditas autem pars prudentiae; ideo Christus: ,,sitis prudentes ut serpentes'' [4] etc. Adam pro parte irascibili, nam Adam interpretatur terrenus. Qui autem est constans magis terra, est melancholicus, et qui melancholicus, irascibilis etc. Eva pro parte concupiscibili, etc. [138r] 135 In secundo, id est in tunicis pelliceis duo tantum vestiuntur, ut per numerum duorum numerantem duplicem naturam in una persona, quae incarnari debebat, divinam scilicet et humanam; per rem numeratam, id est Adam et Evam, intellectum et carnem, cum quibus homo post lapsum debebat magnas experiri passiones in hoc mundo. In tertio autem deus de Adam solo mentionem facit. Nam non mirabatur Evam, quae est carnem, hisce terrestribus inclinari, sed intellectum permittere ut seducatur à carne.

Post haec eiecit illos de paradiso et sic visione et cognitione sua privavit. Cognitio dei vel fit per exauditionem, vel per visionem. Adam duplici ista privatur. Ideo vehementer et dolet. Hinc est, quod Philo Iudaeus dicat quod Adam interrogatus à deo ,,ubi es?'' respondere poterat: ,,ubi rebelles malefactores qui deum non vident'' [5]. Ò damnum! Ò detrimentum, quod evenit homini! Sic unicuique peccatori. Ideo suademur in hoc mundo nil aliud cogitare (circa nil aliud occupari), nisi deum quaerere, deum cognoscere. Quod nobis est in scriptura significatum, cum deus duo cherubin posuisset paradisum custodientia cum gladio flammeo et versatili [6].

---

[1] Luc. 15:22.
[2] Gal. 3:27.
[3] Gen. 3:1.
[4] Mt. 10:16.
[5] Philo Alexandrinus, Νόμων ἱερῶν ἀλληγορία, III, 54.
[6] Gen. 3:24.

Per duo cherubim duplex in nobis intellectus, agens et possibilis, per gladium phantasia, quae debet verti ab hisce terrestribus ad flammam spiritus sancti, ut mediante illa ad deum perveniamus. Deh, ad deum, christiani! Ipse enim est creator noster. Ipse fecit nos et non ipsi nos [1]. Ipse est salvator. Domini est salus [2], et ,,non est absque me salvator'' [3]. Ipse est thesaurus, omne datum optimum [4]. Ipse est lumen. ,,Intellectum tibi dabo et instruam te in via hac, qua gradieris'' [5]. Creat nos, salvat nos, ditat nos, illuminat nos. Vita che amplifica, che vivifica, che beatifica, qua vivimus et movemur et sumus [6]. Ad deum, quia sine ipso nihil possumus facere. ,,Sine me nihil potestis facere'' [7]. Et quamvis liberum habeamus arbitrium, sed nihil potest absque dei gratia. Augustinus: ,,sine gratia dei vel cogitare vel agere aliquid secundum deum possumus'' [8]. [138v] David: ,,quaerite deum et anima vestra vivet'' [9]. ,,Quaerite'', inquit, ,,faciem eius semper''[10]. Et ne quisquam se apprehendisse putet, I Corinthios 8: ,,si quis se'', inquit, ,,putat aliquid scire, nondum scit quomodo scire oporteat'' [11].

Sed deus quomodo cognosci potest, si de illo Esaias: ,,vere tu deus es absconditus''[12], et David: ,,posuit tenebras latibulum suum''?[13] Cognitio intellectus nostri est quaedam actio. Et sicut quaedam actio, quae versatur circa aliquam materiam, et patitur difficultatem, non dubium est talem difficultatem vel esse ex parte agentis, vel ex parte materiae, vel ex parte utriusque, verbi gratia (1) comburens ignis (1) potens vel valiudus, (2) impotens vel invalidus; (2) combustibile lignum (1) viride vel humidum, (2) siccum. Si primum primi et primum secundi, difficultas ex parte

---

[1] Ps. 99:3.
[2] Ps. 3:9.
[3] Is. 43:11.
[4] Jc. 1:17.
[5] Ps. 31:8.
[6] Act. 17:28.
[7] Ioa. 15:5.
[8] Aurelius Augustinus, *Ad Valentinum abbatem epistula* I (CCXIV), 2, PL 33, 969.
[9] Ps. 68:33.
[10] Ps. 104:4.
[11] I Cor. 8:2.
[12] Is. 45:15.
[13] Ps. 17:12.

secundi. Si secundum primi et secundum secundi, difficultas ex parte primi. Si secundum primi et primum secundi, difficultas ex parte utriusque. Sic intellectus noster, dum intelligere aliquid nequit, difficultas est vel ex parte intellectus, vel rei cognitae, vel utriusque. Quoniam vero intellectus tria rerum genera cognoscere peroptat, primi generis, vel substantias materia expertes, ut sunt angeli, deus, etc., secundi generis, vel res tenuis entitatis, ut materia prima, relatio, etc., tertii generis, vel substantias et accidentia, id est res sensibiles. Dum ab intellectu res tertii generis sciri non possunt, difficultas est ex parte intellectus, ut si homo rudis naturaliter de rebus discernere esset impossibile propter ignorantiam in illo. Dum intellectus cognoscere vult et non potest, difficultas est ex parte utriusque, ut si quis vellet materiam primam cognoscere, non posset, cum neque substantia sit neque accidens, quamvis illam [139r] 136 esse sciamus, ex mutua rerum transmutatione, ut ignis in aere, et aer in aqua. Neque imaginandum ignis substantiam verti in aeris, vel aeris verti in aquae substantiam, sed unius forma recedit, et succedit alterius. Sic fiunt transmutationes, quae non fierent, nisi aliquod eis esset commune; illud autem est materia prima; aliter autem non possunt cognosci. Sic D. Augustinus 11 Confessionum, de tempore: ,,quid tempore familiarius commemoramus? Quid notius intelligimus? Quid est ergo tempus? Si nemo ex me quaerat, scio, si autem quaerenti explicare vellim, nescio'' [1]. Non itaque res istae cognoscuntur, nisi quis dicat confusè. Talis autem cognitio est tanquam illa puerorum, de quibus Aristoteles primo Physicae [2]. Dum res expertes materia quaerimus, illae vel sunt angeli, vel unus solus deus. Angelos possemus cognoscere propter finitatem (ut ita dicam) illorum, si possent sensibus nostris subiici. Cum vero non possint, difficultas erit ex parte intellectus nostri. Deum autem cognoscere è total incapacita nostra, puoiche non si possa cognosce che con intelletto in atto separato. Il nostro essendo potentiale non puo intender che le cose corporee pigliate dalli sensi. E quel che piu si può sollevare,

---

[1] Aurelius Augustinus, *Confessiones*, XI, xiv, 17.
[2] Aristoteles, Φυσικὴ ἀκρόασις, I, 1: καὶ τὰ παιδία τὸ μὲν πρῶτον προσαγορεύει πάντας τοὺς ἄνδρας πατέρας καὶ μητέρας τὰς γυναῖκας, ὕστερον δὲ διορίζει τούτων ἑκάτερον.

quando è di vera sapientia notrito, è venir in cognitione delle essentie incorporee mediante le corporee, come per il movimento di cioeli si viene a conoscimento di motori loro, che sono virtu incorporee; et per succession venir alla cognition della prima causa. Ma tal cognitione è come veder il lucido corpo del sole in aqua ò in altro diafano.

[139v] E cosi il nostro intelletto humano nelle corporee vede l'incorporee e conosce per l'effetto che l'universo ha prima causa. Ma quiditativamente ò perfettamente conoscer iddio, come fa il mondo angelico, non possiamo. Ideo D. Chrysostomus, ἐν τοῖς περὶ ἀκαταλήπτου λόγοις, nos ab angelis differe, ut differt cœcum solem aspicere non valens ab illo qui lucem habet. Addit nihilominus Esaiam de supremo ordine seraphim scribere, quod duabus alis velabant faciem eius, ut significaret quod et angeli non possunt esse capaces fulgoris lucisque divini [1], che secondo la lor finita capacita. Ideo scriptum est: ,,qui habitat lucem inaccessibilem'' [2], et non dicit incomprehensibilem, nam quod est inaccessibile est magis incomprehensibile, et non è contra, quod si dei habitatio est incomprehensibilis, quam magis illius substantia [3]. Si itaque angeli nequeunt fieri capaces ut nos etc. Argumentatio ex alia parte. D. Paulus dicit: ,,ex parte cognoscimus'' [4]. Quòd si illud ,,ex parte'' à respectu nostro debet intelligi, forsan hoc dicit, quod aliqua parte nostra, id est intellectiva, et non sensitiva, posse nos aliquid de deo scire. Si à dei respectu, nil aliud dicit, quam nos posse habere de deo conceptus aliquos, ut scolastici primo Sententiarum, distinctio 3 [5], quos D. Thomas vocat post Dionisium [6] negativos, positivos, relativos [7].

Negativo concetto haverai de iddio, quando dici che iddio è infinito, perche finis negatur de illo. Neque infinitum capias secundum illam significationem che gli dano gli filosophi [140r] 137

---

[1] Ioannes Chrysostomus, Περὶ ἀκαταλήπτου III, 3, PG 48, 721-722.
[2] I Ti. 6:16.
[3] Ioannes Chrysostomus, Περὶ ἀκαταλήπτου III, 2, PG 48, 721.
[4] I Cor. 13:9.
[5] Petrus Lombardus, *Sententiarum* Liber I, Distinctio III, Incipit ostendere quomodo per creaturam potuerit cognosci creator.
[6] Sc. Dionysius Areopagita.
[7] Thomas Aquinas, passim.

dicendo che significa quantità interminata et imperfetta, dalla quale è molto lontana l'essentia d'iddio, impero che non possiamo parlar d'iddio e delle cose incorporee se non con vocabuli alquanto corporei, puoiche la medesima lingua e prolation nostra è in se corporea. E quando diciamo anco ch'iddio è perfetto, è vocabulo incompetente alla divinità, perche vol dire interamente fatto, e nella divinità chi dira mai che ne sia fattion alcuna? Absit. Ma come per perfetto vogliam dire ch'è privato d'ogni diffetto, cosi per infinito che la perfettione d'iddio è improportionabile et incomparabile ad ogni altra perfettion creata, pero che quel che di niente ogni cosa creo, bisogna che ecceda in perfettione le sue creature, che da se sono niente, quanto eccede il summo essere dal puro niente, che è eccesso incom[men]surabile senza proportione, ò comparatione alcuna, il quale noi chiamiamo infinito, non extensivo, per grandezza, per succession, per multitudine, che ciò si considera, nel corpo nel spatio, nel tempo nel moto, nelle specie negl'individui, ma intensivo, ch'è simpliciter infinitum, che hà una infinità e più infinità; più infinita, quia habet multa attributa, et omne attributum in se est infinitum; unam infinitatem, nam omnia attributa quae sunt in deo unum sunt, sed propter diversos effectus diversa nomina sortiuntur. Ut posse, velle est unum apud deum, sic scientia, sapientia unum sunt. Ma tal infinità perfettissima, abstratissima, transcendente.

[140v] *Positivo*, ut dicere deum omnipotentem. Ponimus enim in deo omnipotentiam, cum deus in omnibus ut omnipotens operetur, quamvis in essentia sua non agit deus ut omnipotens. Nam si deus pater generaret ut omnipotens, filius est eiusdem omnipotentiae, et sic generaret semetipsum, quod est absurdum. Sic dici potest et de spiritu sancto. Deus itaque extra suam essentiam agit ut omnipotens, nam facit quae vult et vult quae facit, et quae facit et vult potest, quamvis quae possit omnia neque vult neque facit. Ad Abraham: ,,ego deus omnipotens'' [1]. Ad Sarai: ,,nunquid deo quidquam est difficile?'' [2] Ephesios 1: ,,operatur omnia secundum consilium voluntatis suae'' [3]. Matthaeus 13: ,,potens est deus de

---

[1] Gen. 17:1.
[2] Gen. 18:14.
[3] Eph. 1:11.

lapidibus istis suscitare filios"[1], etc. Augustinus in Enchiridio:
,,in clarissima luce sapientiae videbitur quam multa possit deus et
non vellit, nihil autem vellit quod non possit"[2]. In deo duplex
potentia, 1. ordinaria, 2. absoluta secundum theologos. Ordinato
potere è quel che segue gli ordini della sua volontà praescritti, im-
peroche la natura non pol fare alcuna cosa senza ordine praescritto
da iddio. Assoluto potere è quello che può mutare gli ordini, in-
novar le leggi senza alcuna sua mutatione. O novità, però ad
instantia di Iosue fà fermar il sole[3], alle prece d'Esaia retroceder[4],
fà dormir Ezechiele in un fianco 390 giorni[5], quod quamvis Hyero-
nymus neget[6], D. Basilius[7] et Theodoretus[8] affirmant. Plato in
Timaeo ostendit omnipotentiam, dum deum celestia aloquentem sic
introducit: ,,voi sete fatura mia, e da noi dissolubili, ma per mia
communicatione siate indissolubili, perche maggiori sono mie forze
che vostra fragilità"[9].

[141r] 138 *Relativo* quando che saprai ch'iddio è rettor, pro-
visor e governator nostro, si bene iddio non si referisce alle creature per relation reale, perche quello ch'è realmente relato, è ordinato à un altro, e quelche è ordinato depende da quello al quale
è ordinato, e quelche depende è mutabile, e quelch'è mutabile è
imperfetto, e quelch'è imperfetto è limitato, ma iddio non è cosi.
Quamvis in relationibus originis sit realis relatio (hîc quid faciant
relationes in deitate, id est quod distinguunt et quomodo), quia non
est diversitas naturae, sequitur: relatio inter deum et creaturas è
secundum rationem, perche fà che per convenienti mezi tutte le cose
pervenghino al fine loro. E quid aliud significat fluvius ille, qui exit
de paradiso et irrigat totam terrae superficiem[10], quam providentiam
etc., quod et si in homine atque brutis animadvertitur, in vegetabili-

---

[1] Mt. 3:9.
[2] Aurelius Augustinus, *Enchiridion*, XXIV, 95.
[3] Ios. 10:12, 13.
[4] Is. 38:8.
[5] Ez. 4:4, 5.
[6] Hieronymus, *Commentarii in Hiezechielem*, I, iv, 13-15, CC 75, 51-52.
[7] Basilius Caesareensis, Ἑρμηνεία εἰς Ἡσαΐαν, VIII, 206, PG 30, 476 A.
[8] Theodoretus Cyrensis, Ἑρμηνεία εἰς Ἰεζεκιήλ, IV, 4, 5, 6, PG 81, 856-857.
[9] Plato, Τίμαιος, 41 A-C.
[10] Gen. 2:10-14.

bus praesertim hoc considera. Quante foglie hanno gli alberi a
conservatione delli lor frutti! Vedete le dure scorze nelli semi per
conservation loro. Considerate lilia agri quomodo crescunt: non
laborant neque nent [1]. Respicite volatilia cœli, quae nec semunt
neque metunt, et pater vester cœlestis pascit illa [2]. Ex pluribus aliis
scripturae locis.

Tales conceptus de deo dant nobis aliquam notitiam, sed non
perfectam. Ma iddio misericordioso saperendo che circa notitiam
sui versatur tota fœlicitas et vita aeterna — ,,haec est vita aeterna
ut cognoscant te solum verum deum, et quem misisti'' [3] etc. —
mentre vuol ricuperar et riparar il caduto huomo, ci manda   [141v]
l'unigenito figliuol suo in similitudinem hominis factum [4], et as-
sume la carne nostra, perche noi mirando nel figliolo conosciamo il
padre, che si bene è nato dal padre, et si distingue dal padre, ma è
consustantiale al padre et coæterno. Perciò si chiama ,,candor della
luce'' [5], perche è coæterno che non è in anzi la luce, alla sua candi-
dezza; ,,splendor della gloria paterna'' [6], perche non è separato dal
padre, ma rimane sempre in lui, come lo splendore è sempre nel
sole, si ben si diffonde a illuminar l'asia et la terra; ,,verbo e parola'',
come nuntio fidele della paterna mente, per cui non solo s'interpreta
quel ch'è di volonta d'iddio, m'anco s'intende la natura divina; si
dimanda ,,carattere espresso'', perche è distinto di persona, come
l'impression del sigillo è distinto dalla forma principale che imprime
in argento ò oro; si dimanda ,,imagine viva'', come vero figliuolo,
perche non ci è piu bella imagine viva d'un huomo che la sua cara
prole. Questa noi vedendo conosciamo il padre, perche ,,quis vidit
me, vidit patrem meum'' [7]. O che mystero! Iddio si fà noto à noi.
Era ben noto antiquamente alla Giudaea, ma per virtù, per miracoli,
per potenza. ,,Notus in Iudaea deus'' [8], etc. M'à noi si fa noto per
salvar noi, per redimer noi, per rendder à noi quello che per il pec-

---

[1] Mt. 6:28.
[2] Mt. 6:26.
[3] Ioa. 17:3.
[4] Phil. 2:7.
[5] Sap. 7:26.
[6] Ambrosius, Hymnus ,,Splendor paternae gloriae''.
[7] Ioa. 14:9.
[8] Ps. 75:2.

cato habbiamo perso — „de cuius plenitudine nos omnes accepimus" [1], per dar la grazia à noi — „lex per Mosen data est, gratia autem" [2] etc., — per restituirci il regno del paradiso — „complacuit patri vestro dare vobis regnum" [3] —, [142r] 139 per far cader la morte, che gia piu la morte non è morte — „Lazarus amicus noster dormit" [4], et „de dormientibus autem nolo vos ignorare" [5]. „Deus pro nobis aliquid melius providente" [6]. Et quid hoc? Deus fit homo, et è contra, iddio unisce se stesso all'huomo, iddio unisce l'huomo a se stesso; e cosi è dio et huomo, huomo et dio, inconfuse, inconvertibiliter, inseparabiliter [7].

inconfusamente, perche utraque natura servat suas proprietates; ideo deitas increatum, impassibile, humanitas esse creatum, esse passibile.

inconvertibiliter, perche utraque natura mansit inalterabilis, l'una non essendo conversa nell'altra per mutatione ò per compositione etc.; et discurre philosofice. 1. Omnis causa aut est non pure agens propter mutabilitatem et compositionem, ut ab elementis inmixta; 2. aut est pure agens, ut ignis ab igne. Ut se habet secundus modus, sic duae naturae in Christo. Perciò in Christo sono duae naturae et perpetuamente ne rimarano.

inseparabiliter, perche secondo l'hypostasi ò la persona il Verbo si è unito all'huomo e n'hanno una subsistenza et una hypostasi, la quale essendo stata aeterna con l'hypostasi de padre in novissimis temporibus ex sancta ac semper virgine immutabiliter incarnata est.

Quest'è tanto mystero, che ci fa conoscere la sapienza, la bontà, et la giusticia d'iddio.

[142v] La *sapienza*, perche ha escogitato una decentissima solutione d'un difficilissimo precio. Δαμασκηνός· „εὕρατο τοῦ ἀπόρου τὴν λύσιν" [8].

---

[1] Ioa. 1:16.
[2] Ioa. 1:17.
[3] Luc. 12:32.
[4] Ioa. 11:11.
[5] I Th. 4:13.
[6] Hb. 11:40.
[7] Vide Concilium Chalcedonense 451, Definitio de duabus naturis Christi.
[8] Ioannes Damascenus, Ἔκθεσις ὀρθοδόξου πίστεως, III, 1, PG 94, 984 A.

La *bontà* perche iddio è buono; e come apud mathematicos linea infinita dicitur extensa, et omniextensa, perche contiene ogni mensura di estension, et sopraestensa perche supera et eccede ogni modo et ogni raggione d'extensione [1], sic deus bonus est et omnibonus, perche comprehende in se ogni bontà sopraeminentemente, et è soprabono, perche è sopra ogni bontà et sopra ogni modo di bontà che si puo dire ò pensare, perche tutto è bontà. Et non intendi la bontà sua che sia accidentaria qualità, ma che la sua sustanza è la propria bontà, e che credi tù che sia altra la natura della bontà, solo diffunder se stessa fuor di se stessa et farsi commune agli altri, secondo che conviene che si faccino capaci, ut D. Dionysius libro de divinis nominibus, caput 4: ,,ipsam divinam substantiam bonitatem appellantes, quia eo ipso quod est bonum in omnia quae sunt portendit bonitatem'' [2]. Quello ch'è il calor nel sole, quell'è la bonta nella sostanza d'iddio. Et si come il sole tutte le cose illumina, secondo che loro si puono far capaci della luce, cosi il summo buono dalla sustanza sua infonde li raggi della bontà sua à tutti pro captu uniuscuiusque. Lo conoscono buono le cose inanimate, perche come dice Dionisius, De cœlesti hierarchia caput 4: ,,hoc ipsum quod sunt inde, à divina scilicet bonitate, suscipiunt'' [3]. Lo dicono buono le cose animate perche ab illo, qui vitae fons est, habent questa vita. Maggiormente buono lo predicanno gli huomini, per la fœlicità ch'hanno havuto essendo stati participi di quella sapienza che condureva à esso summo buono. E perche di tanto fœlice stato siamo caduti per causa del peccato d'Adamo, ecco ch'iddio, ch'è buono et omnibono, misericordiosamente si fà propitio alli peccati nostri, et per riparar ci assumme l'imbecille natura nostra dalla beata virgine. [143r] 140 O che bontà, ò che bontà!

La *giusticia*: perche il diavolo haveva inganato l'huomo con un pomo, ecco ch'ancor lui era forza s'inganasse con un pezo di carne. Perciò credendo si lungo tempo che Christo fosse huomo puro all'ultimo lo truova iddio, e mentre gli par haverlo preso nelle reti sue, noi siam liberi e scampi dalla sua tyrannide e gli usciamo dalle mani che non se n'avede. Perche essendo vinto l'huomo dal serpente

---

[1] Proclus Diadochus, Σχόλια εἰς τὸ πρῶτον βιβλίον τοῦ Εὐκλείδου, 97, 371.

[2] Pseudo-Dionysius Areopagita, Περὶ θείων ὀνομάτων, IV, 1, PG 3, 693 B.

[3] Ps.-Dionysius Areop., Περὶ τῆς οὐρανίας ἱεραρχίας, IV, 1, PG 3, 177 CD.

tyranno, vuole ch'il tyranno si vinca dall'istesso huomo. Perciò il Dottor Beda dice, che nel caso del huomo il Sathana destina, il serpente essegne, il dialogo interviene, la donna consente [1]. Cosi nella riparatione iddio destina, l'angello esegne, il dialogo interviene, la virgine consente. Perciò iddio à essequutione del suo intento manda l'angelo suo che porti le buone nuove. Missus angelus Gabriel, [2] etc. Ma perche dice „missus"? E la missione è un moto, et in ogni moto vi si considerano cinque cose: 1. quod movet, 2. vel tempus in quo, 3. quod movetur, 4. terminus à quo, 5. terminus ad quem movetur. Quod movet, è il creator, il conservatore, la prima causa di tutte le cose, il primo motor del tutto. Et è primo motore, perche à lui solo sono competenti quelli attributi uno, immobile, perpetuo; uno, perche indarno ponuntur plures causae, cum una sufficiat, sed una sufficit. Di poi quando sono piu principii, sono e diversi fini. E quando sono diversi fini, l'uno è ordinato all'altro ò non. Si primum, sic unitas conservari non posset in mezo di diversi fini, et sic mundus dissolveretur. Mentre l'uno all'uno e l'altro all'altro tenda, impossibile se non sono ordinati tra loro, ma tutti si riferiscono in uno. E quello sara il primo motore ch'è uno primo. „Audi, Israë, dominus deus tuus unus est" [3]. Da questa unità et primità si nasce l'immobilità. Dall'immobilità, perche essendo per tutto iddio dove si moverà, quindi è la perpetuità, perche sempre fu et sarà. Quod ut non sim taediosus vobis etc. Dunque iddio è quello che move in questa missione. Tempus in quo: sexto mense doppo la concettione di S. Ioanne Battista [2] etc. Narra. [143v] Quod movetur è l'angelo Gabriele. Et non si è maraviglia se si manda angelo, perche divina per angelos ad nos veniunt. Ideo Dionysius, 4 De cœlesti hierarchia, dice che divinum Iesu benignitatis mysterium angeli primo sunt edocti, postea per ipsos ad nos cognitionis gratia transivit [4]. No parimente si è maraviglia se dicesi Gabriel. Dionisius, caput 7, dice che le proprietà degli ordini cœlesti et gli officii loro si pigliano dalli nomi loro [5], come nelli ordini

---

[1] Beda Venerabilis, *Hexaemeron*, I, PL 91, 53-54.
[2] Luc. 1:26.
[3] Dt. 6:4.
[4] Ps.-Dionysius Areop., Περὶ τῆς οὐρανίας ἱεραρχίας, IV, 4, PG 3, 181 B.
[5] Ps.-Dionysius Areop., *op. cit.*, VII, 1, PG 3, 205 B-D.

ecclesiastichi l'officio suo dal suo nome. Si manda dunque Gabriel, perche, come dice Beda, si interpreta ,,debelator", perche nunciava quello veniva per debellar le forze del diabolo [1]. Terminus à quo movetur è la volonta d'iddio, perche — come dicono gli filosofi che come la volontà del huomo ha terminum à quo l'inteletto, si bene la fantasia irradiata dalla luce del intelletto agente move la volontà, cosi gli ordini delle superiori intelligenze da iddio illuminate movono l'inferiori, come si puo creder che habbiano mosso e l'angelo Gabriele — non di meno per terminum à quo principalmente hebbe la destinatione, la volontà, il decreto d'iddio. Ci resta considerare terminum ad quem. O, lasciate mi alquanto posare, e state attenti.

[144r] 141   2. parte

Hanno sempre havuto le republice di questo mondo saecolari una certa similitudine con la chiesa peregrinante, perche come una republica ha bisogno di molte conditioni (ut Plato refert [2]) acciò procedi di ben in meglio, cosi parimente la chiesa n'ha bisogno necessariamente di alcune conditioni per la sua conservatione, ma tali conditioni, quali dal verbo d'iddio, dalla scritura sacra, approbati et confirmati.

p[a] La republica saecolare e mondana è forza che sia da molti personaggi constante, perche uno puo rapresentar una republica, ma non puo far una republica, in republica Romana sunt Scipioni, Catoni, Crassi, etc. La republica ecclesiastica à piu sacerdoti. ,,Moyses et Aäron in sacerdotibus eius" [3]. ,,Ubi sunt duo vel tres in nomine meo" [4] etc. Non è uno, ma in numero plurali multitudo est intelligenda.

2[a] La republica mondana ha diversi gradi. Perciò nella republica Romana altri sono consoli, altri dittatori, altri cavalieri, tribuni etc. Nella chiesa dice S. Paolo: ,,alios dedit apostolos, alios prophetas, alios doctores" [5].

---

[1] Beda Venerabilis, *In Lucae evangelium expositio* I, PL 92, 316 A; *Homilia in festo annuntiationis Beatae Mariae*, PL 94, 9 C-10 A.
[2] Plato, Πολιτεία, passim.
[3] Ps. 98:6.
[4] Mt. 18:20.
[5] I Cor. 12:28.

3ª La republica mondana ha bisogno di governo et provisione.
Perciò voi ben sapete, quanta lode à se stesso riferiva Cicerone,
mentre vigilantissimo nelli bisogni di Roma soleva publicamente
dire: ,,ò fortunatam natam me consule Romam" [1]. Nella chiesa
ecco che gli apostoli tra se dicono: ,,considerate ergo, fratres,
viros ex vobis boni testimonii 7 plenos spiritu sancto" [2] per il
governo della chiesa.

4ª Ha bisogno di unione. Parvae enim res concordia crescunt [3].
En li bisbigli, le dissensioni di M. Antonio [4], di L. Catilina [5], quanto
detrimento e dano havesseron raportato alla republica Romana,
[144v] se alquanto non havessero obstato li tuoni e li fulmini di
esso M. T. Cicero [6]. Et nella chiesa per esser stata unione si legge che
verbum dei crescebat et multiplicabatur nimis [7]. Tutte queste
conditioni ci le da da intender S. Augustino comparando la republica à una cithara ch'è constante di molte corde, registri, numeri, li
quali se son collocati e disposti con debiti modi, misure et artificii,
rendono consonantia et armonia mirabile [8]. Per lo contro se sono i
registri slogati, le corde stemperate, i numeri incomposti, non se
n'hà se non strepito ingrato, incommodo e nogioso [9]. Per le corde li
personaggi, per la dispositione i gradi, per l'arte il governo, per
l'armonia la pace e l'unione. Hisce conditionibus non servatis et
custoditis in republica non longo tempore permansuram scimus, ut
in Atheniensibus (habitaculum deorum). Adde: la quale dimani era
si è cancellata, che par che mai sia stata. Dall'altra parte considerate
la Serenissima Republica di Venetia (madre r[epublica] et pat[rona]
H[adriae]), sole tra tutta la christianità piu degna di quante lode à
lei conferir si puone, cosi famosa per tutto il mondo che non è

---

[1] Caius Sallustius Crispus, *In Ciceronem*, 3.
[2] Act. 6:3.
[3] C. Sallustius Crispus, *Bellum Jugurthinum*, 10, 6; Marcus Annaeus
Seneca, *Epistola* XCIV, 46.
[4] Marcus Antonius (83-30 a.C.), inimicus Marci Tullii Ciceronis.
[5] Lucius Sergius Catilina (108-62 a.C.), coniuravit contra duos consules
designatos.
[6] Marcus Tullius Cicero, *Orationes in Catilinam*.
[7] Act. 12:24.
[8] Aurelius Augustinus, *De civitate dei*, XVII, 14. Cf. *Enarrationes in
psalmos*, XLII, 5; LXX, sermo II, 11.
[9] nocchioso.

imperio regno sotto il cœlo che non bramarebbe et sommamente
desiderarebbe non solo pervenire e toccare quella metta, che lei
honoratissimamente con somma sublimità si è patrona, ma à lei in
qualche minima ma parte uguagliarsi. Et è la causa, perche voi che
siate santi e giusti senatori, et di quella come di altra vigna evangelica agricoltori, nelli quali si luce somma pieta e religione, giustitia,
prudenza, e qual si voglia altra virtù, unitamente, pacificamente à
ogn'uno di voi, come lui farsi puo capace, distribuite le honoratis-
sime dignità e gradi vostri ᵃ.

IV

[23v]   17   Κυριακὴ Ματθαίου ξηʹ. Παραλύτου ¹.

† Ἂν ἴσως καὶ ἕνας, ὅπου νὰ ὑπηρετᾶ ἕνα φρόνιμον καὶ εὔσπλαχνον
ἀφέντην, ἁμαρτήσας ἔχει μεγάλην παρηγορίαν, ἔστοντας καὶ νὰ ἐλπίζει
πάντα διὰ τῆς μετανοίας καὶ παρακλήσεως νὰ μπορεῖ νὰ τυγχάνει
συγχωρήσεως, πόσον πρέπει ἕνας χριστιανὸς ὅπου εἶναι καὶ λέγεται
δοῦλος τοῦ Χριστοῦ νὰ παρηγορᾶται καὶ νὰ ἐλπίζει, ὅταν ἁμαρτάνοντα
αὐτὸς ὁ κύριος τὸν προσκαλεῖται εἰς μετάνοιαν, λέγων πρὸς πάντας·
,,δεῦτε πρός με πάντες οἱ κοπιόντες καὶ πεφορτισμένοι, κἀγὼ ἀναπαύσω
ὑμᾶς'' ². Καὶ καλεῖ τοὺς ἁμαρτωλοὺς ,,κοπιόντας'', διατί κάμνουσιν
ἐκεῖνο ὅπου δὲν δίδει ἡ φύσις τος, ἤγουν τὸ κακόν. Καὶ γὰρ ὁ θεὸς καλὰ
ποιήσας τὰ πάντα καλὸν καὶ τὸν ἄνθρωπον, δι᾽ ὃν τὰ πάντα· καὶ ἐπειδὴ
καλός, φῦσιν ἔχει τὸ ἀγαθοποιεῖν, ἄλλως δ᾽ ἐργαζόμενος οὐ τὸ κατὰ
φῦσιν, ἀλλὰ τὸ παρὰ φῦσιν, καὶ οὕτω λέγεται κοπιάζειν. Καὶ δια τοῦτο
καὶ νὰ φορτόνεται ἁμαρτίαν· ,,αἱ ἁμαρτίαι μου'', φησὶν ὁ Δαυίδ, ,,ὡσεὶ
φορτίον βαρὺ ἐβαρύνθησαν ἐπ᾽ ἐμέ'' ³. Καλεῖ λοιπὸν ὁ κύριος τοὺς
ἁμαρτωλοὺς πάντας ἐκ τοῦ πελάγους τῶν ἁμαρτίων, ἵνα αὐτοὺς ἀναπαύσῃ
εἰς τὸν λιμένα τὸν γαληνότατον τῆς σωτηρίας, τῆς ἀφέσεως, καὶ τῆς
αὐτοῦ δόξης. Δια τοῦτο πρέπει νὰ παρηγοροῦνται, καὶ νὰ χαίρουνται καὶ
νὰ προστρέχουσιν δοξάζοντες ὅτι τοιοῦτον ἔχουσιν κύριον. Δαυίδ· ,,σοὶ
μόνῳ ἥμαρτον'' ⁴ (nota ,,μόνῳ''), ὅτι τοιούτῳ κυρίῳ ἥμαρτε, περὶ οὗ

---

a) Aliqua folia perdita usque ad folium Cyrilli 144.

---

¹ Mt. 9:1-8. Probabiliter: Alexandriae 1599, Iulii 15.
² Mt. 11:28.
³ Ps. 37:5.
⁴ Ps. 50:6.

φησι· ,,κύριός μου εἶ σύ, ὅτι τῶν ἀγαθῶν μου οὐ χρείαν ἔχεις''¹. Χαίρει
ὅτι μόνῳ ἐκείνῳ ἥμαρτεν. Διαφορά· εἰ ἀνθρώπῳ ἁμαρτήσεις, δυνατόν
σε διὰ τῆς μετανοίας τυχεῖν συγχωρήσεως· εἰ τῷ θεῷ προσέρχεσθαι
καλοῦντι σε βούλει, καὶ διὰ τῆς πίστεως. [24ʳ] 18 Μόνον πρόσελθε
καὶ δὲ σε βγάνει ἔξω· ,,τὸν προσερχόμενον οὐ μὴ ἐκβάλλω ἔξω'' ².
Ζήτησον, καὶ ὃ αἰτήσεις ἕξεις· ,,ὃ ἐὰν αἰτήσητε, δοθήσεται ὑμῖν'' ³.
Πρόσελθε καὶ συγχωριθήσῃ· ,,ζῶ ἐγώ'', λέγει κύριος, ,,οὐ προσθήσω
τοῦ μνησθῆναι τῶν ἀνομιῶν ὑμῶν''. Μόνον κάμε νὰ ἔχεις πίστιν, διατὶ
ἄνευ τοῦ μέσου τούτου δύσκολόν ἐστι· διὰ γὰρ τῶν μέσων ἐπὶ τὰ ἄκρα
etc.· οὐδὲ τὴν πίστιν τὴν ψευδῆ, οἵαν οἱ ἄνομοι καὶ ἀσεβεῖς, ἀλλὰ τὴν
ἀληθῆ τὴν ἐν Χριστῷ, περὶ ἧς Ἠσαΐας, κεφάλαιον 28· ,,ἐθήκαμεν
ψεῦδος τὴν ἐλπίδα ἡμῶν καὶ τῷ ψεύδει σκεπασθησόμεθα· δια τοῦτο τάδε
λέγει κύριος κύριος· ἰδοὺ ἐμβαλλῶ εἰς τὰ θεμέλια Σιὼν λίθον πολυτελῆ
ἐκλεκτὸν ἀκρογονιαῖον ἔντιμον, καὶ ὁ πιστεύων οὐ μὴ καταισχυνθῇ'' ⁴·
ταύτην τοιγαροῦν τὴν πίστιν, ἥτις μία ἐστι· ,,εἷς'' γὰρ ,,κύριος, μία
πίστις καὶ ἕν βάπτισμα'' ⁵. Τὸ ψεῦδος πολλῶν λογίων, διὸ καὶ διαφόρους
ψευδῆ πίστιν ἔχοντας· ἡ δὲ ἀλήθεια ὡς μία, οὕτω καὶ ἡ ἀληθὴς πίστις
μία, ἡ τοῦ Χριστοῦ καὶ τῶν εὐσεβῶν χριστιανῶν. Τριχῇ δ' ὅμως εἰς τοὺς
χριστιανοὺς εὑρήσεις τὴν πίστιν· ζῶσα (στερεάν), ἀσθενῆ, καὶ νεκρά.
Νεκρά, ἡ ἄνευ ἔργων. Ἀσθενῆ, ἡ μέρος τι ἔργων ἔχουσα μετὰ δισταγμοῦ.
Ματθαίου 14· ,,ὀλιγόπιστε, εἰς τί ἐδίστασας;'' ⁶ Ματθαίου 8· ,,τί
δειλοί ἐστε, ὀλιγόπιστοι;'' ⁷ Ζῶσα, ἐν τῷ παλαιῷ Μωϋσέως· ἐν τῷ νέῳ
Ματθαίου 15· ,,ὦ γῦναι . . . . .'' ⁸, καὶ ἡ τοῦ παραλύτου αὕτη.

Ἀπόρημα· ὁ παράλυτος οὐκ ἔχει πίστιν· οὐ γὰρ ,,τὴν πίστιν αὐτοῦ'',
ἀλλὰ ,,τὴν πίστιν αὐτῶν'' ⁹ φησὶν τὸ κείμενον. Ἀπόκρισις· φανερόν
ἐστι ὅτι τὰ ἔργα προσέφερον αὐτόν, ἅτινα ὅτι μετὰ πίστεως ἐγίγνοντο
παρ' αὐτοῦ, δια τοῦτο ,,αὐτῶν'' φησι· διὰ τὴν πίστιν τοιγαροῦν ἰατρεύει,
καὶ ἰᾶται αὐτὸν καὶ ἀπαλάττει τῆς φθορᾶς, καὶ τῆς ἀσθενείας. Πλὴν τῆς
ἀσθενείας καὶ τῆς φθορᾶς διπλαὶ αἱ αἰτίαι· [24ᵛ] ἔσω καὶ ἔξω. Ὁ

---

¹ Ps. 15:2.
² Ioa. 6:37.
³ Cf. Mt. 7:7; Luc. 11:9; Ioa. 14:13.
⁴ Is. 28:15-16.
⁵ Eph. 4:5.
⁶ Mt. 14:31.
⁷ Mt. 8:26.
⁸ Mt. 15:28.
⁹ Mt. 9:2.

ἀσθενὴς ἐπορεύθη, ἵνα ὑπὸ τῆς ἔξω ἰατρευθῇ· ὁ δὲ Ἰησοῦς αὐτῷ ἰᾶται τὴν ἔσω πρότερον. Διατί; ἆ^{ον} Διὰ τὴν καθ' ὑπερβολὴν ἀγάπην· καὶ γὰρ ὁ ἔχων φίλον, duas habentem necessitates, in magis necessaria prius βοηθεῖ. Et quia magis erat necessarium curari ab interiori aegritudine, ideo Christus illi dicit „ἀφέονταί . . . ." [1]. β^{ον} Ut significaret non esse curandum περὶ τοῦ κόσμου τούτου καὶ τῶν ἐξωτέρων τοῦ σώματος commodorum, ideo „ἀφέονταί. . . . ." [1]. γ^{ον} Quia medicus prius radicem mali, deinde ipsum malum vitare conatur, ideo „ἀφέονταί . . . ." [1]. 4 Ad vitam corporalem tria sunt necessaria: γέννησις, αὔξησις, et τροφή· additur et per accidens ἰατρική. Sic ad vitam spiritualem: ἀναγέννησις, ἤτοι τὸ βάπτισμα, ἡ μετάνοια καὶ ἡ ἐξομολόγησις (πίστις), καὶ ἡ κοινωνία, sed quia contingit ista omnia aliquando à peccato etc., ideo et ἡ ἄφεσις est necessaria; et quia in isto homine erant ista maculata, ideo dicitur ei: „ἀφέονταί . . . ." [1], et sic vivat spiritualiter.

Scandalizantur astantes scribae et farisaei. Christus ἔγνω etc. [2], et dicit: „τί ἐστιν εὐκοπώτερον . . ." [3], et sic sanat illum. Haec est historia evangelica. Τοῦτό ἐστι τὸ γράμμα. Ἀλλ' ἔχει καὶ ἔννοιαν, ἔχει καὶ πνεῦμα (ut corpus anima, sic littera spiritu), τὸ ὁποῖον ἵνα δυνηθῶμεν συνιέναι, τρία θεωρητέον· ἆ^{ον} τίς ἐστιν ὁ ποιῶν τὸ θαῦμα καὶ πῶς· β^{ον} διατί ποιεῖ τὰ θαύματα· γ^{ον} τίς ὁ ἐν ᾧ τὸ θαῦμα γίνεται. Ad primum: φανερόν ἐστι ὅτι nullam habet autoritatem homo miracula faciendi, nisi habeat à deo. Ἐλισσαῖος οὐκ ἀνέστησεν τὸν παῖδα, εἰμὴ πρότερον ἑπτάκις προσηύξατο [4]· οὐ γὰρ ἤρκεσεν ἅπαξ καὶ δίς. Πράξεις, ὁ Πέτρος τῷ χωλῷ· „ἐν τῷ ὀνόματι Ἰησοῦ Χριστοῦ ἔγειρε καὶ περιπάτει" [5]. Οὐ φησιν „ἔγειρε" μόνον, ἀλλ' „ἐν τῷ ὀνόματι Ἰησοῦ Χριστοῦ"· ἐξ αὐτοῦ γὰρ τὴν ἐξουσίαν· [25r] 19 καὶ τῷ Αἰνέᾳ· „ἰᾶταί σε ὁ Ἰησοῦς Χριστός" [6], etc. Unus tantum homo habuit autoritatem, dominus enim Iesus Christus, qui cum filius dei esset et deus verus omnia poterat, διὸ καὶ θαυματουργεῖ, διὸ θαυμαστὸς ἐν ταῖς φύσεσιν ἁπάσαις· ἑπτὰ γὰρ εἰσιν φύσεις πνευματικαὶ καὶ σωματικαὶ (ὑλικαὶ) καὶ

---

[1] Mt. 9:2.
[2] Cf. Mt. 9:4.
[3] Mt. 9:5.
[4] Cf. III Regn. 4:35.
[5] Act. 3:6.
[6] Act. 9:34.

μία μέση· θεός, ἄγγελος, ψυχή, οὐράνια σώματα, στοιχεία, τὰ ἐκ τῶν στοιχείων καὶ ἄνθρωπος. Ἐν τῇ πρώτῃ natura miraculosus quia deus, et adde quomodo; in secunda quia angelus apparuit Abrahae et Lot [1]; et dum volebat Habraam sacrificium perpetrare, verba [2]; et propheta: ,,μεγάλης βουλῆς ἄγγελον" [3]· in anima quia ab inferno animas liberavit; in cœlo quia sunt aperti in baptismo [4]; in elementis quia mare obedivit [5], terra διεράγη ἐν τῷ σταυρῷ [6], in iis quae ab elementis, ut in quinque panibus [7]; in homine quia quaecumque facit propter hominem facit: cœcum sanat [8], hominem sanat; daemoniacum liberat [9], hominem liberat; χωλὸν ἰᾶται [10], ἄνθρωπον ἰᾶται· νεκρὸν ἐγείρει[11], hominem ἐγείρει· παράλυτον ἰατρεύει, hominem ἰατρεύει. Hic est qui facit miracula. O miracula! Sed quomodo operabatur? Dupliciter facit deus miracula: primo sua virtute immediate, ut coelum et terram. Quae virtus est illa? Potentia absoluta, qua mutat naturas et ordines rerum absque sui permutatione. Secundo: mediante aliqua virtute creata, quae naturalis est alicui, ut mediante calore calefacit ignis. Hoc secundo modo dupliciter miracula facit: vel dans naturalem virtutem, vel accipiens. Accipit ignis naturam in fornace babilonica [12]; dat naturalem virtutem aegrotis, ut bene habeant. Et hoc modo est operatus in paralitico miraculum.

Ad secundum: διατί ποιεῖ τὰ θαύματα; ᾱᵒᵛ Quia ὁ διάβολος (ὄφις) πλανῆσαι βουληθεὶς τὸν ἄνθρωπον, θαῦμα προὔθετο, θαῦμα δὲ τοιοῦτον οἷον ἀδύνατον γενέσθαι, ὅτι ,,εἰ φάγεσθε ἐκ τοῦ ξύλου τοῦ γινώσκειν καλὸν καὶ πονηρόν, ἔσεσθε θεοί" [13]. Διὸ καὶ ὁ Χριστὸς θαύματα προτίθεται

---

[1] Gen. 18, 19.
[2] Gen. 22:1-19.
[3] Is. 9:5.
[4] Mt. 3:16; Mc. 1:10; Luc. 3:21.
[5] Mt. 8:27; Mc. 8:41.
[6] Mt. 27:51-53.
[7] Mt. 14:14-22; Mc. 8:25-44; Luc. 9:12-17; Ioa. 6:1-15.
[8] Mc. 8:22-26; 10:46-52; Luc. 18:35-43; Ioa. 9.
[9] Mc. 5:1-19; Luc. 8:26-36.
[10] Ioa. 5:1-16.
[11] Ioa. 11:1-44.
[12] Da. 3:25.
[13] Gen. 3:5.

τοῖς ἀνθρώποις. β̄ον Ἐπειδὴ οὕτω κακῶς ἐδουλώθη ἄνθρωπος, χρὴ
μετὰ δυσκολίας ἀνακτίσασθαι αὐτόν, καὶ τί δυσκολώτερον τοῦ θαυμα-
τοποιεῖ[ν]. Διὸ τὰ θαύματα ἐργάζεται ὁ Χριστός. γ̄ον Ἵνα μὴ ἔχωσι
πρόφασιν οἱ ἀσεβεῖς ἐν τῇ ἡμέρᾳ τῆς κρίσεως, ὅτι οὐκ ἐγνώκασι τὸν
Χριστὸν καὶ τὴν αὐτοῦ πίστιν· μέλλουσι γὰρ ὡς οἱ ἁμαρτωλοὶ οἵτινε
λέξουσι· ,,πότε σε εἴδομεν πεινῶντα καὶ οὐκ ἐθρέψαμεν, διψόντα καὶ οὐκ
ἐποτίσαμεν;" [1] λέγειν καὶ αὐτοί· ,,οὐκ ἐγνώκαμέν σε". Ἀλλὰ δικαίως
ἐλέγξῃ ἂν τοὺς ὁ Χριστός· ,,ὦ γενναιά [2], θαύματα εἴχατε, ἑωράκατε,
ἠκούσατε, καὶ οὐκ ἐπιστεύσατε". [25v] δ̄ον Ἵνα ἑαυτὸν θεὸν δείξῃ
καὶ καταισχύνει τοὺς φαρισαίους, ὃ καὶ τριχῶς ποιεῖ· ᾱον τῇ ἀφέσει τῶν
ἁμαρτιῶν· οὐδεὶς γὰρ ἀφιέναι ἁμαρτίας οὐ δύναται εἰ μὴ εἷς ὁ θεός· διὸ
καὶ ἐθαύμαζον οἱ Φαρισαῖοι [3]. (Ἑρμηνευτέον πῶς καὶ οἱ τῶν ἀποστόλων
διάδοχοι ἱερεῖς ἔχουσι [4]). β̄ον ὅτι ἔγνωκεν οἷα διενόησαν οἱ Φαρισαῖοι
καὶ οἱ γραμματεῖς· οὐδεὶς γὰρ καρδιογνώστης εἰ μὴ εἷς ὁ θεός. γ̄ον ὅτι
ἰάσατο αὐτὸν τῆς ἀσθενείας· δείκνυσι τοιγαροῦν ὅτι θεός, εἰ καὶ ἄνθρωπος
κατὰ τὸ φαινόμενον. Τρία πρόσωπα ἡ τριάς, τὸ δὲ δεύτερον ὁ υἱός ἐστι·
τῇ Σαμαρίτιδι· ,,εἰ εἴδης τίς ἐστιν ὁ λέγων σοι" etc. [5]. ,,Ἐγὼ ἐν τῷ
πατρὶ καὶ ὁ πατὴρ ἐν ἐμοί" [6]. ,,Πάντα ὅσα ἔχει ὁ πατήρ" etc. [7],
ὅτι ,,ἐργάζεται ὁ πατήρ" etc. [8]. ε̄ον Ἵνα δοξάζηται ὁ θεός. ,, . . .καὶ
ἐδόξαζον τὰ ἔθνη τὸν θεὸν τὸν δόντα ἐξουσίαν" etc. [9]. Ὦ πόσον
ἐσμὲν ἀχάριστοι μὴ δίδοντες καὶ ἡμεῖς εὐχαριστίαν τῷ θεῷ. Si alicui
debes propter accepta beneficia, agis immortaleis gratias, τῷ δὲ θεῷ
παρ' οὗ πᾶσα δόσις ἀγαθὴ καὶ πᾶν δώρημα [10] τοῖς ἀνθρώποις ἡμῖν non
agimus gratias? Sed quid cogitas? Si dives es, si doctus es, si
notabilis, tua haec sunt non. Παῦλος· ,,τί ἔχεις ὃ οὐκ ἔλαβες;" [11]
Omnia à deo. Ideo gratias nobis agendum. Διὰ ταῦτας τὰς αἰτίας
ἐθαυματούργει ὁ Ἰησοῦς.

---

[1] Mt. 25:37, 44.
[2] γενεά.
[3] Mc. 2:6, 7; Luc. 5:21.
[4] Sc. ἐξουσίαν ἀφιέναι ἁμαρτίας.
[5] Ioa. 4:10.
[6] Ioa. 14:10.
[7] Ioa. 16:15.
[8] Cf. Ioa. 5:17.
[9] Mt. 9:8.
[10] Ic. 1:17.
[11] I Cor. 4:7.

Ἀλλὰ τίς ἐστιν ἐν ᾧ τὸ θαῦμα; *Ad tertium* λέγει τὸ εὐαγγέλιον ὅτι παραλυτικός, καὶ γὰρ οἱ ἁμαρτωλοὶ ἡμεῖς ἅπαντες παραλυτικοί, ὅτι εἴμεσθεν εἰς τὸν κόσμον τοῦτον ἀπὸ ταῖς ἁμαρτίαις νικημένοι, καὶ δὲν ἔχομεν κανένα μέλος, ὁποῦ νὰ μὴ ἀλγεῖ καὶ νὰ μὴ πονεῖ. Δὲν εὑρίσκεις κανένα ὃς οὐκ ἔμπλεως φθορᾶς καὶ κακοχυμίας. Φησὶν ὁ Δαυίδ· ,,οὐκ ἔστιν ἕως ἑνός" [1]. Ἀπορήσεις· πῶς, ὄντες ὑγιεῖς; Εἰ ἁμαρτωλὸς εἶ, οὔποτε ὑγιαίνεις· ἀλγεῖ σοι γὰρ ἡ κεφαλὴ ἐκ τῆς ἀσθενείας τῆς ὑπερηφανίας, οἱ ὀφθαλμοὶ τῆς ἐπιθυμίας, αἱ χεῖρες τῆς ἀδικίας, τὰ αὐτία τῆς ἀκοῆς τῶν κακῶν πραγμάτων, τὸ στόμα τῆς καταλαλίας· ὅλος ἀλγεῖς, ὅλα σου τὰ μέλη. Καὶ οὕτω παράλυτος γίνεσαι· οὐ δύνασαι ἰαθῆναι, ἐὰν μὴ προσέλθῃς. Μόνος οὐ δύνασαι, ἀλλ' ἵνα σε φέρωσιν τέσσαρες· ἡ φρόνησις, ᾗ μέλλεις τὰ πράγματα τὰ φθαρτὰ τοῦ κόσμου φεύγειν· πρώτη ἔστω ἡ ἀνδρεία, ᾗ μένει τίς στερεὸς ἐν τῇ πίστει· [26r]
20 ἡ σωφροσύνη, ᾗ τὰς ἡδονὰς φεύγεις· ἡ δικαιοσύνη, μὴ ἁρπάζειν. Τέσσερεις σε οἴσουσι. Τίνες; Φύσις, τέχνη, μάθησις, ἄσκησις. Προσευχή, νηστεία, ἐλεημοσύνη, ὑπακοὴ εἰς τὴν ἐκκλησίαν. Βραχύτης ζωῆς, μέγεθος ἁμαρτημάτων, φόβος γεέννης, ἐλπὶς συγχωρήσεως. Ταπείνοσις, μετάνοια, συντριβή, ἐξομολόγησις. (Οἱ τέσσαρες εὐαγγελισταί, οἵτινες τὸ κήριγμα τοὺς ἀνθρώπους διδάσκουσι.) Ταῦτα τὰ τέσσαρα προσφέρουσί σε τῷ Χριστῷ, καὶ ἀκούεις· ,,ἀφέονταί σοι αἱ ἁμαρτίαι" [2]. Καὶ ἀκούεις· ,,ἔγειρε καὶ ἆρόν σου τὴν κλίνην καὶ ὕπαγε εἰς τὸν οἶκόν σου" [3]. Ἡ κλίνη, ἣν βούλεται ἆραι, τὸ σῶμά ἐστι· πρὸς γὰρ τὴν ψυχὴν ὁ λόγος· ,,λούσω καθ' ἑκάστην νύκτα τὴν κλίνην μου" [4]· τὸ γὰρ σῶμα τοῖς δάκρυσιν ἔβρεχεν ὁ Δαβίδ [4]. Ταύτην τὴν κλίνην ἆραι κελεύεται, καὶ ὑπάγειν εἰς τὸν οἶκον. Τίς οὗτος ὁ οἶκος; Οἶκος *familia*· ,,εἴδατε τὴν οἰκίαν τοῦ Στεφανᾶ" [5], Παῦλος. Οἶκος τὸ σπίτι· ἔμεινε δὲ Μαριὰμ [6] καὶ ὑπέστρεψεν εἰς τὸν οἶκον αὐτῆς [7]. Οἶκος ὁ ἄνθρωπος, ἐν ᾧ κατοικᾷ ὁ θεός· ,,ὑμεῖς ἐστὲ ναὸς θεοῦ ζῶντος" [8]. Ἀχειροποίητος, ὅτι ἐν ἐκείνῳ σκεύη τίμια καὶ ἄτιμα [9]. Οἶκος ἡ παναγία, ἐν ᾗ ᾤκησεν ὁ Χριστός.

---

[1] Ps. 13:1, 3; Ps. 52:4.
[2] Mt. 9:2.
[3] Mt. 9:6.
[4] Ps. 6:7.
[5] I Cor. 16:15.
[6] Cf. Ioa. 11:20.
[7] Cf. Ioa. 12:1 ff.
[8] II Cor. 6:16.
[9] Cf. II Ti. 2:20.

Οἶκος τὸ καλὸν ἔργον· „ἐὰν μὴ κύριος οἰκοδομήσει οἶκον. . ." [1]. Οἶκος ἡ ἐκκλησία· „ἐν τῷ οἴκῳ τοῦ θεοῦ ἐπορεύθημεν ἐν ὁμονοίᾳ" [2] καὶ ὁ Χριστός· „ὁ οἶκος μου οἶκος προσευχῆς ἐστι" [3]. Οἶκος ὁ υἱὸς τοῦ ἀνθρώπου, ὁ Χριστός, „ἐν ᾧ κατοικεῖ ἅπαν τὸ πλήρωμα . . ." [4]· „ἡ σοφία ᾠκοδώμησεν ἑαυτῇ οἶκον" [5]. Οἶκος ἡ τῶν οὐρανῶν βασιλεία· „ἐν τῷ οἴκῳ τοῦ πατρός μου πολλαὶ μοναί" [6]. Ἐν ἑτέρῳ εὐαγγελιστῇ, ὅτι ὁ οἶκος ἐξεστεγώθη [7]· οἶκος ἡ συναγωγή, καὶ ἐξεστεγώθη, ὅτι ἀπεκαλύφθη ὁ Χριστός, ὃς ἐκέκρυπτο ἐν τῇ παλαιᾷ.

„Ὕπαγε εἰς τὸν οἶκον σου" [8], ἤγουν εἰς τὰ καλὰ ἔργα, εἰς τὸ εὐποιεῖν, εἰς τὴν ἐκκλησίαν, εἰς τὸν Χριστόν, ἤγουν εἰς ἐμένα, καὶ πάγενε, μὴ γηρίζεις [9] ὀπίσω, καὶ πάγενε, μὴ ὡς εἰ εἴρηκεν „στέκε" νὰ στρέφεσε νὰ θεωρεῖς τὰ ὀπισινά σου ζάλα (ὡς ἡ γυνὴ τοῦ Λώτ [10]), ὅτι ἔμπλεα ἁμαρτίας. Μόνον ὀμπρὸς πάγενε, ὀμπρὸς τρέχε νὰ καταντίσῃς καὶ εἰς τὸν οἶκον τὸν οὐράνιον τῆς βασιλείας τῶν οὐρανῶν, ἧς γένοιτο τυχεῖν, etc.

Sopra la casa vedi il Bitonto nel primo libro nella praedica della cognition di se stesso, pagina 4[8] et 4[9] [11].

---

[1] Ps. 126:1.
[2] Ps. 54:15.
[3] Mt. 21:13; Mc. 11:17; Luc. 19:46.
[4] Col. 2:9.
[5] Pr. 9:1.
[6] Ioa. 14:2.
[7] Mc. 2:4.
[8] Mt. 9:6.
[9] γυρίζεις.
[10] Gen. 19:26.
[11] Cornelio Musso, Vescovo di Bitonto, *Il Primo Libro delle Prediche*, In Vinegia appresso Gabriel Giolito de' Ferrari MDLXVI, (Bibliothèque Mazarine A. 13319. Editio non descripta a Salvatore Bongi, *Annali di Gabriel Giolito de' Ferrari*, vol. II, *Ministero della Pubblica Istruzione, Indici e Cataloghi*, XI, Roma 1895), *Predica della Cognition di se stesso*, p. 48-49: O che casa, o che casa. Pigliatevi dunque per il passo, andar cercando, & considerando tutte le parti, tutti i cantoni, tutti secreti di questa vostra casa. San Paolo diceva constantemente, che chi non sà governare la casa sua, non è atto a governar regni, nè stati. Qui domui suae praeesse nescit, quomodo praeerit alienae? Tu stesso, tu stesso huomo sei questa casa mistica. Chi non sà regger se stesso, come sarà mai atto a regger altrui? & come sarem mai atti a reggerci noi, se stiamo sempre fuori di noi? se non consideriamo mai i difetti nostri? se almeno una volta il giorno non ci riduciamo al nostro cuore? Io per me credo, che quando Christo disse al paralitico, Vade in domum tuam, volesse dire misticamente a ciascun huomo, che si ritirasse nel suo secreto, &

Καὶ „ὕπαγε" · Augustinus, psalmus 7: „Duo sunt officia medicinae, unum sanare infirmum, alterum custodire sanitatem. Secundum primum David, psalmus 6: „Miserere mei, domine, quia infirmus sum" [1]; secundum secundum psalmus: „Si est iniquitas in manibus meis..." [2]", etc. [3]. Huiusmodi secundum primum „ἀφέονταί..." καὶ „ἔγειρε...", secundum secundum „ὕπαγε...", etc.

V

[18v]   12   Περὶ τῶν πέντε ἄρτων. Ματθαίου κυριακὴ η΄, κεφάλαιον 14 [4]. Alexandriae 1599, Iulii 22.

Πολλὰ δύσκολον πρᾶγμα εἶναι νὰ μπορεῖ τινὰς νὰ κάμη τίποτας ἐναντίον τῆς φύσεως καὶ ἐναντίον τῆς τάξεως, τουτ' ἔστι νὰ χαλάση ἐκεῖνον ὁποῦ ζητᾶ ἡ φῦσις, καὶ ὅτι θέλει ἡ τάξις, νὰ χαλάση. Εἰ γὰρ καὶ ποιήση, οὐ λέγεται τι πεποιηκέναι, ἀλλ' ἀπωλωλεκέναι. Ὡς ἐν παραδείγματι· ἡ φῦσις θέλει νὰ τρώγη ὁ ἄνθρωπος ἵνα ζήση. Ἐὰν δὲ οὐκ ἐσθίη (ὃ δύναται γενέσθαι), θνήσκει, καὶ οὕτως οὐδὲν κατορθώνει, ἀλλ' ἀπωλεῖ. Πάλιν ἡ τάξις θέλει καὶ ὁ οἰκοδόμος οἰκοδομῶν οἶκον τὰ θεμέλια κάτω καὶ τὴν στέγην ἄνω· εἰ δὲ τὸ ἐναντίον ποιήση, ἀπωλεῖται ὁ οἶκος

---

considerasse sottilmente la vita sua, i costumi suoi, le attion sue, in che pecca, come offende Dio, come il prossimo, come se stesso, come si diletta delle buone opere, quanto cresce nella gratia di Dio, come è innamorato di lui, come sente volentieri la sua parola, come resiste alle tentationi, come è forte ne' buon propositi, come gli rincresce, quando pecca, come gli piace meditare ne' suoi santi precetti, come è disideroso della futura patria, come è fermo nella fede, come ardente nella speranza, come infervorato di carità, come è pronto à far penitentia de' peccati suoi, come sopporta il castigo di questa carne, come si porta nelle tribulationi, come stà saldo nelle prosperità, come s' allegra, quand' è visitato da Dio con qualche infermità, come è largo in aiutare i poveri per amor suo, come è divoto verso i Santi, come è ubidiente alla santa Chiesa, come è tenace della religione, come è humile ne gli occhi suoi, come si sente disposto a morir per Christo, che è morto per lui, come è disideroso della gloria del nome suo, come sospira, & brama la salute di tutto il mondo, come priega per tutti, anco per gli nemici. O che alta parola, Vade in domum tuam. Christiani, io vorrei, che questa parola vi sonasse sempre ne gli orecchi, accioche se tutto il giorno andate vagando fuori di voi, almen la sera tornaste a dormire in casa vostra. Io non dico sempre, io non vi dico spesso, io dico, che una volta il giorno rendiate voi à voi stessi.

[1] Ps. 6:3.
[2] Ps. 7:4.
[3] Augustinus, *Enarrationes in psalmos*, VII, 10.
[4] Mt. 14:14-22.

καὶ οὕτως οὐδὲν ἐκατόρθωσεν, ἀλλὰ μᾶλλον ἐποίησεν ὅ, εἶθ' οὕτως ἔχει,
οὕτω καὶ ἐναντίον τοῦ θελήματος θεοῦ, ὃ ἐπὶ πᾶσαν φύσιν, καὶ τοῦ λόγου
αὐτοῦ, ᾧ τάξιν δίδωσιν τοῖς πράγμασιν, ποιεῖν τι ἀδύνατον. Εἰ καὶ
πολλάκι παραχωρεῖ ὁ θεὸς νὰ γίνεται ἐκεῖνο ὃ οὐ βούλεται, οὐ λέγεται δ'
ὅμως ἔργον γίνεσθαι, ἀλλ' ἀπωλεῖσθαι. Ἀδὰμ τὴν θείαν ἐπαρέβη ἐντολήν,
ἐπὶ μεῖζον ἐλθεῖν νομίσας. Οὐδὲν ὅμως κατορθώσατο, μάλιστα δὲ μίαν
ἐντολὴν παραβὰς διπλὴν τὴν ζημίαν ὑπέπεσεν, εἴς τε α̅ʰ στέρρησιν
ἐνδύματος, β̅ᵃ στέρρησιν τροφῆς. ,,Ἤκουσα τῆς φωνῆς περιπατοῦντος
ἐν τῷ παραδείσῳ καὶ ἐφοβήθην, ὅτι γυμνός εἰμι'' [1]. ,,Καὶ ἐξαπέστειλλεν
ὁ θεὸς τὸν Ἀδὰμ ἐκ τοῦ παραδείσου τῆς τρυφῆς'' [2]. Καὶ οὐκ ἂν ἀνεκτίσθη
ὑπὸ τοῦ υἱοῦ τοῦ θεοῦ, εἰ μὴ τῆς διπλῆς ταύτης ζημίας ἠλευθερώθη, καὶ
πρότερον ὑπὸ τῆς πρώτης ζημίας ἤτοι στερρήσεως· ἀδύνατον γὰρ ἦν
ἄνευ ταύτης εἰσέρχεσθαι εἰς τὴν βασιλείαν. Ματθαίου 22· ,,ἑταῖρε, πῶς
εἰσῆλθες μὴ ἔχων ἔνδυμα γάμου;'' [3] καὶ Γενέσεως 27· οὐκ ἂν ἔλαβε τὴν
τοῦ πατρὸς εὐλογίαν Ἰακώβ, εἰ μὴ πρότερον τὸ ἔνδυμα ἐνεδύθη, διὸ
φησιν ἡ γραφή· ,,καὶ ὠσφράνθη τὴν ὀσμὴν τῶν ἱματίων αὐτοῦ καὶ
εὐλόγησεν αὐτόν'' [4]. Σαρκωθεὶς ἐνδύει δ' ὁ Χριστός, υἱὸς τοῦ θεοῦ, τὸν
γυμνὸν ἄνθρωπον, ἑαυτὸν δοὺς ὡς ἔνδυμα ἐν τῷ βαπτίσματι. Παῦλος·
,,ὅσοι εἰς Χριστὸν ἐβαπτίσθητε, Χριστὸν ἐνεδύσασθε'' [5]. Μὲ του λόγου
του σκεπάζει τὴν ἡμετέραν αἰσχύνην. Ιεζεκιήλ 16 πρὸς τὴν ἀνθρωπίνην
φῦσιν· ,,σὺ δὲ ἦσθα γυμνὴ καὶ ἀσχημονοῦσα, καὶ διῆλθον διά σου, καὶ
ἴδον σε, καὶ διεπέτασα τὰς πτέρυγάς μου ἐπὶ σε, καὶ ἐκάλυψα τὴν
ἀσχημοσύνην σου'' [6]. [19r] 13 Οὕτως ἐκάλυψεν τὴν γύμνωσιν.

Ἐχρῆν δὲ καὶ τροφὴν δοῦναι τῷ πεινόντι· ἀδύνατον γὰρ τὸν ἄνθρωπον
καὶ πολύτιμα ἐνδύματα φέροντα ἄνευ τροφῆς ζῆν, διὸ δὲ ὁ Χριστὸς καὶ
τροφὴν προμηθεύει τῇ ἡμετέρᾳ φύσει. Ποῖα δ' αὕτη; Ἄρτοι. Διὰ τοῦτο
ποτε μὲν φησι· ,,λάβετε, φάγετε'' [7], ποτὲ δε τοὺς ὄχλους πέντε ἄρτοις
τρέφει, ὡς τήμερον ἡ εὐαγγελικὴ φωνὴ μαρτυρεῖ. Narra breviter
historiam, post quam: Τοιοῦτον θαῦμα ποιεῖ ὁ Χριστός, ἵνα χορτάση
τὸν πεινόντα ἄνθρωπον καὶ διατί ἐκ τῶν πέντε ἄρτων πέντε χιλιάδας
τρέφει, οὐκ ἐναντίον τῆς φύσεως τὸ εἰργάσατο ὁ Χριστός, ἀλλ' ὑπερφυ-

---

[1] Gen. 3:10.
[2] Gen. 3:23.
[3] Mt. 22:12.
[4] Gen. 27:27.
[5] Gal. 3:27.
[6] Ez. 16:7-8.
[7] Mt. 26:26.

σικόν τι ὡς θεός. Ἀπορίσειε δ' ἄν τις· εἰ τοῖς πέντε ἄρτοις ὁ Χριστὸς τὰς πέντε χιλιάδας τῶν ἀνθρώπων, οὐκ ἐδύνατο καὶ ἑνί; Ἀποκρίνομαι· ἐδύνατο, ἀλλὰ διὰ τοῦτο πέντε ἄρτους μερίζεται, ὅτι ἐν τῇ γραφῇ πέντε γενῶν ἄρτους ἀναγινώσκωμεν· ᾱ^{ος} ἄρτον ἁπλοῦν, περὶ οὗ· ,,τὸν ἄρτον ἡμῶν τὸν ἐπιούσιον" etc. ¹· β̄^{ος} ἄρτον δακρύων· Ψαλμῶν 41· ,,ἐγεννήθη τὰ δάκρυά μου ἐμοὶ ἄρτος ἡμέρας καὶ νυκτός" ² διὰ παντός· γ̄^{ος} ἄρτον οὐράνιον, illa gratia ᾗ ὁ θεὸς τοὺς ἀγγέλους quasi cibat, quamque hominibus porrigit; ,,ἄρτον ἀγγέλων ἔφαγεν ἄνθρωπος" ³· δ̄^{ος} ἄρτον διδασκαλίας· ,,οὐκ ἐν ἄρτῳ μόνῳ ζήσεται ἄνθρωπος, ἀλλ' ἐν παντὶ ῥήματι τοῦ θεοῦ" ⁴· οὗτός ἐστιν ὁ στηρίζων τὴν καρδίαν ἐν τῇ πίστει· ,,καὶ ἄρτος καρδίαν ἀνθρώπου στηρίζει" ⁵· ε̄^{ος} ἄρτον ζωῆς· Ἰωάννου 6· ,,ἐγὼ εἰμὶ ὁ ἄρτος ὁ ζῶν" ⁶, τὸ τίμιον σῶμα τοῦ Χριστοῦ, [19v] ᾧ τρεφόμεθα κατὰ δύο τρόπους, ἢ κατὰ μετοχὴν ἢ κατὰ μετάληψιν· κατὰ μετάληψιν, ὡς ἐξομολογηθέντες, μετανοήσαντες τῆς κοινωνίας ἀξιούμεθα· κατὰ μετοχήν, ὡς ἐν τῇ ἱερᾷ τελετῇ ἁγιαζομένου τοῦ θείου ἄρτου, ἁγιαζώνται καὶ οἱ μερίδας ἔχοντες ἐγγύς⁷. Οἱ πέντε τοιγαροῦν ἄρτοι οὗτοι ἐν τῇ γραφῇ, καὶ διὰ τοῦτο πέντε καὶ οὐχ ἑνί, ἢ δυσί. Πλὴν βούλει εἰδέναι διατί πέντε; Ὅτι πέντε γένη ἀνθρώπων ἠκολούθουν τῷ Χριστῷ· ᾱ^{ον} Φαρισαῖοι καὶ γραμματεῖς ἵνα φιλονεικῶσι· β̄^{ον} οἱ ἰαθέντες παρὰ τοῦ Χριστοῦ, διὰ τὴν εὐλάβειαν· ,,καὶ ἐθεράπευσεν τοὺς ἀρρώστους αὐτῶν" ⁸· γ̄^{ον} οἵτινες μαθεῖν ἠβούλοντο παρὰ τοῦ Χριστοῦ μετ' ἐπιθυμίας· δ̄^{ον} οἵτινες ὁρᾶν ἠβούλοντο, κατὰ περιεργίαν· ε̄^{ον} οἵτινες ἀσθενεῖς ἔτι, ἰαθῆναι παρεκάλουν. Διὰ τοὺς πρώτους τὸν πρῶτον ἄρτον· οὐδενὸς γὰρ ἑτέρου ἄξιοι ἦσαν, ἠμὴ τῆς σωματικῆς τροφῆς· διὰ τοὺς δευτέρους τὸν δεύτερον ἄρτον, ἵνα μετανοῶσιν διηνεκῶς καὶ ἐφ' οἷς ἥμαρτον καὶ ἰαθέντες κλαίωσιν· ,,οἱ" γὰρ ,,σπείροντες ἐν δάκρυσιν ἐν ἀγαλλιάσει θεριοῦσιν" ⁹· διὰ τοὺς τρίτους τὸν τρίτον· δίδωσι γὰρ αὐτοῖς τοιαύτην χάριν ἐπὶ τὴν θεογνωσίαν· διὰ τοὺς τετάρτους τὸν τέταρτον, ἵνα διδαχθῶσιν, καὶ οὕτω βεβαιωθέντες ἐπὶ τῇ πίστει πᾶσαν ἀποβάλλωσι

---

¹ Mt. 6:11; Luc. 11:3.
² Ps. 41:4.
³ Ps. 77:25.
⁴ Dt. 8:3; Mt. 4:4.
⁵ Ps. 103:15.
⁶ Ioa. 6:51.
⁷ Cf. Symeon Thessalonicensis, Περὶ τῆς ἱερᾶς λειτουργίας, 94, PG 155, 281 C.
⁸ Mt. 14:14.
⁹ Ps. 125:5.

περιεργίαν· διὰ τοὺς πέμπτους τὸν πέμπτον· ζωὴν γὰρ παρέχει τοῖς μεταλαμβάνουσιν αὐτὸν ὁ ἄρτος τῆς ζωῆς. Ἔστι δὲ καὶ ἄλλη αἰτία διατί πέντε· ὅτι ὁ ἄνθρωπος πέντε ἔχων αἰσθήσεις δι' ὧν χωρεῖ ἡ ἁμαρτία, αἵτινες καὶ κωλύουσι τὸν ἄνθρωπον εἰς τὴν βασιλείαν τείνει[ν] (ὡς ὁ ζεύγη βοῶν ἀγοράσας πέντε¹), ταύτας χαλινῶσαι βούλεται διὰ τῶν πέντε ἄρτων. [201] 14 Ἔστιν καὶ ἄλλη αἰτία διατί πέντε· ὅτι πέντε ἀριθμὸς τρεῖς ἀριθμοὺς ἐν ἑαυτῷ τελείους περιέχει· τὸ ἓν οὐκ ἔστι τέλειος ἀριθμός, ἀρχὴ γὰρ μόνη ἄνευ μέσου καὶ τέλους· τὰ δύο ἀτελής, ἀρχὴν γὰρ καὶ μέσον ἔχει ἄνευ τέλους· ὁ τρίτος δὲ, ὁ τέταρτος καὶ ὁ πέμπτος τέλειοι, ἐν ἐκείνοις γὰρ καὶ ἀρχὴ καὶ μέσον καὶ τέλος ἔστιν εὑρεῖν, ἐξ ὧν τελείων ἀριθμὸν τῶν πέντε, διατὶ γίνονται δώδεκα διὸ πέντε εἰσίν· τὰ γὰρ δώδεκα τὰ παρ' ἐκείνων γεννώμενα τοὺς δώδεκα κωφίνους σημαίνουσιν, οἵτινες ἐπερίσευσαν ἐκ τῶν πέντε ἄρτων· οἱ δὲ κώφινοι οἱ δώδεκα τοὺς δώδεκα ἀποστόλους σημαίνουσιν· ὥσπερ γὰρ οἱ κώφινοι τὰ περισεύματα τῶν ἄρτων περιέχουσι, οὕτω καὶ οἱ ἀπόστολοι τὰ περισεύματα τῶν λόγων τοῦ θεοῦ ἔχοντες ἡμῖν τοῖς μεταγενεστέροις ἐτήρησαν.

Τοιουτοτρόπως ὁ Χριστὸς ἐπλήρωσεν τὸ θαῦμα, τοιουτοτρόπως ἔτρεψεν τὸν πεινόντα ἄνθρωπον. Λέξον μοι ποῦ; Ἐν τῇ ἐρήμῳ. Καὶ ποῖα ἡ ἔρημος αὕτη; Ὁ κόσμος οὗτος. ᾱᵒⁿ ὅτι οὐ μόνον ἄβατος ὡς ἡ ἔρημος, καὶ χεῖρον ἐπειδὴ δάσος ἐστὶ βάτων μεστόν, ὥσπερ τῶν συγχύσεων, καὶ ἐκ τοῦ κακοῦ εἰς τὸ καλὸν οὐ δύναται τὶς περάσαι, καὶ ἄνυδρος ὅτι ὕδωρ σωτηρίας οὐκ ἔχει διὰ τὸ ἐκ τῆς ἁμαρτίας ἀμετανόητον. Ἀλλ' ὁ χεῖρον· ὥσπερ ὁ ἀγρὸς ὁ μὴ γεωργούμενος, ἀκάνθας δὲ φύων, ἔρημος λέγεται, ὅτι καρπὸν χρήσιμον οὐ φέρει, οὕτω καὶ ὁ κόσμος ὅτι οὐδὲν καλόν (ἐπειδὴ ,,πάντες ἐξέκλιναν, ἅμα ἠχριώθησαν'' ²) κακῶν δε μεστός· διὸ ἔρημος. Ὁ Δαβίδ· ,,ἐδίψησέ σε ἡ ψυχή μου ἐν γῇ ἐρήμῳ καὶ ἀβάτῳ καὶ ἀνύδρῳ'' ³. β̄ᵒⁿ Ἐν τῇ ἐρήμῳ ἑρπετὰ εὑρίσκονται καὶ λέοντες, ,,σκύμνοι ὠριόμενοι τοῦ ἁρπάσαι καὶ ζητῆσαι'' ⁴ etc. Οὕτω ἐν τῷ κόσμῳ τούτῳ ἁμαρτία, πάθη, τὸν ἄνθρωπον σπαράττοντα, φονεύοντα etc. Ezechiel 16: ,,εὗρόν σε ἔρημον καὶ γυμνήν'' ⁵ (περὶ τῆς Ἱερουσαλήμ)· Ματθαίου· ,,Ἱερουσαλήμ, ἰδοὺ ἀφίεται ὁ οἶκος ὑμῶν ἔρημος'' ⁶. γ̄ᵒⁿ Ἐν

---

¹ Luc. 14:19.
² Ps. 13:3.
³ Ps. 62:2.
⁴ Ps. 103:21.
⁵ Cf. cit. supra p. 62.
⁶ Mt. 23:38.

τῇ ἐρήμῳ ἄρτον οὐχ εὑρίσκεις. Οὕτω καὶ ἐν τῷ κόσμῳ οὐχ εὑρίσκεις ἄρτον εἰ μὴ ἐν τῷ Χριστῷ. Πρόσελθε τῷ Χριστῷ ἐν τῷ κόσμῳ καὶ τῇ ἐρήμῳ ταύτῃ, τὸν ἄνθρωπον καὶ πάντας τοὺς προσερχομένους τρέφοντα etc.

VI

[20v] Ματθαίου κυριακὴ θ΄, κεφάλαιον 14 [1]. Alexandriae 1599 [2].

† Ὅποιος θέλει νὰ κάμῃ καὶ νὰ ἀποκτίσῃ ἕνα πρᾶγμα δὲ μπορεῖ εὐκολώτερα νὰ τὸ κάμῃ καὶ νὰ τὸ ἀποκτίσῃ ὡς μὲ τὸ ἴδιον ὅμοιον πρᾶγμα. Λόγου χάριν· ὅποιος θέλει νὰ κάμῃ καὶ νὰ ἀποκτίσῃ ἄσπρα (χρήματα), ἄργυρον καὶ χρυσόν, οὐ δύναται ῥαδιώτερον ὡς τοῖς ἰδίοις χρήμασι, ἀργύρῳ, καὶ χρυσίῳ καὶ γὰρ ἐμπορευόμενος ἔρχεται εἰς τὸν σκοπὸν τῆς κτήσεως. Τὴν αὐτὴν τάξιν φυλάττει καὶ αὐτὴ ἡ φῦσις· οὐ γὰρ ἀπὸ τῆς πέτρας ξύλον, ἀλλ' ἀπὸ τοῦ δένδρου δένδρον. Τὴν αὐτὴν τάξιν πρῶτος ἔδειξεν ὁ θεός· συνθέσας γὰρ ἐκ τεσσάρων στοιχείων τὸν πρῶτον ἄνθρωπον οὐδενὶ ὅμοιον τοῦτον ἀπετέλεσεν· τὴν Εὖα δὲ πλάσας ἵν' ὁμοίαν τῷ Ἀδὰμ ἐκ τῆς πλευρᾶς ἐκείνου ἐτέλειωσε· οὕτω ἐκ τοῦ ὁμοίου τὸ ὅμοιον. Καὶ θέλων ὁ θεὸς τὸν ἄνθρωπον ἀνακτήσασθαι διὰ τοῦ υἱοῦ αὐτοῦ, ἄνθρωπον αὐτόν· ἐδύνατο δὲ καὶ δι' ἀγγέλου· οὐκ ἀγγέλων ὅμως ἐπιλαμβάνεται ὁ θεός, ἀλλὰ σπέρμα Ἀβραὰμ ἐπιλαμβάνεται, ἵνα διὰ τοῦ ἀνθρώπου τὸν ἄνθρωπον σώσῃ· διὸ καὶ ὁ υἱὸς τοῦ θεοῦ ἄνθρωπος Ἰησοῦς Χριστός, καὶ οὐ μόνον ἄνθρωπος, ἀλλὰ καὶ οὐδὲν ἐπιτήδευμα ἐγκαταλίπει ὁ δι' ἡμᾶς οὐκ ἐπιχειρίζεται· ἐπιτηδεύματα δὲ ταῦτα· στρατιώτης, τεχνίτης, γεωργός, ἱερεὺς καὶ διδάσκαλος, ἔμπορος, ναύτης.

Ἦν δ' ὁ Χριστὸς στρατιώτης· ἐπὶ πόλεμον γὰρ καλεῖ τοὺς πάντας· λέγει· ,,ὅστις θέλει ὀπίσω μου ἀκολουθεῖν ...'' [3]· ,,οὐκ ἦλθον βαλλεῖν εἰρήνην ἀλλὰ μάχαιραν'' [4]. Τί δὲ στρατιώτου διαφέρει, ὅρα in pagina 30 *. Διὸ καὶ οἱ Χριστῷ συμπολεμοῦντες νικοῦσι· ,,ἡ βασιλεία τῶν οὐρανῶν

---

* [36v] 30 Index (Vide Introductionem, p. 5) ,,Christus''. Christus miles differt à milite mundano. Christus enim deus, ille homo; Christus sine armis, ille non; Christus dum pugnat semper vincit, ille non; Christus pugnat hostes qui extra arcem, illi non; Christi merces aeterna, illius non.

---

[1] Mt. 14:22-34.
[2] Iulii 29.
[3] Mc. 8:34.
[4] Mt. 10:34.

5

βιάζεται, καὶ βιασταὶ ἁρπάζουσιν αὐτήν" [1]. Τεχνίτης· πάντα εὑρήσεις ἐν τῷ ἐργαστηρίῳ αὐτοῦ· ἐνδύματα, δακτυλίδια, ὑποδήματα. Narra τὴν τοῦ ἀσώτου παραβολὴν κἀκεῖ εὑρήσεις [2]. Γεωργός· ὁ ἄνθρωπος (ἡ ψυχὴ) γὰρ ὡς ἄμπελος ἄνευ φραγμοῦ καὶ παρετρυγοῦσαν αὐτὴν οἱ παραπορευόμενοι [3]· ἐλθὼ δ' ἔφραξεν, ἵνα ποιήσῃ καρπόν [4]. Καὶ πάλιν ὁ ἄνθρωπος ἦν ὡς δένδρον ἐν ἀνύδρῳ τόπῳ καὶ οὐκ ἀγαθῇ γῇ· ἐλθὼν δ' ὁ Χριστός, εἰς ἀγαθὴν ἔθηκεν γῆν καὶ ἐπότισεν ἵνα μὴ ἔχῃ πρόφασιν ὅτι οὐκ ἐκαρποφόρει· διὸ φησίν· ,,πᾶν δένδρον μὴ ποιοῦν καρπὸν τέμνεται" [5].

[21r] 15 Ἱερεὺς καὶ διδάσκαλος· ,,σὺ ἱερεὺς εἰς τὸν αἰῶνα" [6]· ἐν γὰρ τῷ σταυρῷ ἔθυσεν ἑαυτόν· διδάσκαλος· ὁ νομικός [7]· ,,διδάσκαλε ἀγαθέ, τί ποιήσας ζωήν . . . ." [8]. Ἔμπορος ἐμπορεύεται μαργαρίτας καὶ λίθους· καὶ ὥσπερ ὁ ἔμπορος πολλὴν ἔχων τὴν ἐμπορίαν ἐμπλήσας ἕνα τόπον εἰς ἕτερον, οὕτω καὶ ὁ Χριστὸς περιέρχεται τὰς κόμας, τὰς πόλεις, τὴν ἔρημον· διὸ πότε ἐν Σαμαρίᾳ ἐστί, πότε ἐν Ἱερουσαλήμ, πότε ἐν Ἰουδαίᾳ ἵνα τοὺς μαργαρίτας ἀμερίστως μερίσῃ· ἀπεμπολεῖ δὲ παρὰ τῶν πλουσίων διπλοῦν λαμβάνων τὸν μισθόν, ἐξώτερον, παρὰ τοῦ βαλαντίου τῶν χρημάτων, ἐσώτερον, παρὰ τοῦ βαλαντίου τῆς καρδίας· καὶ ὥσπερ ἐν τῷ ἐξοτέρῳ βαλαντίῳ χαλκός ἐστι καὶ ἄργυρος καὶ χρυσός, καὶ πάντα λαμβάνει, οὕτω καὶ ἐν τῷ ἐσωτέρῳ ἢ κακοί εἰσι λογισμοὶ ἢ καλοί, καὶ τοὺς πάντας ἀποδέχεται, ἵνα σε καθαρίσῃ. Ὦ ἔμπορον ἀγαθόν, ὦ ἐμπορίαν. Διηγοῦ τὴν τοῦ Δομετιανοῦ ἱστορίαν· ᾧ τίς ἔμπορος τὰς τρεῖς σοφίας αὐτῷ ἀπεμπόλησεν. Ἡ πρώτη ἦν, ἵνα ἐφ' οἷς τι μέλλει ποιῆσαι ἵνα σκέπτεται τὸ τέλος, ἡ δευτέρα ἵνα μὴ τὴν παλαιὰν στράτα (ὁδὸν) διὰ τὴν νέαν ἐγκαταλείψῃ, ἡ τρίτη ἵνα μὴ ἐπὶ γέροντος οἶκόν ποτε ἐπιμείνῃ· αὗται δὲ αἱ τρισσαὶ σοφίαι ἠλευθέρωσαν αὐτὸν τῆς τῶν σατράπων μηχανῇ [9]. Ἀλληγόρει τὸν Χριστὸν εἰς τὸν ἔμπορον· ἡ πρώτη σοφία

---

1 Mt. 11:12.
2 Vide p. 98.
3 Cf. Ps. 79:13.
4 Cf. Is. 5:1s.; Mt. 21:33.
5 Cf. Mt. 3:10; Luc. 3:9.
6 Hb. 7:17, 21.
7 Luc. 10:25.
8 Luc. 18:18.
9 Ex gestis romanorum hystorie notabiles [Gouda 1480], CIII.
Domicianus regnavit prudens valde et per omnia iustus Quoniam nulli parcebat quin per viam iusticie transiret Accidit semel dum in mensa sederet venit quidam mercator et ad ianuam pulsavit Ianitor vero portam aperuit et quid ei placeret quesivit At ille Mercator sum aliqua habeo ad venandum utilia pro persona imperatoris. Ianitor hec audiens eum introduxit

ἀπαλάττει τῆς ἁμαρτίας, ἡ δευτέρα τὴν πίστιν βεβαιεῖ, ἡ τρίτη τὸν
κόσμον καταφρονεῖ· καὶ οὕτως ἀποδείκνυε τὸν Χριστὸν ἔμπορον.

Ille vero imperatorem satis humiliter salutavit Ait ei imperator. Karissime quale mercatorium ad vendendum habes? Et ille Domine tres sapiencias Qui ait Et quomodo mihi dabis quamlibet sapienciam? Et ille pro mille
florenis Ait ei rex et si sapientie tue mihi non prosunt pecuniam meam perdo
Ait mercator Domine si sapiencie mee in vobis locum non obtinent: pecuniam
reddam. Ait imperator Optime dicis. Dic mihi modo sapientias quas mihi
vendere velis Et ille Domine prima sapientia est ista Quicquid agas prudenter
agas et respice finem Secunda est ista Nunquam viam publicam dimittas
propter semitam Tercia sapientia est ista Nunquam hospicium ad manendum
de nocte in domo alicuius accipias ubi dominus domus est senex et uxor
iuvencula Hec tria custodias et bene tibi erit Rex dedit ei pro qualibet sapientia mille florenos et primam sapientiam sc.: Quicquid agas etc. fecit scribi in
aula. in camera et in omnibus locis in quibus ambulare solebat et in mappis
in quibus comedebat Post hec cito quia tam iustus erat multi de imperio
contra eum conspirabant ut eum occiderent et quia per viam potentie hoc
adimplere non poterant: cum barbitonsore eius loquebantur ut cum barbam
eius raderet: guttur eius scinderet et mercedem haberet. Barbitonsor vero
accepta ab eis pecunia fideliter illud adimplere promisit Cum vero imperator
radi deberet barbitonsor barbam lavit Et dum incepit radere respexit
inferius vidit manutergium circa collum eius in quo erat scriptum. quicquid
agas prudenter agas sed respice finem Cum barbitonsor scripturam legisset
intra se cogitabat Hodie sum conductus ut istum hominem occidam si hoc
fecero finis meus erit pessimus quia morte turpissima ero condemnatus quia
quicquid agas bonum est respicere finem ut dicit ista scriptura Statim manus
eius inceperunt tremere ita quod novacula de manibus eius cecidit Hoc
percipiens rex ait Dic mihi quid tibi est Et ille O domine miserere mei hodie
sum conductus propter precium te occidere A casu sicut deus voluit scripturam manutergii legi sc. quicquid agas etc. statim consideravi quod finis meus
esset mors turpissima et ideo manus mee tremebant Imperator cum hoc
audisset intra se cogitabat Prima sapientia vitam meam salvavit bona hora
precium pro ea dedi Et ait barbitonsori Ammon sis fidelis tibi remitto
Satrape imperii hoc videntes quod non poterant per illam viam eum occidere intra se tractabant quomodo eum occiderent ad invicem dixerunt
Tali die recedet versus illam civitatem simus illo die in semita absconditi
per quam transitum faciet et eum occidamus At illi Bonum est consilium
Rex eodem tempore versus civitatem preparabat se. Et dum equitasset
usque ad semitam illam Dixerunt ei sui milites Domine bonum est per istam
semitam transire quam per latam viam quia propinquius est Rex intra se
cogitabat secunda sapientia erat quod nunquam viam publicam propter
semitam dimitterem sapientiam meam tenebo dixitque militibus suis Nolo
viam publicam dimittere Vos ergo qui vultis per semitam pergere ite et omnia
in adventu meo preparate Illi vero per semitam perrexerunt et inimici regis
cum essent in semitis credebant quod rex inter eos esset Omnes surrexerunt
et quotquot venerunt occiderunt. Rex cum hoc audisset ait intra se Iam
secunda sapientia vitam meam salvavit Illi de imperio videntes quod per
illam astuciam eum occidere non poterant intra se conspirabant quomodo

Ναύτης· διηγοῦ τὴν περίοδον τὴν εὐαγγελικήν. Οὐκ ὑμῖν ναύτης ὁ Χριστὸς ἐκ τούτου δοκεῖ; Τίς δύναιτ᾽ ἂν τῶν ναυτῶν ἐν θαλάσσῃ περιπατῆσαι; Ἢ τὸν ἄνεμον κωπᾶσαι; Μόνος ὁ Χριστός· θάλασσα δ᾽ ὅμως ὁ κόσμος καλεῖται· γαλήνην γὰρ ὁ ἄνθρωπος πρὸ τῆς ἁμαρτίας εἶχε, ἁμαρτήσας δὲ εἰς τὸν κλύδωνα τῆς θαλάσσης ἐμπέπτωκεν, ἐν ᾗ ,,ἑρπετὰ ὧν οὐκ ἔστιν ἀριθμός" [1]. Περιπατεῖ δ᾽ ἐν αὐτῇ ὁ Χριστός, ὅτι ἐν αὐτῷ οὐχ εὑρέθη οὔτε ἁμαρτία οὔτε δόλος [2]. Πλοῖον δ᾽ αὖθις λέγεται τὸ ἐν τῇ θαλάσσῃ ποντοπορoῦν, πλοῖον τὸ τοῦ ἀνθρώπου σῶμα· ἔχει γὰρ κατὰ τὸν Πλάτωνα κυβερνίτην τὴν ψυχήν [3]. Πλοῖον καὶ ἡ ἐκκλησία ἡ προτυπωθεῖσα ἐν τῇ κυβωτῷ [4], ἥτις ἐξομοιοῦται τῇ αἰσθητῇ νηΐ· ἡ γὰρ ναῦς ἔχει τινὰ ὧν ἄνευ οὐ δύναται. Πολὺ ἔχει τὸ πλήρωμα — οὕτω καὶ ἐκκλησία πολλοὺς τοὺς χριστιανούς· κυβερνίτην — κυβερνίτην τὸν Χριστόν· μπούσουλα — μπούσουλα τὴν θείαν γραφήν· ἄγκυραν — ἄγκυραν τὴν πίστιν· κάλλον — κάλλων τὴν ἐλπίδα· [21v] κατάρτη — ὁ σταυρὸς οὗ ἄνευ etc.· ἱστίον ἡ ναῦς — ἱστίον ἡ ἐκκλησία τὴν ἀγάπην· ἄνεμον καλόν — ἄνεμον καλὸν τὴν ἄνωθεν χάριν· ,,ὁ ἐξάγων ἀνέμους" [5] διὰ τὰς χάριτας.

eum necarent dixeruntque intra se Tali die manebit in domo illius in qua omnes nobiles hospitantur quia aliud non est pro eo hospicium Conveniemus precio cum hospite et uxore et cum imperator in stratu suo iacuerit illum occidamus At illi Bonum est consilium Cum vero rex ad illam civitatem venerat in eadem domo hospitatus erat Fecit ad se vocari hospitem domus cum eum vidisset apparuit senex valde Ait imperator Nunquod uxorem habes? Et ille Eciam domine Ostende mihi eam Quam rex cum vidisset apparuit iuvencula habensque xviii. annos in etate. Ait rex camerario suo Perge cito et lectum meum alibi preparabo quia hic non manebo At ille Eciam domine sed iam parata sunt omnia ideo non est bonum alibi iacere eo quod in tota civitate non est hospicium pro nobis utilius Et ille Ego dico tibi quod alibi iacere volo Statim camerarius omnia movebat Et rex occulte ad alium locum accessit et militibus suis dixit Vos qui vultis hic manere potestis sed mane ad me accedatis Cum omnes dormirent senex cum uxore sua surrexit quia precio conducti erant ut regem dormientem occiderent et omnes milites occiderunt. Mane vero surrexit rex et milites suos occisos invenit Ait in corde suo O si hic iacuissem cum aliis necatus fuissem iam tercia sapientia vitam meam salvavit Senex cum uxore et tota familia in patibulo suspendi fecit et quamdiu vixit istas tres sapientias secum retinuit et vitam beatam finivit.

[1] Ps. 103:25.
[2] Cf. I P. 2:22.
[3] ψυχῆς κυβερνήτῃ ... νῷ, Plato, Φαῖδρος, 247 C. G. J. de Vries, *A commentary on the Phaedrus of Plato*, Amsterdam 1969, p. 136: ,,. . . . νῷ is epexegetical".
[4] Gen. 6-8.
[5] Ps. 134:7.

Αὕτη τοιγαροῦν ἡ ἐκκλησία ἡ ἀληθὴς ναῦς, ἐν ᾗ εἴ σε κλύδων εὑρήσει μὴ ὀλιγοψύχει· ἔρχεται γὰρ ὁ Χριστὸς τῇ τετάρτῃ φυλακῇ· οὐ γὰρ ἐγκαταλίπει μέχρι τέλους τὸν ὅσιον αὐτόν [1]. Καὶ πάλιν δια τοῦτο τῇ τετάρτῃ φυλακῇ, ὅτι καθὼς τέσσαρες φυλακαί εἰσι παρὰ τοῖς ναύταις (ἡ πρώτη μέχρι τρίτης ὥρας τῆς νυκτός· τότε γὰρ καὶ ὁ κόσμος ἀναπαύεται· δευτέρα μέχρι ἕκτης ὥρας, ὅταν ὁ ἄνθρωπος βυθισμένος ἐν τῷ ὕπνῳ· τρίτη μέχρις ἐννάτης ὅταν οἱ ἀλέκτορες συγχύζουσι κράζοντες· τετάρτη ὅταν ὁ ἥλιος τὴν ἀνατολὴν ῥοδίζει), οὕτω καὶ τέσσαρες καταστάσεις τοῦ ἀνθρώπου· ἡ πρώτη πρὸ τῆς ἁμαρτίας, ὅταν ὁ ἄνθρωπος ἀνεπαύετο εἰς τὴν ἀνάπαυσιν τοῦ παραδείσου· ἡ δευτέρα ἡ τῆς ἁμαρτίας, ὅταν ἐβυθίσθη εἰς τὴν ἁμαρτίαν ὁ ἄνθρωπος· ἡ τρίτη ὅταν ἡ συναγωγὴ ἐσύγχυσεν τὸν κόσμον κράζουσα εἰς τὸν θεόν· ἡ τετάρτη ὅταν ἀνέτειλλεν ὁ τῆς δικαιοσύνης ἥλιος [2], ὁ Χριστός· διὸ δὲ καὶ ἐν τῇ τετάρτῃ φυλακῇ ἔρχεται, λέγων· ,,θαρσεῖτε, ἐγὼ εἰμί [3]. Εἰ ἔχετε ἀνάγκην καὶ διώκεσθε ὑπὸ τῶν ἐναντίων, θαρσεῖτε, ἐγὼ ὑμῖν βοηθός. Εἰ τύπτουσιν ὑμᾶς, μὴ φοβεῖσθε, ὅτι ,,δί ἐμέ ...'' [4]. Εἰ φονεύουσιν ὑμᾶς, ,,μὴ φοβεῖσθε ἀπὸ τῶν ἀποκτεννόντων ....'' [5]. Θαρσεῖτε, ἐγὼ εἰμί, οὐ φάντασμα. Εἰ ζημειόνουσιν ὑμᾶς, ἑκατονταπλασίονα .... [6]. Θαρσεῖτε, ἐγὼ εἰμί, οὐ φάντασμα. Εἰ πειράζει ὑμας ὁ διάβολος, ἐγὼ ὑμᾶς ἀπαλλάξω. Θαρσεῖτε, ἐγὼ εἰμί, οὐ φάντασμα. Εἰ πειράζει ὑμᾶς ὁ διάβολος, οἱ ἄνεμοι οἱ ἐναντίοι, οἱ ἀσεβεῖς, ἡ θάλασσα, ὁ κόσμος ἵνα τὴν πίστιν ὑμῶν ....., μένετε στερρεοί. Θαρσεῖτε, ἐγὼ εἰμί, οὐ φάντασμα''. Ὁρᾶτε τὸν Πέτρον, ὃς ἠβουλίθη τολμηρῶς περιπατῆσαι, μετὰ ταῦτα ἐβυθίσθη. Καὶ οὐ μέμνησθε ὅτι τολμηρότερος τῶν λοιπῶν ἠβουλίθη κατὰ τῶν Ἰουδαίων πολεμῆσαι, διὸ καὶ τὸ ὠτίον τοῦ Μάλχου ἔτεμεν [7]. Τολμηρότερος ἠκολούθησεν τῷ Χριστῷ, καὶ ἔπειτα ἠρνήσατο τρίς [8], καὶ οὕτως ἐβυθίσθη. Καὶ εἰ μὴ ὁ Χριστὸς δέδωκεν τὴν χεῖρα αὐτῷ [9], ὅταν στραφεὶς ἑώρακεν αὐτόν [10], ἀπεπνίγη.

---

[1] Cf. Ps. 36:28.
[2] Mal. 4:2.
[3] Mt. 14:27.
[4] Ioa. 6:57?
[5] Mt. 10:28.
[6] Mc. 10:30.
[7] Ioa. 18:10.
[8] Mt. 26:69-74; Mc. 14:66-72; Luc. 22:56-60.
[9] Mt. 14:31.
[10] Luc. 22:61.

'Εὰν τολμηροί ἐσμεν, χρὴ καὶ στερρεούς, ἐὰν οὐκ ἐσμὲν τολμηροί, ἀλλὰ στερρεοὺς εἰς τὴν εὐσέβειαν· ὁ γὰρ Χριστὸς κράζει· ,,θαρσεῖτε, ἐγώ εἰμί''. Μένετε ἐν τῷ πλοίῳ μόνον, ὅτι οὐδεὶς δύναται ἔξω τοῦ πλοίου τούτου σώζεσθαι· ἐν ἐκείνῳ γὰρ κυβερνίτης ὁ Χριστός, ὃς ὑπὲρ ἡμῶν ἄνθρωπος, ὑπὲρ ἡμῶν ('Επιλόγει) στρατιώτης, τεχνίτης etc.· ὑπὲρ ἡμῶν ναύτης· ἔθηκεν γὰρ ἡμᾶς ἐν τῷ πλοίῳ τούτῳ, ἐν ᾧ πλέομεν, ἀρμενίζομεν, σχίζομεν τὴν θάλασσαν, ἄνεμον ἐναντίον δὲ φοβούμεσθανε, ἵνα κατευοδοθοῦμεν εἰς τὸν ἔνδιον λιμένα τῆς βασιλείας τῶν οὐρανῶν.

Vedi Bitonto Tomus 1, pagina 114. Reducite à terra pusillum [1].

----

[1] Cornelio Musso, Vescovo di Bitonto, *Il Primo Libro delle Prediche*, In Vinegia appresso Gabriel Giolito de' Ferrari MDLXVI, (Bibliothèque Mazarine A. 13319) *Predica del Mistero della Vigna*, p. 114. Io dirò, come disse Christo a coloro, che erano in nave. Reducite a terra pusillum. Voi sete nella nave della Chiesa santa. le navi non hanno da stare in terra: hanno da scostarsi dal lito. Reducite a terra pusillum. Ritiratevi, ritiratevi un poco dalla terra: alzatevi un poco al cielo. Ritiratevi un poco dal mondo: datevi un poco a Christo: spiegate arditi le vostre vele. Reducite a terra pusillum. Tiratevi indietro un poco dall' ambitioni. io non vi dico, che sprezziate le grandezze: ma che non disideriate, se non per vie honeste, d' haver gli honori, che sono non tanto premii, quanto testimonii della virtù. Reducite a terra pusillum. Ritiratevi un poco dalle vostre avaritie: se non volete donare il vostro; non rapite l'altrui: non aspettate la carestia, a vender il grano, & il vino: ponete meta all' ammassar danari, che son fatti, non per fruire, ma per usare. Reducite a terra pusillum. Ritiratevi dalla libidine: se vi par duro giogo la virginità. Christo non ve la comanda. ma contentatevi almen della vostra moglie: possedete il vostro vaso in sanctificatione, & in honore. Reducite a terra pusillum. Ritiratevi dall' invidia: non invidiate come i fratelli di Giuseppe per uccidere, per perseguitare, ma per emulare, & per imitare i vostri maggiori, per diventar pari loro, per non esser loro inferiori. Reducite a terra pusillum. Ritiratevi dall' odio: se non volete far bene a' vostri nimici; almen non fate lor male. odiate i vitii soli, non odiate quegli, che v' amano. è troppo gran peccato nuocere a chi vi giova. Reducite a terra pusillum. Ritiratevi dall' ira: non v' adirate, se non per zelo: non siate facili nell' adirarvi. non tramonti il Sole sopra la vostra ira. se v' adirate per vitio; almen non bestemmiate, nè Dio, nè Santi. Reducite a terra pusillum. Ritiratevi un poco da' giudicii temerarii: non giudicate in male quel, che si può interpretare in bene. lasciate stare i vostri maggiori: non date scandalo a' vostri fratelli con le mormoration vostre. tenete secreti nel petto vostro i vostri giudicii. Ritiratevi dall' hipocrisia, se volete esser tenuti buoni: almen non siate i peggiori huomini del mondo, non fingete il santo, se sete diavoli. Reducite a terra pusillum. La puzza del diluvio, di questo diluvio, di questa abondantia de' peccati, ha innondato il mondo, l' ha corrotto tutto: è forza, è forza, che vi ritiriate un poco, che vi riduciate a miglior vita, che cessiate da' peccati.

VII

[126v]   123   Excogitata Alexandriae, 1599, mense Iulio. Εἰς τὸν τυφλὸν ἐκ γενετῆς [1] ἀρχή. Amplifica.

Τρία πράγματα ἐνεργοῦσιν εἰς τὸν κόσμον, ὁ θεός, ἡ φῦσις καὶ ἡ τέχνη, ἐξ ὧν πᾶν ὅτι ὁρατὸν καὶ ἀόρατον εἰς τὸν κόσμον· ὁ θεός, τὸν οὐρανὸν καὶ τὴν γήν, τοὺς ἀγγέλους, etc., praeter haec miracula; ἡ φῦσις τὰ δένδρη, τὰ φυτά· ἡ τέχνη τὸν οἶκον ἤτοι τὴν ἐκκλησίαν ταύτην. Ὁ θεός, τῇ ἰδίᾳ δυνάμει ἐργάζεται ἄνευ τῶν ἄλλων· ἡ φῦσις, τοῦ θεοῦ ἄνευ οὐ δύναται· ἡ τέχνη, τῆς φύσεως ἄνευ οὐ δύναται· ἐὰν γὰρ μὴ ποιήσῃ τὸ δένδρον ἡ φῦσις, οὐκ ἕξει ὁ οἰκοδόμος ξύλον εἰς τὸ κατασκευάσαι τὴν ἐκκλησίαν. Ὁ θεός, ἃ ποιεῖ πάντα ἀγαθά· ,,. . . . καὶ ἰδοὺ ἦσαν καλὰ λίαν" [2]· ,,οὐχὶ θεὸς θέλων . . . . ." [3]. Ἡ φῦσις, ἀγαθά, καὶ τινὰ quae respectu nostri videntur mala. Ἡ τέχνη, καὶ καλὰ καὶ κακά. Ὅμως τά τε παρὰ θεοῦ ἀγαθά, καὶ τὰ παρὰ τῆς φύσεως ἀγαθὰ καὶ κακά, καὶ παρὰ τῆς τέχνης κακὰ καὶ καλά. Αἰτίαν ἔχουσιν ἐξ ἧς, καὶ τέλος δι' ὃ γίνονται. (Hîc amplifica quod res ista omnino habere habent, et si vis distingue περὶ τῶν αἰτιῶν, et de fine in quam tendunt omnia). Ὁ θεὸς ἔκαμεν τοὺς οὐρανοὺς (αἴτιον) ut potentiam sua magis inotescat hominibus, ut qui materialem rem incorruptibilem praestitit, cum caetera elementa corruptibilia; (τέλος) secundum David gloria et laus eius. ,,Οἱ οὐρανοὶ διηγοῦνται δόξαν θεοῦ" [4]. Ἡ τέχνη (καλὸν) κάμνει τὴν ἐκκλησίαν, αἰτία δὲ τοῦ ἔργου ἡ καλὴ προαίρεσις, τέλος ὁ πνευματικὸς μισθός· (κακὸν) χαλᾷ τὴν ἐκκλησίαν, αἰτία κακὴ προαίρεσις, τέλος ἡ πλήρωσις τῆς πονηρᾶς προαιρέσεως. Ἡ φύσις ἐργάζεται δένδρον ἐν ᾧ καλὸς καρπός, αἰτία ἡ καλὴ γή, ἤτοι ἄνθρωπον ὡραῖον, αἰτία ἡ ὕλη, τέλος — ὡς ἔχει εὖχος — ὡς ὡραῖον πλάσασε [5]. Καὶ ἄνθρωπον κυρτὸν αἰτία ἢ ἡ κακὴ τῆς ὕλης διάθεσις, ἢ ἡ ὀλιγότης· τέλος, τὸ θαῦμα ὅτι θαυμάζεται ποικίλως ἐργαζομένη. Πλὴν διατί ἡ φῦσις, [127r]   124   καθὼς εἰρήκαμεν, οὐ δύναται ἄνευ τῆς τοῦ θεοῦ βοηθείαν, ἀνάγκη εἰς ὅσα ἂν ποιεῖ συντρέχειν τὴν θείαν νεῦσιν· φανερὸν δὲ ὅτι ἐν τοῖς καλοῖς· συντρέχει δὲ καὶ ἐν τοῖς κακοῖς, ὅτι παρ' ἐκείνων ὁ θεὸς καλὸν συνάγειν δυνατός ἐστι· καθὰ δὲ καὶ ἐν τῷ τυφλῷ

---

[1] Ioa. 9. Evangelium dominicae V. post Pascha.
[2] Gen. 1:31.
[3] Ps. 5:5.
[4] Ps. 18:2.
[5] *Liturgia S. Basilii*, Oratio eucharistica.

φανερόν· φύσει γὰρ τυφλὸς γεννηθεὶς παρ' ἐκείνου καὶ ἐν ἐκείνῳ καὶ δι' ἐκείνου ἡ τοῦ θεοῦ δόξα συνάγεται· ὡς ἡμῖν τήμερον διηγεῖται etc.

VIII

[98r]   95   Ἐν Ἀλεξανδρείᾳ [1]. Κυριακὴ ιᾱ$^{η'}$ Ματθαίου, κεφάλαιον ιῆ. Ὁμοιώθη ἡ βασιλεία τῶν οὐρανῶν ἀνθρώπῳ βασιλεῖ [2].

† Δύο ἐναντία οὐ δύνανται ἐν ἑνὶ ὑποκειμένῳ· ἡ γὰρ φύσις τῶν ἐναντίων αὕτη φθείρειν τὸ ὑποκείμενον ἐν ᾧ. Παράδειγμα ἤτοι ἐν τοῖς στειχίοις, ἤτοι ἐν τῷ ἀνθρώπῳ etc. Diabolus hunc modum naturalem imitatus excogitavit hominem, qui bonus est factus, malitia illum infetatum praecipitare. Contraria enim sunt bonitas, quam homo à creatore, et malitia, quam à Sathana. Et hoc facit Sathana. Scit enim ideo hominem esse creatum εἰς ἀναπλήρωσιν τοῦ τόπου ἐξ οὗ ἐκπέπτωκεν ἐκεῖνος [3]. Ideo semper tentat hoc suo excogitato modo, ut in evangelio patenti videmus. Narra hystoriam. Bonus enim erat ille homo et ut bonum illum suum servum elligit rex, sed tantum decem millia talantorum habere debitum fecit. Unumquodque talantum 600 coronae. Amplifica contra diabolum. Sed quid ex hoc colligimus evangelio? Tria: dei bonitatem, hominis perversitatem, iustam retributionem. Deus est bonus tripliciter: secundum substantiam (οὐσίαν), causam (αἰτίαν) et perfectionem (τελειότητα). Vide ,,bonus", pagina 29 *. Homo est malus tripliciter: ᾱ προαιρέσει,

---

* [35r]   29   Index (Vide Introductionem p. 5). ,,Bonus".
Bonus deus, secundum essentiam, secundum causam, secundum perfectionem. Κατ' οὐσίαν ὑπεραγάθως ὑπεράγαθον, καὶ ὑπὲρ τὸ ὑπεράγαθον ὑπεράγαθον. Adde et omnes res ut bonum illum cognoscunt, tum insensate, tum sensibus ut rationales etc. Secundum causam: si cœlum bonum est, quia nos fovet motu suo, ergo ille qui causa est melior est. Sic de sole, sic de elementis. Secundum perfectionem: ex bono enim bonum, et ex malo bonum, ut ἐκ τῆς προδοσίας τοῦ Ἰούδα ἡ σωτηριώδης σωτηριώσις, ἐκ τῆς παραβάσεως τοῦ Ἀδὰμ ἡ μετάνοια, ἐκ τοῦ χρέους τοῦ τὰ μύρια τάλαντα δεδαπανηκότος ἡ ταπείνωσις, ὁ κλαυθμός, ἡ συντριβή. Διὸ καὶ αὐτῷ ἐχαρίσατο τὸ χρέος etc.

---

[1] Probabiliter: 1599, Augusti 12.
[2] Mt. 18:23-35.
[3] Cf. Aurelius Augustinus, De civitate dei, XXII, 1.

β πράξει, γ διαθέσει. ᾱ Ἐῤῥήθη τῷ ᾽Αδάμ· ,,τριβόλους καὶ ἀκάνθας ἀνατελεῖ" [1] etc., Γένεσις 3, ἢ μετὰ τὴν παράβασιν ἡ γῆ ἐκ τῆς καρδίας ἐκφέρει ἀκάνθας τῶν πονηρῶν πνευμάτων, etc. Adde quod homo contra fratrem, primum amicum, καὶ ὅτι ὁ κύριος βάλλει ἐν αὐτῇ τῇ γῇ τὸν σπόρον τὸν ἐπουράνιον τοῦ κηρίγματος etc., tantum ut audiant et observent. Bitonto parte 1, pagina 104 [2]. β̄ Quidquid volueris. γ̄ Ὅτι ἐχθαίρομεν τὸν ἀδελφὸν ἐν τῇ καρδίᾳ, comedimus, bibimus, alloquimur et odimus illum, et sic mutamus nostram naturam, γινόμεθα δὲ θηρίων χείρονες. Leonis narra hystoriam qui, cum homines vorare consuevisset, ἄκανθαν τῷ ποδὶ προσκαθεσθεῖσαν ἐξέβαλεν ὁ ὁδοιπόρος, ἔκτοτε homines numquam vorabat. Quod probatum habuerunt, nam captus à quodam rege et dignos tanta morte illi ad vorandum traditos nec tangebat, quasi propter officium illius qui spinam eiecit à pede gratum se toti humano generi demonstrabat [3]. Tu vero homo qui à deo [98v] pec-

---

[1] Gen. 3:18.

[2] Cornelio Musso, Vescovo di Bitonto, *Il Primo Libro delle Prediche*, In Vinegia appresso Gabriel Giolito de' Ferrari MDLXVI, (Bibliothèque Mazarine A. 13319), *Predica del Mistero della Vigna*, p. 104: Munda, munda prius, quod intus est, ut fiat quoque id, quod deforis est, mundum. Questo cuore, questo cuore Ascoltanti, è l'officina di tutte le immonditie, il ricetto d'ogni bruttura, è un sepolcro pien d'ogni carogna. chi monda questo, monda tutto l'huomo. Munda, munda prius, quod intus est. Questo cuore è la sentina della nave, il prostribulo de la città. chi non monda questo, lascia ogni cosa immonda. Questo cuore è il centro di questo mondo picciolo. tutte le linee si tirano dal centro alla circonferentia. tutti i peccati, che si fanno con queste membra dell' huomo, vengono dal cuore. De corde exeunt cogitationes malae, homicidia, adulteria, blasphemiae, falsa testimonia; et haec sunt, quae coinquinant hominem. Monda questo cuore, monda questo cuore, & ogni cosa sarà monda. Munda prius, quod intus est, ut fiat quoque id, quod deforis est, mundum.

[3] Ex gestis romanorum hystorie notabiles [Gouda 1480], ciiii. Quidam miles erat qui super omnia venari dilexit Accidit uno die quod ad venandum perrexit. Occurrit leo claudicans et pedem militi ostendit Miles vero de equo descendit et spinam de pede eius extraxit et unguentum vulneri apposuit et sanatus est leo Post hoc vero rex illius regni in eodem nemore a casu vectabatur et illum leonem accepit et multis annis secum nutrivit Miles ille contra regem forefecit et ad eandem forestam fugam peciit ubi omnes transeuntes spoliavit et occidit. Rex vero illum captivavit et contra eum sentenciam dedit ut leoni daretur ad devorandum et quod nihil aliud ad comedendum ei daretur ad hoc ut militem devoraret. Miles vero cum in foveam esset proiectus multum timuit expectansque horam quando devoraretur. Leo vero eum intime respexit et cum noticiam eius haberet applausum ei fecit et septem

catorum remissionem expectas — ,,ἱλάσθητι τῇ ἁμαρτίᾳ μου· πολὺ γάρ ἐστι'' [1] — non parcis fratri ὄντως τοὺς τοιούτους γεννήματα ἔχοντι; Ideo τοσοῦ τῶν δωρημάτων ἀξιωθεὶς παρὰ θεοῦ, ὥστε κράζειν σε· ,,τί ἀνταποδώσω τῷ κυρίῳ'' [2] etc., tantam minimam gratiam non praebas deo fratri tuo parcere? Quod si à te esset alicui chirografum, in quo fateberis accinctum decem millibus, inferius non centum aureorum creditorem, esses ne contentus lacerari scriptum, ut ne amplius deberes ? Creditum non tuum amitteres. Sic facis cum deo dum dimittis fratri, etc. Sin autem referunt regi (qui deus est) conservi (qui sunt angeli, et refer causam quare conservi) et te tradent tortoribus, ut cognoscas quia ,,δίκαιος κύριος καὶ δικαιοσύνας ἠγάπησεν, εὐθήτητας εἶδεν τό πρόσωπον αὐτοῦ'' [3], quod non tortores habuit daemones. Narra atque amplifica. Ex loco gehennae, ignis aeternus, vermis, etc. Et assumme cum motu etc.: Mathaeus 5, diligite inimicos [4] etc.; dominus pendens in cruce, Lucas 23, orabat pro illis [5]. Illi saeviebant, ille orabat. Illi dicebant Pilato: ,,crucifige'' [6], ille clamabat: ,,pater, ignosce'' [5]. In asperis clavibus pendebat, sed lenitatem non amittebat; illis petebat veniam à quibus tantam accipiebat iniuriam. O pietatem! Ο τῆς πραότητος! ,,Ἀγαπᾶτε τοὺς ἐχθροὺς ὑμῶν'' [7]. Vide in indice, ,,dilectio'' [8]. Romanos 8: ,,quis nos separabit a charitate'' [9]. 1 Ioannis 4: cum ille sit totus charitas, si ad deum nobis accedendum, qua fronte si charitatem non habemus? [10]

---

diebus sine cibo remansit Rex vero cum hoc audisset admirabatur fecit militem de fovea extrahi et ait ei Dic mihi karissime quomodo poterit hoc esse quod leo tibi non nocuit Qui ait Domine a casu per forestam equitavi leo iste claudicans mihi ocurrebat. Ego vero spinam de pede eius extraxi et vulnus sanavi. Et ideo ut credo mihi parcit Ait rex Ex quo leo non nocuit tibi. ego tibi parcam ammon studeas vitam tuam corrigere Ille vero gracias regi reddidit et post hoc in omnibus est emendatus et finivit vitam suam in pace.

[1] Ps. 24:11.
[2] Ps. 115:3.
[3] Ps. 10:7.
[4] Mt. 5:44.
[5] Luc. 23:34.
[6] Luc. 23:21.
[7] Mt. 5:44; Luc. 6:27, 35.
[8] Vide p. 136-137.
[9] Ro. 8:35.
[10] I Ioa. 4:7-21.

IX

[127r]   124   1599, 19 Augusti. Prohoemium quid in nativitatem.
Accomodari potest. Excogitatum Alexandriae.

Ἄν ἴσως καὶ ὁ ἄνθρωπος μὲ τὸν νοῦν θωρόντας καὶ τοῖς ὄμμασι
βλέποντας ἐκεῖνα τὰ πράγματα ὁποῦ ἡ φῦσις, ὁποῦ εἶναι ὄργανον τοῦ
θεοῦ, κάμνει καὶ ἐνεργεῖ εἰς τὸν κόσμον θαυμάζεται δὲν μπορόντας νὰ
ἐξετάσῃ καὶ νὰ εὕρῃ ὄχι μόνον τὴν ἰδίαν αἰτίαν διὰ τὴν ὁποῖαν οὕτως
ἐνεργεῖ καὶ κάμνει ἡ φῦσις μὰ τὸν τρόπον μὲ τὸν ὁποῖον, πόσον μᾶλλον
καὶ βλέποντας καὶ θορόντας τὰ θαυμάσια τοῦ θεοῦ δὲ θέλει θαυμάσῃ καὶ
παντελῶς ἀπορήσει εἰς τὴν ἐκείνων κατάληψιν, ἐπειδὴ εἶναι ἔργα μὲ
τέτοιαν σοφίαν καὶ γνῶσιν καμωμένα, ὁποῦ οὐδ᾽ αὐτοὶ οἱ ἄγγελοι ἀπο
λόγου τος δὲν μποροῦσινε νὰ τὰ καταλάβουσιν. Διὸ ὁ Δαβίδ· ,,ἐθαυμα-
στώθη ἡ γνῶσις σου ἐξ᾽ ἐμοῦ'' [1]. Quomodo non sit mirandum, si ille
cui cœlum pro sede, in terra versatur, et quem totus orbis non
capit, ex ventre virginis exire, qui ante saecula, hodie nasci, qui
omnia fecit, partem fieri creaturae. Ὦ θαῦμα, ὦ μυστήριον, ὦ
γνῶσις, ὦ σοφία! Ὁ θεὸς ἄνθρωπος γίνεται, ὁ ἄνθρωπος θεοῦται, θεὸς
καὶ ἄνθρωπος, ἄνθρωπος καὶ θεός, θεὸς μόνος, καὶ ἄνθρωπος μόνος.
Περὶ τούτου ἥκω ὑμῖν διηγησόμενος. Ἀκροάζεσθε.

Βασίλειος, λόγος θ̄· ,,ἐθαυμαστώθη ἡ γνῶσις σου ἐξ ἐμοῦ· τοῦτ᾽
ἔστιν ἑαυτὸν καταμαθών, τὸ ὑπερβάλλον τῆς ἐν σοὶ σοφίας ἐξεδιδάχθην'' [2].

X

[106v]   103   Εἰς τὸν τελώνην καὶ τὸν Φαρισαῖον [3]. Προοίμιον
excogitatum Alexandriae, 1599, 23 Augusti.

Δὲν εἶναι τόσον ἄξιος μέμψεως ἐκεῖνος ὁ ἄνθρωπος ὁποῦ εὑρίσκεται
εἰς μίαν ἀσθένειαν, δὲν εὑρίσκει κανένα φάρμακον νὰ μπορήσῃ νὰ ἰατρευθῆ,
ὡς ἂν ἐκεῖνον ὁποῦ εὑρισκόμενος εἰς μεγάλην ἀνάγκην ἀσθενείας, καὶ
δεόμενος οὐ μικρᾶς θεραπείας, καὶ μπορόντας νὰ ἔχει βοτάνην καὶ
φάρμακον δὲν τὸ ζητεῖ με κάθε τρόπον μόνον καθεζόμενος μὲ τὴν πληγήν
του· ἐξαίφνη τοῦ ἔρχεται καὶ παντελὴς θάνατος. Δια τοῦτο τὴν σήμερον
ὁ πτωχὸς ὁ τελώνης ἠγροικόντας τὸν πόνον τῆς πληγῆς τρέχει εἰς τὸ
ἰατρεῖον, εἰς τὸν ἰατρὸν καὶ τυγχάνει τῆς ἰάσεως, ὁ δὲ ταλαίπωρος

---

[1] Ps. 138:6.
[2] Basilius Caesareensis, Ὁμιλία 9 Εἰς τὴν Ἑξαήμερον, 6, PG 29, 204 C.
[3] Luc. 18:10-14.

Φαρισαῖος με τὴν πληγὴν ἐκείνην τῆς ὑπερυφανίας, τῆς ὁποῖας δὲν ἐζήτησεν φάρμακον, νεκρόνεται καὶ καταδικάζεται. ,,Ἀμήν, ἀμήν, λέγω ὑμῖν ὅτι κατέβη οὗτος δεδικαιωμένος'' [1], etc.

XI

[201r]   211   Κατὰ Ματθαῖον, κυριακὴ 13. Ἄνθρωπος τὶς ἦν
οἰκοδεσπότης [2] etc. Habita Alexandriae 1599, 2[6]
Augusti.

† Καθῶς ἕνας τοξότης θέλοντας νὰ πάγει εἰς τὸ κυνήγη, ἐτοιμάζει τέτοιαις σαΐταις, με ταῖς ὁποίαις κρούοντας τοῦ πουλιοῦ, ἢ τοῦ ζώου ὁποῦ θέλει, σκωτόνει το, φονεύει το, ἢ κ' ἂν λαβώνει το, καὶ τραυματίζει το, καὶ τοιουτοτρόπως τὸ πιάνει καὶ τὸ ἀφεντεύει, τοιουτοτρόπως ὁ διάβολος ὅταν βούλεται λαβεῖν τὸν ἄνθρωπον ἐτοιμάζει βέλη ἠκονισμένα, οἷς τραυματίζων καθέλκει τὸν ἄνθρωπον, καὶ φονεύει ἢ δουλώνει. Τὰ δὲ βέλη ταῦτα τὰ παρὰ τῶν σοφῶν λεγόμενα πάθη. Πάθος ἡ ὑπεριφανία, ἀλλὰ βέλος τοῦ διαβόλου, ᾧ τραυματίζων, ποιεῖ τὸν ἄνθρωπον μὴ δύνασθαι γινώσκειν τὸν ἑαυτόν του· καὶ οὕτως ἀπολεῖται. (Narra quomodo). Πάθος ἡ φιλαργυρία, ἀλλὰ βέλος τοῦ διαβόλου, ᾧ τραυματίζων κατεπείγει μὴ ἐπ' ἄλλω φρονεῖν ἢ ἐπὶ τὸ συνάγειν καὶ ἀδικεῖν ἵνα φυλάξῃ· καὶ οὕτως ἀπολεῖται. (Adde). Πάθος ἡ φιλιδωνία, ἀλλὰ βέλος, ᾧ τραυματίζων ποιεῖ τὸν ἄνθρωπον μεταβάλλεσθαι εἰς ἀλόγου ζώου φύσιν, τὴν παρὰ θεοῦ τιμὴν ἀπολεῖν, καὶ οὕτως καταδίκης αἰωνίας ἄξιος. (Adde). Τέλος· πάθος εἶναι ἡ ἀχαριστία, ἀλλὰ βέλός ἐστι διαβολικόν, ᾧ τραυματίζων, ποιεῖ τὸν ἄνθρωπον τῆς εὐεργεσίας ἧς ἔτυχεν ἐπιλανθάνεσθαι παρά τε ἀνθρώπων καὶ παρὰ θεοῦ καὶ οὕτως εἰς βόθρον ἀπορρίπτει. Ὦ κακὸν μέγα ἡ ἀχαριστία, ὦ βέλος φαρμακερόν. Ἡ ἀχαριστεία ὁμοία τῷ σφοδρῷ ἀνέμῳ· ὥσπερ ἐκεῖνος τὸν χνοῦν ἀπὸ προσώπου τῆς γῆς, οὕτω ἐκείνη ἀπὸ προσώπου τῆς καρδίας τὴν εὐεργεσίαν· ὁμοία τῷ σκότῳ· ὥσπερ ἐκεῖνο οὐκ ἐγκαταλίπει τὸν ὀφθαλμὸν διακρῖναι τὰ πράγματα, οὔτ' ἐκείνη τὸν νοῦν διακρίνειν τὴν ἧς ἔτυχεν εὐεργεσίαν, καὶ τὴν ἰδίαν μοχθηρίαν. Ἐλέγχει ταύτην ὁ Χριστὸς περὶ τῶν λεπρῶν. Λουκᾶς, κεφάλαιον 17, versus 18: ,,οὐχὶ δέκα ἐκαθαρίσθησαν;'' [3] etc. Καὶ περισώτερον ἐλέγχει ἵνα οἱ ἀκούοντες φεύγωσιν

---

[1] Luc. 18:14.
[2] Mt. 21:33-42.
[3] Luc. 17:17.

αὐτήν. Πολλάκις γὰρ τὸν ἄνθρωπον εἰς τοιοῦτον ἄγει κρημνὸν ὅτι ποιεῖ αὐτὸν κακὰ τοῦ εὐεργετήσαντος στασιάζειν ἀνόμως, ἀδίκως, ἄνευ φόβου, ὡς τὴν σήμερον ἐν τῷ παρόντι εὐαγγελίῳ. Narra historiam evangelicam.

Quod ut nobis melius patefiat haec considerare debemus: α̅ᵒᵘ′ τίς ὁ ἄνθρωπος ὁ οἰκοδεσπότης καὶ τίς ἡ ἄμπελος ὁπού φυτεύει· β̅ᵒᵘ′ πῶς καὶ με τί τρόπον φυτεύει· γ̅ᵒᵘ′ διατί φυτεύει. Τὰ ζητήματα ταῦτα χρὴ ἐξετάσα ὡς ἂν δυνηθῶμεν καταλαβεῖν εἴ τι ἐγκέκρυπται μυστήριον. [201v] Dic si vis quod ὅτι ὁ θεὸς ὑποκείμενον τῆς γραφῆς etc. Περὶ τοῦ πρώτου, ἐπειδὴ ἡ γραφὴ περὶ θεοῦ τοὺς λόγους ποιεῖ, καὶ ἐπειδὴ ὁ θεὸς ἀκατάληπτος, ὑλικοῖς χρώμασι ζωγραφεῖται ἐν τῇ θείᾳ γραφῇ, ὡς ἂν ἡμεῖς ῥᾳδιώτερον εἰς τὴν ἐκείνου ἔλθωμεν κατάληψιν· διὸ καὶ κτίσμασιν ὡμοιοῦται· τῶν κτισμάτων δὲ ἐπειδὴ τιμιώτερον ὁ ἄνθρωπος, τῷ ἀνθρώπῳ πολλάκις παρεικάζεται. Ideo hîc dicitur ἄνθρωπος. „Ἄνθρωπος τὶς ἦν οἰκοδεσπότης". Λέγεται δὲ καὶ οἰκοδεσπότης· ὥσπερ γὰρ ὁ οἰκοδεσπότης ἔχει οἶκον, et deus habet domum, ἐν ᾧ δοξάζεται· τὸν κόσμον· „ὁ οὐρανός μοι θρόνος, ἡ δὲ γῆ" [1] etc.· τὸν ναόν· „ὁ οἶκος τοῦ πατρός μου" [2] etc.· τὸν ἄνθρωπον· „ὑμεῖς ἐστὲ νάος θεοῦ ζῶντος" [3], etc. Λέγεται οἰκοδεσπότης καὶ γὰρ ἔχει γυναῖκα· τὴν ἐκκλησίαν· ἔχει υἱούς· Ἡσαΐας α̅· „υἱοὺς ἐγέννησα καὶ ὕψωσα" [4]· Δαβίδ· „ἐγὼ εἶπα θεοί ἐστε καὶ υἱοὶ ὑψίστου" [5]· ἔχει δούλους· ἀγγέλους, ἀνθρώπους καὶ ἅπασαν τὴν κτίσιν· „δουλεύσατε τῷ κυρίῳ ἐν φόβῳ καὶ ἀγαλλιᾶσθε" [6] etc. Λέγεται οἰκοδεσπότης, ὅτι φροντίζει κτᾶσθαι κτήματα, διὸ φυτεύειν λέγεται τὴν ἄμπελον ταύτην. Ἄμπελος δὲ ἡ ἄμπελος· ἄμπελος ἡ παναγία· „θεοτόκε, σὺ εἶ ἡ ἄμπελος ἡ ἀληθινή" [7]· ἄμπελος ἡ ψυχή· „ἡ γυνή σου ὡς ἄμπελος εὐθυνοῦσα" [8]· χρεωστεῖ γὰρ ποιεῖσαι τὸν οἶνον τὸν εὐφραίνοντα καρδίαν τοῦ ἀνθρώπου [9], ἡγοῦν τοῦ ἀνθρώπου τούτου περὶ οὗ λέγεται· „ἄνθρωπος τὶς ἦν οἰκοδεσπότης"·

---

[1] Is. 66:1.
[2] Cf. Ioa. 2:16.
[3] II Cor. 6:16.
[4] Is. 1:2.
[5] Ps. 81:6.
[6] Ps. 2:11.
[7] Ἀκολουθία τῶν τριῶν Ἱεραρχῶν, PG 29, CCCXXIX, 51, CCCLXXVI, 243.
[8] Ps. 127:3.
[9] Ps. 103:15.

psalmus λε̄ (35)· ,,μεθυσθήσονται ἀπὸ πιότητος οἴκου σου''¹· οἶκος γὰρ ἡ ψυχή, etc.· ἄμπελος καὶ ἅπασα ἡ φῦσις ἡ ἀνθρωπίνη· διατὶ δὲ μετὰ τὸν κατακλυσμὸν παρὰ τοῦ Νῶε ηὔξανε τὸ γένος τῶν ἀνθρώπων, διὸ περὶ ἐκείνου· ,,καὶ ἦν Νῶε ἄνθρωπος γεωργὸς καὶ ἐφύτευσεν ἀμπελῶνα''². Ὅτι ἄμπελος ἡ ψυχή, Βασίλειος, ὁμιλία ε̄· ,,καὶ οὐ παύεται πανταχοῦ τὰς ψυχὰς τῶν ἀνθρώπων ταῖς ἀμπέλοις ἐξομοιῶν. Ἀμπελὼν γὰρ ἐγενήθη τῷ ἠγαπημένῳ, φησί, ἐν κέρατι ἐν τόπῳ πίονι''³ etc. Ταύτην τὴν ἄμπελον φυτεύει ὁ οἰκοδεσπότης· νόει ἢ τὴν ψυχήν, ἢ τὴν φῦσιν.

Περὶ τοῦ δευτέρου πῶς φυτεύει· διχῶς φυτεύει τίς, ἢ secundum creationem, ut arbor, quae ἐκ τοῦ μὴ ὄντος εἰς τὸ εἶναι παράγεται φυτεύσαντός τινος τὸν σπόρον· ἢ κατὰ μετάθεσιν, ὅταν τις μεταθέσῃ τὴν ῥίζαν ἐκ τόπου εἰς τόπον· psalmus: ,,ἄμπελον ἐξ Αἰγύπτου μετῆρας''⁴. [202r] 212 Secundum primum modum ἐφύτευσεν τὴν ψυχήν, ἢ τὴν φῦσιν τὴν ἀνθρωπίνην· ἐκ γὰρ τοῦ μὴ ὄντος εἰς τὸ εἶναι παρήγαγεν. Secundum alterum modum ἐφύτευσεν· καὶ γὰρ ἐμετάθεσεν ἐκ τῆς κατάρας εἰς τὴν εὐλογίαν, ἐκ τοῦ σκότους εἰς τὸ φῶς, ἐκ τῆς σκιᾶς εἰς τὴν ἀλήθειαν, ἐκ τοῦ παλαιοῦ νόμου εἰς τὸν νέον νόμον. Φραγμός· αἱ ἀρεταί, αἱ μὴ συγχωροῦσαι τῇ κακίᾳ παραζυγᾶν· ἤτοι οἱ ἄγγελοι οἱ φύλακες. Βασίλειος, ὁμιλία ζ̄· ,,τὰς ἀνθρωπίνας ψυχὰς ἀμπελῶνα λέγει ὁ Χριστός, αἷς φραγμὸν περιέθηκεν τὴν ἐκ τῶν προσταγμάτων ἀσφάλειαν καὶ τὴν φυλακὴν τῶν ἀγγέλων· παρεμβαλεῖ γὰρ ἄγγελος κυρίου etc.⁵. Ἔπειτα καὶ οἱονεὶ χάρακας ἡμῖν παρακατέπηξε θέμενος ἐν τῇ ἐκκλησίᾳ πρῶτον ἀποστόλους, δεύτερον προφήτας''⁶, etc. Ληνός· ὁ νόμος, ὃς ἀναγκάζει τὸν ἄνθρωπον ἀγαθοεργεῖν. Πύργος· ἡ πίστις. Ἆσμα τῶν ἀσμάτων· ,,ὡς πύργος Δαβὶδ τράχηλός σου, χίλιοι θυρεοὶ κρέμανται ἐπ' αὐτήν, πᾶσαι βολίδες τῶν δυνατῶν''⁷. Πύργος ὧδε ἡ πίστις· λέγει δὲ τὸν τράχυλον πύργον, ἢ τὴν πίστιν οὕτω καλεῖ· ὥσπερ γὰρ ὁ τράχιλος ἑνώνει τὴν κεφαλὴν τῷ σώματι, οὕτω ἡ πίστις τὸν ἄνθρωπον τῷ θεῷ. Πύργος δὲ ἡ πίστις· καὶ γὰρ ὁ πύργος ἔχει βαθὺ

---

¹ Ps. 35:9.
² Gen. 9:20.
³ Is. 5:1. Basilius Caesareensis, Ὁμιλία 5 Εἰς τὴν Ἑξαήμερον, 6, PG 29, 108 B.
⁴ Ps. 79:9.
⁵ Ps. 33:8.
⁶ Basilius Caes., Ὁμιλία 5 Εἰς τὴν Ἑξαήμερον, 6, PG 29, 108 C.
⁷ Cant. 4:4.

θεμέλιον διὰ τὸ βέβαιον· οὕτω καὶ ἡ πίστις στερεά· ὅτι ὑψηλὸς ὁ πύργος, ἡ πίστις ὑψηλή· τὰ περὶ θεοῦ γὰρ θεωρεῖ· ὅστις ἐν τῷ πύργῳ ἀφόβως ἔχει ἐκ τῶν ἐχθρῶν· ὅστις ἐν τῇ πίστει οὐ ναυαγιᾶ· θυρεοὶ οἱ ἐν τῷ πύργῳ τὰ μυστήρια· Γρηγόριος ὁ Ναζηανζηνός· προβάλου τὸν θυρεὸν τῆς πίστεως, αἱ βολίδες τῶν δυνατῶν, ἤτοι αἱ παραδόσεις τῶν ἁγίων, ἤτοι αἱ ἐντολαί etc. [1].

Περὶ τοῦ τρίτου, διατί φυτεύει· τρία ἐνεργεῖ ἐν τῷ κόσμῳ· θεός, φύσις, τέχνη [2]. Ἡ τέχνη τὸν οἶκον ἵνα σκεπάζει τὸν ἄνθρωπον, ὁ ζωγράφος τὴν εἰκόνα, etc.· ἡ φύσις τὸ δένδρον διὰ τὸν καρπόν, τὸ φυτὸν διὰ τὸν σπόρον· ὁ θεὸς τὸν οὐρανὸν καὶ τὰ στοιχεῖα ἵνα δοξάζηται, καὶ ἵνα ὑποτάσσητε τῷ ἀνθρώπῳ· διὸ ἅπαντα ὑποτάσσεται, καὶ γῆ καὶ θάλαττα, καὶ ἀήρ, καὶ πῦρ. Narra quomodo obediunt. [202v] Si propter finem itaque et deus agit, ergo propter finem plantat vineam. Ποῖον δὲ τὸ τέλος; Διὰ τὸν καρπόν. Ideo D. Paulus, 1 Corinthios 9, versus 7: ,,τίς φυτεύει ἀμπελόνα καὶ ἐκ τοῦ καρποῦ οὐκ ἐσθίει;'' [3] Ἵνα λοιπὸν ἔχει τὸν καρπὸν constituit γεωργούς. Γεωργοὶ δὲ τρεῖς· λογικόν, θυμικόν, ἐπιθυμητικόν. Ideo mittit servos ut acciperent, et prima vice, hosce: δοῦλος· τὴν τιμωρίαν· ἐτιμώρησεν τὸν Ἀδάμ, καὶ τοὺς ἐν τῷ κατακλυσμῷ, καὶ οὐκ ἐπείσθησαν· τὴν θεογνωσίαν· ἐγνώσθη τῷ Ἀβραμ, καὶ οὐκ ἔδωκεν καρπόν· τὴν ὑπομονήν, διὸ οὐκ ἐπαίδευσεν τοὺς ἔνδεκα υἱοὺς τοῦ Ἰακώβ, τοὺς ἀπεμπολίσαντας τὸν Ἰωσήφ. Ταῦτα ἰδόντες οἱ ἄνθρωποι οὐκ ἐπείσθησαν, καρπὸν οὐκ ἔφερον. Ideo secunda vice mittit: δοῦλοι· τὴν θαυματοποιΐαν, ἐν χειρὶ Μωϋσῆ καὶ Ἀαρών· τὴν ἀπειλήν· Ἐξόδῳ 19· ,,αὐτοὶ ἐωράκατε ὅσα πεποίηκα τοῖς Αἰγυπτίοις'' [4]· τὴν ὑπόσχεσιν· ibidem: ,,ἐὰν ἀκοῇ ἀκούσητε etc., ἔσεσθέ μοι λαὸς περιούσιος'' [5], etc. Haec omnia videntes homines nullum attullerunt fructum. Ideo filium mittit. ,,ἐντραπήσονται'' [6] etc. Filius ἡ δύναμις ἢ ἡ σοφία, ὁ κύριος ἡμῶν Ἰησοῦς Χριστός. Ἐξέβαλλον τῆς ἀμπέλου, id est ,,καὶ μετὰ ἀνόμων ἐλογίσθη'' [7]. Ὦ ἀχαριστία, ὦ μοχθηρία ἀνθρωπίνη! Τὸν εὐεργέτην σου, τὸν κύριόν σου! Λέξει τίς·

---

[1] Gregorius Nazianzenus, Λόγος 40 Εἰς τὸ ἅγιον βάπτισμα, X, PG 36, 369 BC.
[2] Cf. supra p. 71.
[3] I Cor. 9:7.
[4] Ex. 19:4.
[5] Ex. 19:5.
[6] Mt. 21:37.
[7] Luc. 22:37.

,,οὐκ ἔγνωσαν''. Φημὶ ὅτι ,,ἔγνωσαν οἱ κακοὶ γεωργοί''. Διὸ τὸ λογικόν φησι· ,,οὗτός ἐστιν ὁ κληρονόμος'' ¹· τὸ θυμικόν· ,,δεῦτε ἀποκτείνωμεν'' ¹· τὸ ἐπιθυμητικόν· ,,καὶ λάβωμεν τὴν κληρονομίαν αὐτοῦ'' ¹. Ὦ βουλὴ παράνομός, ὦ ὄρεξις, ὦ ἐπιθυμία, ἐξέβαλλον αὐτόν [203r] 213 καὶ ἀπέκτειναν αὐτόν. Λέξει ἕκαστος ὅτι ,,οἱ Ἰουδαῖοι ἐσταύρωσαν καὶ ἀπέκτειναν τὸν Χριστόν, οὐχ' ἡμεῖς''. Ἀληθῶς. Πλὴν ὁ Χριστὸς διχῶς πᾶσχει, ἢ κατὰ πρᾶξιν καὶ οὕτως ἔπαθεν ἅπαξ παρὰ τῶν Ἰουδαίων, ἢ κατὰ προαίρεσιν καὶ οὕτως ἡμεῖς ταῖς κακαῖς πράξεσι σταυρόνωμεν αὐτόν. Εἰ τίς σοι κακὸν ἀντέδωκεν ἀντὶ εὐεργεσίας οὐκ ἂν ἐλυπήθης; Οὐκ ἂν ἔκραξης, Οὐκ ἂν ἐθαύμασης; Σὺ δὲ τῷ θεῷ ἀντὶ τοῦ ὅτι σε παρήγαγεν ἐκ τοῦ μὴ ὄντος, κακῶς βουλεύει, καὶ ἐκβάλλεις του. Ἀντὶ τοῦ ὅτι σε μετάθεσεν διὰ τὴν σωτηρίαν σου ἀποκτείνεις. Τοιαύτην δεικνύεις τὴν ἀχαριστείαν. Ἡ ἐν Σερεπτᾶ χήρα, καὶ μὴ γνοῦσα τὸν Ἡλίαν, ἐκ τῆς ὀλιγωτάτης τροφῆς ἥτις ἦν αὐτῇ καὶ τῷ υἱῷ αὐτῆς ἐκλέξατο τὸν ξένον μᾶλλον ἢ ἑαυτὴν ξενῶσαι καὶ θρέψαι καὶ τεθνάναι ²· σὺ δὲ τὸν εὐεργέτην διώκεις. Ὦ κακὲ γεωργέ, ὦ κακὲ ἄμπελε. Ἰερεμίας, κεφαλαίῳ 2· ,,ἐγὼ δὲ ἐφύτευσά σε ἄμπελον καρποφόρον· πῶς ἐστράφης εἰς πυκρίαν;'' ³ etc. Τί δ' ἔσσεται τῇ ἀμπέλῳ; Ἡσαΐας 5· ,,mandabo nubibus ne pluant super vineam istam'' ⁴. Haec facit deus vineae (Ἡσαΐας 5): πρῶτον ἀφελεῖ τὸν φραγμὸν αὐτοῦ καὶ ἔσται εἰς διαρπαγήν, ,,καὶ καθελῶ τὸν τοῖχον αὐτοῦ καὶ ἔσται εἰς καταπάτημα'' ⁵. Δώσει ἑτέροις γεωργοῖς. Οἱ γεωργοὶ οὗτοι, ἥτε κρίσις καὶ ἡ κόλασις· δώσουσι γὰρ δικαιοσύνης καρπούς. Μὴ γένοιτο, χριστιανοί μου, μὴ γένοιτο τοιαύτης ἡμᾶς κατάρας ἐπιτυχεῖν. Galatas 5. Unam ferte, bene vivite. Βλέπετε ὡς μὴ γένοιτε βρῶμα τοῦ ἐχθροῦ, τοῦ κυνηγέτου τούτου τοῦ νοεροῦ. Assumme et finis.

XII

[92r]   89   Εἰς τὴν γέννησιν τῆς παναγίας.
Σεπτεμβρίου ῆ. Ἐν Ἀλεξανδρείᾳ, ͵αφϟθ'.

Καθῶς ἕνα δένδρον ὁποῦ εἶναι εἰς μίαν ξηρὰν γῆν ἐπεθυμᾶ νερὸ καὶ

---

¹ Mt. 21:38.
² III Regn. 17:7-16.
³ Ier. 2:21.
⁴ Is. 5:6.
⁵ Is. 5:5.

κάποιαν ὑγρότητα διὰ νὰ κάμη καρπόν, οὕτω καὶ πᾶς ἄνθρωπος ἐν τῇ ξηρᾷ γῇ ταύτη ἐπιθυμεῖ κάποιαν εὐτυχίαν ἐν τῷ κόσμῳ τούτῳ. Συμβαίνει δὲ ἡ εὐτυχία πολλαχῶς, καὶ μάλιστα δ' ἐκ τούτων· ἢ ἐκ τῆς σοφίας, ἥτις ἀνοίγει τοὺς ὀφθαλμοὺς τοῦ νοὸς τοῦ γινώσκειν τὰ πράγματα ἢ ἔστι· ἔχεις τὸν Σολομών· ἢ ἐκ τοῦ πλούτου, καὶ μάλαγε τοῦ καλῶς κεκτημένου· ,,κρεῖσσον ὀλίγον τῷ δικαίῳ'' ¹ etc.· πλούσιοι δ' ἦσαν παρὰ θεοῦ 'Αβραάμ, 'Ισαάκ, 'Ιακώβ, etc.· ἢ ἐκ παιδοποιΐας, ὡς εἴ τις τῶν πενήτων καλοὺς ποιήσῃ παῖδας· ἔχεις τὴν ῎Ανα τὴν τέξασαν τὸν Σαμουήλ ². 'Εκ τῆς παιδοποιΐας συμβαίνει καὶ τῇ ῎Αννῃ καὶ τῷ 'Ιωακεὶμ ἡ εὐδαιμονία, ὅτι γεννᾷ τὴν μητέρα τῆς ζωῆς. Γεννᾷ τὸ πρόσωπον ὃ προετύπωσεν ἡ τοῦ 'Αστυάγεως θυγάτηρ (Lege pagina 104 *), μεστὸν χάριτος· ,,χαῖρε κεχαριτωμένη'' ³· μεστὸν εὐλογίας· ,,εὐλογημένη σὺ ἐν....'' ⁴· ᾧ εἴρηται· ,,ἔχθραν θήσω ἀναμέσον σου καὶ τοῦ ὄφεως'' ⁵· περὶ ἧς εἴρηται (Παροιμίαι κθ)· ,,γυναῖκα ἀνδρείαν τίς εὑρήσει; Τιμιωτέρα λίθων πολυτελῶν (Hoc est angelorum) ἡ τοιαύτη'' ⁶. Et si quis obiiciet: sunt et plures martyres, ut Catherina ⁷ etc., ibidem inferius dicitur: ,,πολλαὶ θυγατέρες ἐκτήσαντο πλοῦτον, πολλαὶ ἐποίησαν δύναμιν, σὺ δ' ὑπέρκεισαι, ὑπερῆρας πάσας'' ⁸. Superat enim omnes. [92v] Καὶ

---

* [107r] 104 Κυρίλλου μελέται εἰς τὰ εὐαγγέλια τοῦ ἔτους (Vide Introductionem p. 5).

De nativitate Beatae virginis.

Mariae figurae haec: per filiam regis Astiagis (ut dicitur in historia scolastica in Danielem 16⁹), qui in visione vidit, quod de utero filiae suae pulchra vitis crescebat, quae floribus et frondibus se dilatabat, et fructum proferens totum regnum suum obumbrabat. Dictumque est ei quod de filia sua rex magnus nasciturus erat, quae postea Cyrum generavit regem, qui filios Israël de captivitate Babylonica liberaverat. Sic dictum est Ioachim quod filiam gigneret quae Christum deum portaret, qui nos de captivitate diabolica etc.

---

¹ Ps. 36:16.
² I Regn. 1.
³ Luc. 1:28.
⁴ Luc. 1:42.
⁵ Cf. Gen. 3:15.
⁶ Pr. 31:10.
⁷ Sc. de Alexandria. Vide Symeon Metaphrastes, Μαρτύριον Αἰκατερίνης, PG 116, 276-301.
⁸ Pr. 31:29.
⁹ Petrus Comestor, *Historia scholastica*, Historia Danielis XVI, De Cyro, Editio altera, Venetiis 1729, p. 492.

ὑπεραίρει ὅτι καὶ ἡ γέννησις αὐτῆς πάνυ θαυμαστῶς γίνεται· διχῆς γάρ
ἐστιν ἡ γέννησις· ἢ ὑπερφυσική, ὡς ἡ τοῦ Χριστοῦ, ἢ φυσική, ὡς τῶν
λοιπῶν ἀνθρώπων, καὶ τῆς παναγίας. Πλὴν ὁ φυσικὸς τρόπος τῆς
γεννήσεως· ἢ διὰ τὴν διαδοχήν, ἵνα μὴ ἀπόλλυται ὁ κόσμος, ἢ διὰ τὴν
ἐκλογήν, ὡς Μωϋσῆς, Ἱερεμίας, πρόδρομος. Ἡ κατ' ἐκλογὴν γέννησις·
ἢ ἁπλῶς κατ' ἐκλογὴν ὡς ἄνωθεν, ἢ κατ' ἐπαγγελίαν καὶ θαυμαστῶς·
οὕτως ἡ παναγία. ,,Ἐκ καρποῦ τῆς κοιλίας σου θήσομαι ἐπὶ θρόνου
σου'' [1]. Καὶ οὗτος ὁ τρόπος θαυμαστός:

ᾱ^{ον} ὅτι πρὶν γεννηθῆναι τὴν παναγίαν, erat nata in idaea divina·
σοφία 8· ,,κύριος ἔκτισέ με ἀρχὴν ὁδῶν αὐτοῦ εἰς ἔργα αὐτοῦ, πρὸ τοῦ
αἰῶνος ἐθεμελίωσέ με'' [2]. Et quamvis esset nata, non produxit illam
nisi ἐν καιρῷ τῷ προσήκοντι, ὅταν ἦλθεν τὸ . . . [3]. Ita enim solet deus.
Ioseph enim erat rex antequam esset. Tamen non cognoscebatur,
sed omnibus consumatis sapienter fuit . . . etc. [4].

β̄^{ον} διὰ τὸ ἀδύνατον. Ἓν δένδρον μετὰ δύο ἢ τρεῖς ἢ δέκα χρόνους —
ὡς ἡ συκῆ ἐκείνη [5] — οὐ δύναται πλέον καρποφορεῖν· ἡ δὲ στεῖρα
ἔτεκεν.

γ̄^{ον} ὅτι ἄνευ προπατωρικῶν. Dic quomodo peccatum originale in
nos descendit et fecit nos ᾱ^{ον} υἱοὺς (τέκνα) ὀργῆς [6], διὰ τὴν κατάραν·
β̄^{ον} ἀξίους κλαυμοῦ· ideo ploramus statim nati. Sed non ita est
sentiendum de beata virgine; sanctificata enim fuit. Ad primum, in
ventre. Canticum 4: ,,ὅλη καλὴ ἡ πλησίον μου καὶ μῶμος οὐκ ἔστιν'' [7].
[93r] 90 Ad secundum, Canticum 1: ,,Εἰσήνεγκέ με ὁ βασιλεὺς
εἰς τὸ ταμεῖον αὐτοῦ. Ἀγαλλιασώμεθα καὶ εὐφρανθῶμεν'' [8].

Ὦ μεγίστη εὐτυχία, ἣν ἔχουσιν οἱ γονεῖς αὐτῆς! Ἡ εὐτυχία δὲ διχῆς
ἐστι· ᾱ^{η} ἐν τῷ κόσμῳ τούτῳ, ἣν λαμβάνουσι· οὐ γὰρ πλέον ὑβρίζονται
ὑπὸ τοῦ ἀρχιερέως. Lege pagina 104 *. Ideo legitur: ,,ὑψώθη κέρας μου

* [107r] 104 Vide supra p. 81.
Carebant prole per annos viginti. Orabant autem pro habenda
sobole voventes se illam domino oblaturos. Isachar sacerdos videns

---

[1] Ps. 131:11.
[2] Pr. 8:22, 23.
[3] Gal. 4:4.
[4] Gen. 37-47.
[5] Mt. 21:19.
[6] Eph. 2:3.
[7] Cant. 4:7.
[8] Cant. 1:4.

ἐν θεῷ μου ¹· ὅτι στεῖρα ἔτεκεν ἑπτά" ². Narra quid sibi vellint ista septem. "Ω εὐτυχία! Audi Esdram, caput 24: „τὸ ἄνθος μου καρπὸς δόξης καὶ πλούτου" ³. Καταφρονιθεῖσα ἐτιμήθη, ταπεινωθεῖσα ὑψώθη. βᵃ´ in coelis. „Ηὐφράνθην ἐν τῷ σωτηρίῳ σου" ⁴. O quam magnum gaudium debent habere felices parentes! Sarra propter filii solam promissionem risit ⁵, isti autem gaudere non debent? Totus orbis, quia totus sanctificatur: coelum, μέλει γὰρ ἀνοίγεσθαι· ignis, per illum transiet; aër, in aëre pendebit; terra, in illa ambulabit; aqua, in illa baptizabitur; gaudet infernus, quia animas inde liberabit.

Sic nos gaudere debemus. Si quis pauper ex inproviso thesaurum inveniret, non gauderet? Et nobis tantum natum thesaurum habentes non laetabimur! [93v]   Quis desiderat σοφίαν; En habes. (Perge.) Si desideras filios, en nascitur hodie filia, quae tuae felicitatis causa erit. Gaudendum ergo. Iam diabolus locum non habebit in nobis. Qui autem laetatur et gaudet, cognoscitur. Narra signa laetitiae, et refer ad spirituale etc.

XIII

[179r]   189   1599 ⁶, 17 Iannuarii ⁷, ἐν τῇ Χίῳ ⁸. Prooemium. Ne mirentur ⁹ etc.

"Οποια φορὰ ἕνας εὑρίσκεται παρά τινι βασιλεῖ εἰς ἕνα ἀξίωμα, εἰς ἕνα βαθμόν, καὶ νὰ ξεπέσῃ, πολλὰ δυστυχής, ἐπεὶ οὐ δύναται εἰς τὴν προτέραν ἔρχεσθαι καὶ ἐπαναστρέφειν τιμήν, εἰ μὴ πρότερον ἔλθῃ εἰς τὸ ἴδιον

Ioachim cum oblatione assistere inter concives suos sprevit illum improperans sterilitatem.

---

¹ I Regn. 2:1.
² I Regn. 2:5.
³ Sir. 24:17.
⁴ Cf. Ps. 9:15.
⁵ Gen. 18:12.
⁶ = 1600.
⁷ Festum Sancti Antonii Abbatis.
⁸ Vide Introductionem p. 12.
⁹ Accipiens epistolas ab imperatore Antonius dixit monachis: „Μὴ θαυμάζετε, εἰ γράφει βασιλεὺς πρὸς ἡμᾶς, ἄνθρωπος γάρ ἐστιν· ἀλλὰ μᾶλλον θαυμάζετε, ὅτι ὁ Θεὸς τὸν νόμον ἀνθρώποις ἔγραψε, καὶ διὰ τοῦ ἰδίου Υἱοῦ λελάληκεν ἡμῖν". Athanasius Alexandrinus, Βίος καὶ πολιτεία τοῦ ὁσίου Πατρὸς ἡμῶν ᾿Αντωνίου, 81, PG 26, 956 B.

ἀξίωμα. "Ἰνα μὴ παραδείγματα ἐκ τοῦ πόρροτέρου, ὁ Ἀδὰμ οὕτω πέπονθεν· εἶχεν γὰρ τρία, ἃ καὶ ἀπώλεσεν· ᾱ τὴν τοῦ ἤθους σοφίαν, quae notat nobilitatem quamque per moralem philosophiam aquisivit. (Hîc adde.) β̄ τὴν γνῶσιν τῶν ὄντων ἢ ὄντα. Ideo vocavit uniuscuiusque nomen, quam cum amisit per naturalem philosophiam. γ̄ τὴν γνῶσιν τοῦ θεοῦ.

Deum non solum cognoscebat, sed et videbat illum cum oculis, et quamvis deus sit invisibilis. Τὸ ἀόρατον ὅμως τριχῶς. Lege pagina XI *. Secundum tertiam significationem, id est ut ὁ δίσκος, tamen per gratiam videbatur. Et illud Ioannis ,,θεὸν οὐδεὶς ἑώρακεν πώποτε'' [1] intelligitur post lapsum. Cum itaque homo hanc amisisset, difficultas erat hanc iterum recuperare. Dum vero quis patitur difficultatem in cognoscendo, vel est etc. Vide pagina 135 [2]. Difficultas à parte hominis propter peccatum, quod ab illis verbis colligimus: ,,ἐκρύβη ὅτε Ἀδὰμ καὶ ἡ Ἔυα ἀπὸ προσώπου τοῦ θεοῦ'' [3]. Vel tam demens erat Adam κρυβῆναι, vel nesciebat deum esse ubique (hîc discurre) et deum tum potentia, tum castigans, tum benefaciens esse ubique. (Ionas ἐν κλύδωνι, ἐν τῷ κήτει, ὅταν ἐξήμεσεν αὐτὸν τὸ κῆτος.) [179v] Sed scriptura dicit ,,ἐκρύβησεν'', ut significaret quod peccatum quasi murum fecit inter deum et Adam, ac ideo amplius videre deum atque cognoscere nequibat. Quis enim absconditur loco absconditur ubi aliquid est interpositum. Sic ergo peccatum porrigit difficultatem ut deus cognoscatur.

Secunda difficultas à deo. Deus enim infinitum est, et infinitum sciri non potest. Deus ἀπρόσιτος. Nota quod domus dei ἀπρόσιτος, ergo etc. Dubita ergo et conclude. Ex alia parte: ,,ζητεῖτε τὸ πρόσωπον αὐτοῦ διὰ ....'' [4], καὶ ,,ἀγαπήσεις ...'' [5]· ἀγαπᾶται γὰρ

* [17r 11] In nativitate prooemium.

Τὸ ἀόρατον τριχῶς· ᾱᵒⁿ ἀόρατον ἐκ σεαυτοῦ· ,,θεὸν οὐδεὶς ἑώρακεν'' [1]. ἀόρατον ἐν ἄλλῃ αἰσθήσει· ἡ γὰρ ὀσμὴ οὐκ αἰσθάνεται παρὰ τοῦ ὀφθαλμοῦ καὶ ἡ ὄψις παρὰ τῆς ἀκοῆς etc.· β̄ᵒⁿ ἀόρατον καθότι ὁρᾶται καὶ οὐχ' ὁρᾶται, ὡς τὸ διαφανές· ὁρᾶται διὰ τοῦ φωτός, οὐχ' ὁρᾶται ἄνευ φωτός· τρίτον ἀόρατον καθότι βλάπτει, ὡς ὁ δίσκος τοῦ ἡλίου· ὁρᾶται ἀλλὰ βλάπτει.

[1] Ioa. 1:18.
[2] Vide p. 43-44.
[3] Gen. 3:8.
[4] Ps. 104:4.
[5] Dt. 6:5; Mt. 22:37; Mc. 12:30; Luc. 10:27.

ὁ ὁρᾶται· καὶ Μωϋσῆς· „ἐμφάνισόν μοι ...” [1] etc. Solve: dupliciter intelligitur cognoscere deum, vel quid est, vel quis est. Primum quaerit substantiam et nequit cognosci. Ad quod dicta illa referuntur. Secundo modo potest, et sic tripliciter, vel primo κατ' ἀπόφασιν· secundo vel κατὰ νόησιν· tertio vel ἐν Χριστῷ. Lege pagina 127 [2]. Ad tertium: ὁ Χριστὸς cognoscitur dupliciter. Mathaeus: „ἐλέησόν μου τὸν υἱόν, ὅτι σεληνιάζεται” [3]. Primo πίστει. De fide alia, ἀσθενής. Nota illud „ἐλέησον”, quia sic credit. „Σεληνιάζεται”, hîc infirmitas, ὡς ὁ χωλὸς τῷ ἑνὶ ποδὶ deridetur. Credendum hîc de Trinitate. Hîc de ecclesia et notis ecclesiae et de Petro. Μοϋσῆς ἠρνήσατο λέγεσθαι [4]. Μωϋσῆς ὑδατώδης· χρεωστεῖ γὰρ πίνειν ἐκ τοῦ ὕδατος τοῦ ζόντος καὶ ἀλωμένου [5]. Θυγάτηρ Φαραώ, ἡ αἵρεσις etc. Fides est tamque oculares, ut quae habet duas partes: τὴν πεποίθησιν, καὶ τὴν ἐλπίδα. Et facit te deum cognoscere. [180r] 190 Secundo ἀγάπη, quae est omnium operum bonorum fundamentum. Hîc plura. Hanc habens fit dignus sumptione corporis Domini Nostri Iesu Christi. O mysterium! Quadrupliciter consideratur corpus Domini. Lege pagina 222 *. Hîc quod homo corporalis habet τὴν γέννησιν, τὴν θρέψιν καὶ τὴν ζωὴν etc.

---

* [212 r, 222]   Περὶ σώματος τοῦ Χριστοῦ
† Ἐπειδὴ περὶ μυστηριώδους σώματος ὁ λόγος, χρὴ γινώσκειν ὅτι τὸ σῶμα τοῦ κυρίου ὡς ἐνυπάρχον ἀεὶ διαφόρους ἐπιδέχεται θεωρίας· ἄλλως γὰρ θεωροῦμεν περὶ αὐτοῦ καθὸ ᾱη' φυσικοῦ ἤγουν εὐθὺς ἀπὸ τῆς συλλήψεως μέχρι καὶ διὰ τῆς τῶν θαυμάτων ἀναδείξεως· β̄α' ἄλλως καθὸ ἔνδοξον ἢ ἀπὸ τῆς ἀναδείξεως μέχρι τοῦ πάθους καὶ τῆς ταφῆς· γ̄η' ἄλλως καθὸ δεδοξασμένον ἢ ἀπὸ τῆς ἀναστάσεως καὶ μέχρι παντὸς τοῦ χρόνου διηνεκῶς· δ̄η' καὶ ἄλλως μυστικοῦ, ἢ καθὼς ἐν διαφόροις θυσιαστηρίοις τῶν ὀρθοδόξων ὑπερθαυμάστως καθεκάστην παρρησιάζεται. Αἱ τοιαῦται θεωρίαι οὐ διαιροῦσι τὸ σῶμα τοῦ Χριστοῦ, ἀλλὰ διὰ πασων ἔνεστι.
Εἰς τὴν πρώτην θεωρίαν ἀνάφερε ταῦτα· ὅτι ἐν τοῖς θαύμασι τοῦ Χριστοῦ πρώτην τάξιν ἔχουσιν ἐκεῖνα, ἐν οἷς τάξις μόνον καὶ ὁ τρόπος τῆς φύσεως μεταποιεῖται, γίνεται δὲ πρᾶγμα δυνάμενον γίνεσθαι καθ' ἑκάστην πλὴν δι' ἄλλης ὁδοῦ· ὥσπερ ὁ κύριος ἰάσατο πολλοὺς ἀρρώστους

[1] Ex. 33:13.
[2] Vide p. 25-26.
[3] Mt. 17:15.
[4] Ex. 4:10.
[5] Ioa. 4:10, 14.

Postea descensi ad D. Antonium et dixi deum notare tripliciter, pagina 6 [1], quod omnia reliquit, et de Gedeonis hystoria, pagina 60 *.

πλὴν χωρὶς φαρμάκων, ὡς τὴν Πέτρου πενθεράν, τὸν παῖδα τοῦ ἑκατοντάρχου· διὰ τοῦ Ἠλιοῦ καὶ Σαμουὴλ ἔδωκεν τὸν ὑετὸν χωρὶς τοῦ γενέσθαι φυσικὴν αἰτίαν τοῦ ὄμβρου.

εἰς τὴν δευτέραν, ὅτι ἔχουσιν δευτέραν τάξιν ἡ ἀνάστασις τοῦ Λαζάρου, ἡ ἀνάβλεψις τοῦ τυφλοῦ· ἐν τούτοις δὲ τὸ μὲν γινόμενον κατὰ φύσιν, ὅσον δὲ πρὸ τὸ ὑποκείμενον ἐν ᾧ γίνεται παρὰ φύσιν· ποιεῖ γὰρ καὶ ἡ φύσις αὐτὴ ζωήν, ἀλλ' οὐκ ἐν τῷ νεκρῷ, καὶ δίδωσιν ὄψιν, ἀλλ' οὐκ ἐν τῷ πεπηρομένῳ τοὺς ὀφθαλμούς.

εἰς τὴν τρίτην· τὰ ὑπὲρ φύσιν ὡς τοῦ στῆναι τὸν ἥλιον, ὃ διὰ τοῦ Ναυῆ γέγονεν, καὶ σωματικῶς εἰσέρχεσθαι τῶν θυρῶν κεκλεισμένων.

εἰς τὴν τετάρτην· ἐπέκεινα πάντων τῶν θαυμασίων· θαύματα δύο καὶ πάντα λόγον νικῶντα· ᾱᵒⁿ ἓν ὅτι τὴν ἀνθρωπίνην φῦσιν ὁ θεὸς συνῆψε τῷ θείῳ προσώπῳ, ἅπαξ γεγενημένον· ἕτερον δὲ μεῖζον τούτου τὸ καθ' ἡμέραν γινόμενον ὅτι αὐτίκα μεταβάλλει τὴν οὐσίαν τοῦ ἄρτου εἰς οὐσίαν τοῦ ἰδίου σώματος, καὶ τοῦ οἴνου εἰς αἵματος.

Ἐν μὲν τῷ πρώτῳ θαύματι οὐδετέρα οὐσία μετεβλήθη πρὸς τὴν ἑτέραν, ἀλλ' ἐν τῷ τοῦ Χριστοῦ προσώπῳ καὶ ἡ θεότης καὶ ἡ ἀνθρωπότης ἀσυγχύτως εἰσίν· ἐν δὲ τῷ μυστηρίῳ τούτῳ τὸ κτίσμα πρὸς τὸν κτίστην μεταποιεῖται διὰ μέσου τοῦ σώματος, καὶ ἡ προϋφεστῶσα τοῦ ἄρτου οὐσία σῶμα Χριστοῦ γίνεται, [212v] καὶ ἡ μὲν οὐσία τοῦ ἄρτου μεταβάλλεται, ἵνα ἐν ἡμῖν τὸ μυστήριον ἐνεργῇ, καὶ συσσώμους ἡμᾶς ποιεῖ τοῦ Χριστοῦ, ἡ δ' ἔξω διάθεσις τοῦ ἄρτου μένει πάλιν ἡ αὐτὴ συγκαλύπτουσα τὴν οὐσίαν τοῦ σώματος, ἵνα μηδεὶς ἴλιγγος ἡμᾶς κατασχὼν ἀπαγάγῃ τῆς μεταλήψεως. Μέγιστον τοιγαροῦν τὸ τοιοῦτον μυστήριον· καὶ διὰ τοῦτο οὐδὲν ἀγνοεῖται [?] παρὰ τοῖς ἰδιώταις πλὴν τούτου· καὶ ἐν οὐδενὶ γυμνάζεται ἡ θεία καὶ ἀνθρωπίνη σοφία πλέον τούτου· τοῦτο καὶ οἱ αἱρετικοὶ ἀπιστοῦσι.

Ἀπορίαι περὶ τούτου· ᾱη' πῶς μεταβάλλεται ἐν τῷ παραυτίκα ἡ οὐσία τοῦ ἄρτου μενόντων τῶν συνβεβηκότων, τοῦτ' ἔστι τοῦ βάθους, τοῦ πλάτους, τοῦ μήκους, γεύσει ποιότης, τοῦ χρώματος, τῆς ὀσμῆς etc.· β̄α' πῶς δυνατὸν εἶναι τὸν Χριστὸν ἐν μικρᾷ τοῦ φαινομένου ποσότητι· γ̄η' πῶς τεμνόμενον ἀκέραιον διαμένει, καὶ τῶν τμημάτων ἕκαστον αὐτὸ ὅλον ἐστι τὸ σῶμα τοῦ Χριστοῦ καὶ τέλειον· δ̄η' πῶς ἐν οὐρανῷ καὶ ἐν πλείστοις τόποις τῶν θυσιαστηρίων.

* [64r] 60 Index (Vide Introductionem p. 5).

Mundana prosperitas probat hominem. Iudicum, caput 7. Gedeon sic milites probavit, quod illos omnes qui flexo poplite acquam inclinari biberent, repudiaret [2]. Aqua ista est terrena

---

[1] Perdita.
[2] Iudc. 7:4-7.

Deinde quod est mutatus καὶ γέγονεν ἄλλος. Μεταβολὴ κατ' ἰσοδυναμίαν, quae dicitur καὶ ἀνακαίνησις. „Ἀνακαινισθήσεται ὡς ἀετοῦ" ¹ etc. Ut enim ille ² videt solem, sic et qui fit ita ad veniendum εἰς τὴν προτέραν τιμήν. Et summe et fac finem.

XIV

[181r] 191 In tertio Dominico Quadragesimae. Galatà ³ 1599. Februario 24. Composta ma non recitata.

† Ποῖος ἐστιν ὁ ὁδοιπόρος ἐκεῖνος, ὁποῖος περπατῶντας καιρὸν διὰ νὰ πάγη εἰς τόπον, πολλὰ κοπιασμένος ταλαιπορῆ ἀπὸ τὴν φλόγα τοῦ ἡλίου καϊμένος, ἐν τῇ μέσῃ τῆς ὁδοῦ εὑρίσκει δένδρον σκιόφυλλον, et non gauderet, sederet et non quiesceret etc., nisi quis non curaret de propria vita. Ὁδοιπόροι homines. Δρόμος, ἡ μεγάλη τεσσαρακοστή, quae tendit ad finem resurrectionis. In medio viae invenit arborem istam crucis propter quam gaudere debet, ad quam si quis negligens non pergit, en audit: „ὅστις θέλει" ⁴ etc. Hoc nobis offertur ad narrandum hodie ⁵.

† Πολλάκις ἡ τέχνη πλέον θαυμάζεται ἐν μικροῖς ἢ ἐν μεγάλοις, ὡς τέκτονα θαυμάζειν μὲν δίκαιον μέγα οἶκον οἰκοδομοῦντα, πλέον δὲ θαυμάζομεν ὅταν μικρὸν οἶκον ἐν ᾧ τοσοῦτοι παστοὶ ὡς καὶ ἐν τῷ μεγάλῳ. Οὕτω καὶ ἡ τοῦ θεοῦ· καὶ γὰρ τὴν κτίσιν ἅπασαν εἰς κόσμον πρωτότυπον, ἀγγελικόν, στοιχειώδη, μέγα καὶ μικρόν, ἐν ᾧ μικρῷ πλέον ἡ τέχνη θαυμάζεται· θαυμαστώτερον γὰρ τῶν ποιημάτων ἁπάντων, ὅτι ἐξεικονίζει, ὅτι μείζον τῇ φύσει, ὅτι τῇ τοῦ θεοῦ χειρὶ ἐπλάσθη, ὅτι κατ' εἰκόνα καὶ ὁμοίωσιν. Declara unumquidque. Τὰ πάντα. Ἀπορήσειε δ' ἄν τις, τίνος ἕνεκα τὸ θαυμαστότερον ὕστερον. Νύσσης, περὶ κατασκευῆς, κεφαλαίῳ 2· „οὐκ ἦν εἰκὸς τὸν ἄρχοντα πρὸ τῶν ἀρχομένων ἀναφανῆναι, ἀλλὰ τῆς κτίσεως ἀναδειχθείσης εἰκὸς ἦν ἀναφανῆναι καὶ

prosperitas. Et qui genua mentis vel cordis flectunt ad bibendum non iudicantur digni. Psalmus 80: „in abscondito tempestatis probavite apud acquas contradictionis" ⁶, id est aquas temporalium.

---

¹ Ps. 102:5.
² Sc. ὁ ἀετός.
³ Vide Introductionem p. 12.
⁴ Mc. 8:34.
⁵ = Mc. 8:34-9:1.
⁶ Ps. 80:8.

τὸν βασιλεύοντα" ¹. Διὸ Φίλων ἐσθιάτορα τοῦτον καλεῖ ². Ὦ θαῦμα! Τί δὲ μεῖζον θαῦμα ὡς δι' ἐκεῖνον τὸν θεὸν αὐτὸν κατελθεῖν, ἐνανθρωπῆσαι, παθεῖν, ταφῆναι, ἀναστῆναι, ἀναληφθῆναι, πέμψαι τὸ πνεῦμα τὸ ἅγιον καὶ φωτίσαι, καὶ διατρίβοντα ἐν τῷ κόσμῳ πολλὰ διδάξαι διὰ τὸν ἄνθρωπον· ὡς καὶ σήμερον· ,,ὅστις θέλει ὀπίσω μου" ³ etc. Εἰ τοῦτο βουλόμεθα εἰδέναι, τρία θεωρητέον· ᾱᵒᵛ εἰ ὁ ἄνθρωπος γέγονεν αὐτεξούσιος, καὶ διατί· β̄ᵒᵛ ὅτι καὶ αὐτεξούσιος ὢν οὐδὲν ἄνευ τῆς θείας χάριτος δύναται· γ̄ᵒᵛ τίνα τὴν χάριν φυλάττει ἐν τῷ ἀνθρώπῳ.

Περὶ τοῦ πρώτου ex Damasceno, naturaliter, ex scriptura naturaliter. Ὅσα γίνονται ἢ παρὰ θεοῦ, ἢ ἐξ ἀνάγκης, ἢ φύσεως, ἢ τύχης, ἢ αὐτομάτου. [181v] A deo, quaecunque fiunt omnia bona. A necessitate, uno modo se haberent. A natura, ab Aristotele secundo Physicae ⁴. A fortuna, ὡς τὸν ὀρύσσοντα ἀνδρὶ τάφον θησαυρὸν εὑρίσκειν. Ab αὐτομάτου ut πτῶσις οἴκου etc. Sed facere malum non à deo, non à necessitate quia et bonum facit, non à natura quia illa facit animalia, non à fortuna et αὐτομάτου, ergo à libertate. ⁵.

A scriptura, caput 2: ,,οὐ καλὸν εἶναι τὸν ἄνθρωπον μόνον, ποιήσωμεν αὐτῷ βοηθόν" ⁶. Argumentum: βοηθὸς ἐν τῇ ἀνάγκῃ, sed homo qualem in primo statu necessitatem habebat? Nisi dicat quod debebat servare semetipsum ne caderet. Ideo datur ei libertas. Ὁ νοῦς ὅταν ὑπὸ τῆς αἰσθήσεως δουλοῦται etc. Hîc repete: ,,ὅστις θέλει . . ." ³. Hîc quare habuit liberum arbitrium, pagina 193 *.

Περὶ τοῦ δευτέρου Ἔξοδος 11· οἱ Αἰγύπτιοι τὰ σκεύη τοῖς Ἑβραίοις,

---

* [183r] 193 Quare homo libero arbitrio praeditus? Respondeo: ᾱᵒᵛ διὰ τὴν δικαιοσύνην τοὺς μεν εὐποιοῦντας ἀγαθοεργεῖν, τοὺς δὲ κακοὺς κολάζειν. Ideo dicitur Cain: ,,τί ὅτι ἐποίησας; ἐπικατάρατος σύ" ⁷, etc. β̄ᵒᵛ ἵνα φανῇ ἡ ἀγαθότης, quod non solum voluit nobis gloriam communicare, sed digniori modo etc. Ex Bellarmino ⁸. γ̄ᵒᵛ ἵνα φανῇ ὁ ἀνεξάντλητος πλοῦτος etc. Quare non dedit liberum

---

¹ Gregorius Nyssenus, Περὶ κατασκευῆς τοῦ ἀνθρώπου, II, PG 44, 132 D.
² Philo Alexandrinus, Περὶ τῆς κατὰ Μωϋσέα κοσμοποιίας, 78.
³ Mc. 8:34.
⁴ Aristoteles, Φυσικὴ ἀκρόασις, II, 1-8.
⁵ Ioannes Damascenus, Ἔκθεσις ὀρθοδόξου πίστεως, II, 25, PG 94, 957 A-C.
⁶ Gen. 2:18.
⁷ Gen. 4:10.
⁸ Robertus Bellarminus, De Controversiis Christianae Fidei adversus huius temporis haereticos, III, De Gratia et libero arbitrio, III, XVIII, Ingolstadii 1593, col. 702.

τοῖς ἐχθροῖς αὐτῶν¹, ὅτι ἡ τοῦ θεοῦ χάρις ἀπῆν ἐκ τοῦ αὐτεξουσίου. Ἡ δὲ χάρις τριπλή· καθόλου (1), μερική (2), ἰδιάζουσα (3). „Ἐν αὐτῷ ἐσμὲν (1) καὶ κινούμεθα (2) καὶ ζῶμεν (3)"². Ἡ οὐσία ἡ ἀκίνητος (substantia) ἀτελής, τελεωτέρα ἡ κινουμένη (motus), τῆς δὲ κινουμένης ἡ ζῶσα (vita). Si quis autem diceret: „formica perfectior adamante", respondetur affirmative; natura enim presiosior non usu. Natura est, movetur propter [vi]tam. Ἡ καθόλου, impii, simpliciter cognoscit malum sed non convertitur, ut Saul, Iudas; μερική, χριστιανοῦ, cognoscit et vel facit vel non, sed potest; ἰδιάζουσα, electorum, hîc, facit omnino, ut Pauli. [182r] 192 Prima nullum fructum; secunda multum, sed aliquam σκοτείζεται ὑπὸ τῆς ἁμαρτίας, ὡς ἡ σελήνη, la luna; tertia facit necessario; „ἡ γὰρ δύναμίς μου ἐν ἀσθενείᾳ τελειοῦται"³. „Ὀπίσω μου . . . ."⁴, ut qui fons omnium gratiarum. Sed quare dicitur „ὀπίσω μου", et non vel mecum vel ante me? Respondeo: primum ἵνα μή τις νομίσῃ οὕτω τέλειος εἶναι ὡς ὁ Χριστός· secundo ὅτι ἐχρῆν πρότερον τὸν Χριστόν· „συμφέρει ὡς ἀπέλθω, ἵνα καὶ ἄλλον παράκλητον"⁵ etc. 3° qui videt Christus caecam naturam nostram, ut ὁδηγήσῃ· 4° ut bonus imperator in bello primus se confert.

Περὶ τοῦ τρίτου, τρία φυλάττει τὴν χάριν· ᾱᵒᵛ ἡ ἄρνησις, β̄ᵒᵛ ἡ ἄρσις τοῦ σταυροῦ, γ̄ᵒᵛ ἡ ἀκολούθησις. ᾱᵒᵛ Ὅταν ἀρνᾶσαι τὶ, ᾱᵒᵛ χρὴ μισεῖν· ὁ ἀρνούμενος, ἢ ὅτι φοβεῖται, ἢ ὅτι μισεῖ· β̄ᵒᵛ φεύγειν. Πῶς τὶς ἑαυτὸν μισεῖν, φεύγειν; Ὡς Ἰακὼβ τὸν Λάβαν⁶. β̄ᵒᵛ Πῶς ἆραι; Τῷ νοΐ· διὰ τοῦ μαρτυρίου· ὅρα in indice quotupliciter martyrium *·

arbitrium confirmatum in bonum? Quia deus ordinatè voluit procedere, ac primum ostendere quid posset liberum arbitrium et inde quid gratiae suae beneficium.

* [64v] 60 Index. (Vide Introductionem p. 5). Martyrum genus triplex. Quidam patiuntur voluntate et actu ut Stefanus, quidam voluntate et non actu ut Ioannes evangelista, tertium non voluntate sed actu ut innocentes, in quibus Christus, si quid defuit voluntatis supplevit. Eius enim causa mortui sunt⁷. Martyrium fit

¹ Ex. 11:2, 3.
² Cf. Act. 17:28.
³ II Cor. 12:9.
⁴ Mc. 8:34.
⁵ Cf. Ioa. 16:7.
⁶ Gen. 31:21.
⁷ Bernardus Claraevallensis, In nativitate SS. Innocentium, PL 183, 129-132.

διὰ τῆς σκληραγωγίας· Βασιλείων ζ, κεφαλαίῳ „ἡ χήρα ἡ ἐν Σαραπτᾶ"·
δύο ξυλάρια ¹· διὰ τῆς μετανοίας· dic: tria necessaria ad vitam *,
etc. Duplex poenitentia, una legalis, ut Iudae, altera evangelica, ut
David. Vide ubi de poenitentia **. „Ἐὰν μὴ ἐπιστραφῆτε . . . ." ².

pluribus de causis: pro iustitia ut Abel, pro lege dei ut Machabaei
(2 Machabaei 6), pro assertione veritatis ut Esaias, Hieremias, pro
argutione peccati ut Ioannes baptista, pro salute populi ut Christus,
pro fide et nomine Christi ut Stefanus etc. Chrysostomus, psalmum 95 ³. Martyrium non sola sanguinis effusione, sed et abstinentia peccatorum et exercitatione praeceptorum efficitur, Bernardus ⁴.
Omnia quae in mundo sunt persequuntur christianum. Si comedero
paululum et corpusculum meum fuerit robustum, sanitas corporis
mei persequitur animam meam. Si videro mulierem oculus persequitur me, cupit enim interficere animam meam. Si videro
divitias, aurum, possessiones, delitias, vestimenta pulchra, et
quodcunque aliud persequitur animam meam, si adolescentulum,
libido persequitur. Non putemus tantum in effusione sanguinis esse
martyrium christianis ac religiosis etc. Paulus, Galatas 6: „mihi
mundus crucifixus est et ego mundo" ⁵. Augustinus: „pervenitur
non solum occasu sed etiam contemptu carnis ad coronam" ⁶.
     * Index (Vide Introductionem p. 5).
     [89v]   86   Vita. Ad vitam corporalem tria necessaria: γέννησις,
αὔξησις, ἀνατροφή· διὸ καὶ τρεῖς δυνάμεις φυσικαί· γεννητική, αὐξητική
καὶ θρεπτική. Ἐπειδὴ συμβαίνει ἀσθένεια, ἔστιν καὶ τέταρτον ἀναγκαῖον
κατὰ συμβεβηκὸς ἡ ἰατρική. Sic in vita spirituali tria necessaria: ἡ
πνευματικὴ generatio, quae est baptisma, spiritualis αὔξησις, τὸ
τελειοῦν τὸ βαπτιζόμενον διὰ τοῦ θείου μύρου, spiritualis cibus, qui est
sacramentum eucharistiae. Quarto per accidens necessarium cor-
rectio spiritualis.
     ** Index (Vide Introductionem p. 5)   [75r]   71   Poeniten-
tia, alia est sera, quae est damnatorum, alia coacta quae est
latronum, alia ficta, quae est hypocritarum, alia desperata quae
est perditorum.
     [76v]   72   2 Paralipomenon 36. Poenitentiam non agentes illud
audire debent quod Hieremias 22: „Vivo ego, dicit dominus, quia si

---

¹ III Regn. 17:12.
² Ps. 7:13.
³ Ioannes Chrysostomus, Εἰς τὸν 95. ψάλμον (opus spurium), 6, PG 55, 627.
⁴ Bernardus Claraevallensis, De S. Clemente papa et martyre sermo, PL 183,
501-502.
⁵ Gal. 6:14.
⁶ Aurelius Augustinus, Sermo CCXXIV, (spurius), 1, PL 39, 2159.

Tunc tollitur crux. Quot bona tibi fecit crux, Samuelis περὶ τῆς πεπτοκυίας ἀξίνης, quae ligno fuit recuperata [1] etc. γ^{ον} Tunc ἀκολούθει. Fit autem perfecta ἀκολούθησις ἴχνος κατ᾽ ἴχνος. Nec negligas, vocaris enim. Vocat autem Christus tripliciter. Vide pagina *.
[182v] Τί κερδήσεις, ἐὰν ζημιωθῇς τὴν ψυχήν; [2] Μέμνησο τῆς σῆς ταλαιπωρίας· ᾱ^{ον} ὅτι πάροικος εἶ· ,,οἴμοι ὅτι ἡ παροικία μου ἐμακρύνθη᾽᾽[3]· β̄ τοῦ θανάτου, ὅτι φοβερός· γ̄ τῆς κρίσεως, ὅτι φρικτή· δ̄ τῆς κολάσεως ὅτι ἀνυπόστατος. Εἰ τούτων μεμνήσεσθε ἀεί, ἢ συχνάκις, ἢ οὐ πλέον ἁμαρτάνετε, καὶ εἰ ἁμάρτητε, οὐκ εἰς αἰῶνας· ἁμαρτάνεις εἰς καιρόν, καὶ διορθώνει εὐθύς.

XV

[184r]   194   αχ΄. Ἐν Γιάσῃ. Περὶ ἀσώτου [4].

Προοίμιον.

† Δίκαιον εἶναι νὰ ψέγεται καὶ νὰ κατηγορᾶται ἐκεῖνος ὁποῦ μπορῶντας

---

fuerit Iechonias, filius Ioachim regis Iuda annulus in manu mea dextera, inde evellam eum et dabo᾽᾽ etc. [5]. 4 Regnorum, caput 21, Manasses [6]. Poenitentiae exemplum 3 Regnorum 21, Achab. Deus ad Heliam: ,,nonne vidisti humiliatum Achab coram me?᾽᾽ [7] Sed non perseveravit.
* [14v] [. . . . .] τριχῆς ἡ κλῆσις· ἢ προστακτική· ,,ἔξελθε ἐκ τῆς γῆς σου᾽᾽ [8]· ἢ φιλική· ἡ εἰς δεῖπνον [9], καὶ γάμον [10], καὶ ,,δεῦτε οἱ εὐλογημένοι. . .᾽᾽ [11], ,,δεῦτε πρός με πάντες. . .᾽᾽ [12], etc.· ἢ συμβουλευτική· καὶ ,,εἴ τις θέλει ὀπίσω μου᾽᾽ [13], καὶ ,,εἴ τις θέλει τέλειος. . .᾽᾽ [14] etc.

[1] IV Regn. 6:5-7.
[2] Cf. Mt. 16:26.
[3] Ps. 119:5.
[4] = 8 Februarii 1601.
[5] Ier. 22:24, 25.
[6] IV Regn. 21:1-16.
[7] III Regn. 20:29.
[8] Gen. 12:1.
[9] Luc. 14:16.
[10] Mt. 22:1-9.
[11] Mt. 25:34.
[12] Mt. 11:28.
[13] Mt. 16:24; Mc. 8:34; Luc. 9:23.
[14] Cf. Mt. 19:21.

νὰ ζῇ μετα τιμῆς καὶ δόξης παρὰ τῷ πατρὶ αὐτοῦ, φεύγει παρ' αὐτοῦ, καὶ περπατεῖ εἰς δρόμους, ἔχοντας κρημνούς, λίθους, λεπτά, ἀκάνθας etc. Οὐκ ἄλλως μεμπταῖος ὁ ἄσωτος etc. Πάντα τὰ πράγματα φθαρτά εἰσιν κατὰ τὴν κοινὴν γνώμην καὶ ἀπόφασιν, ἐπειδὴ γὰρ πάντα ἐκ τῶν στοιχείων, καὶ ἐκ τῶν ποιοτήτων τῶν ἀντικειμένων σύγκειται, περισσευούσης τῆς μιᾶς ποιοτῆτος ἀπόλετο ἡ ἀντικειμένη etc., ut in homine αἷμα, φλέγμα, ξανθήν καὶ μέλαιναν habente *. Alia ratio, quare homo est mortalis, propter quem omnia sunt et ea quae sunt propter illum corruptibilia esse oportet. Quod autem mortalis et corruptibilis sit homo apparet à verbis illis: ,,γῆ εἶ καὶ εἰς γῆν ἀπελεύσει'' [1], ὅπου tria deus praestat: p° τοῦ ἀνθρώπου κάποιαν καταφρόνησιν καὶ ἀνάμνησιν, καθῶς ἕνας ἀφέντις ὅταν ἐκ μικροῦ τινὰ μεγάλον ποιήσῃ, καὶ αὐτὸς τὸν ἴδιον δεσπότην προδώσῃ, περὶ αὐτὸν ὁ ἀφέντις· ,,οὐκ ἐγώ σε τοιοῦτον ἄρχοντα ἐκ πτωχοῦ πλούσιον . . . . etc., ἐκ τοῦ ἀτιμωτέρου στοιχείου; Γῆ εἶ καὶ εἰς γῆν ἀπελεύσει'' [1]· 2° πρόρησιν· διὰ γὰρ τοῦ ,,γῆ εἶ καὶ εἰς γῆν ἀπελεύσει'' [1] προλέγει, ὅτι ἐπειδὴ ἡ γῆ ψυχρὰ καὶ ξηρά, ὅτι ψυχρὸς ἔσσεται ἐν ταῖς ἐντολαῖς, καὶ ξηρὸς ἐκ τῆς ἰκμάδος τῶν καλῶν πράξεων etc. ,,Γῆ εἶ καὶ εἰς . . . .'' [1]· 3° ἀπόφασιν· ,,ἐπειδὴ ἐκ τῆς γῆς φύσεως ἐπλάσθης, πάλιν εἰς γῆν . . ., ἤγουν ἐγὼ ἄφθαρτὸν καὶ ἀθάνατον ἐκ τοῦ τοιούτου στοιχείου, σὺ δ' οὐ βούλει, ἄρα· γῆ εἶ καὶ εἰς γῆν ἀπελεύσει'' [1]. Λοιπὸν φθαρτὸς ὁ ἄνθρωπος καὶ ἐπειδὴ φθαρτὸς ἄρα καὶ τὰ δι' αὐτὸν φθαρτά. Ἀπορήσειε δ' ἂν τίς· ,,ἄνθρωπος λέγεται τὸ σῶμα μετὰ τῆς ψυχῆς, ἀλλ' ἡ ψυχὴ οὐ φθείρεται''. Ἀπόκρισις· ἐπειδὴ ἡ φθορὰ ἐκ τῆς ἐναντιώτητος, καὶ φθορὰ δύναται εἶναι ἐν τῇ ψυχῇ, τὸ γὰρ πνεῦμα κατὰ τῆς σαρκός, καὶ ἡ σὰρξ ἐπιθυμεῖ κατὰ τοῦ πνεύματος [2]. Ἄρα etc. Φθορᾶς, ut Filon Iudaeus, περὶ ἀφθαρσίας κόσμου, τρεῖς τρόποι γενικώτατοι [3]· ᾱος κατὰ διαίρεσιν, ut praeacuto vas dividendo rumpere; β̄ος κατ' ἀναίρεσιν τῆς ἐπεχούσης πιότητος, ut ceram ab igne consummi; γ̄ος κατὰ σύγχυσιν, ut vinum aqua, et aquam vino miscere. Per hos tres modos anima corrumpitur, primo quia separa-

---

* [183v] 193 Ἀθανάσιος κατὰ Ἑλλήνων· ἀλλήλων εἰσὶν ἀναιρετικὰ κατὰ τὴν τοῦ πλεονάζοντος ἐν αὐτοῖς ἐπικράτειαν, θερμόν τε γὰρ ὑπὸ ψυχροῦ πλεονάσαντος ἀναιρεῖται· etc. [4].

[1] Gen. 3:19.
[2] Gal. 5:17.
[3] Philo Alexandrinus, Περὶ ἀφθαρσίας κόσμου, 79.
[4] Athanasius Alexandrinus, Λόγος κατὰ Ἑλλήνων, 27, PG 25, 56 A.

tur à deo, cum debeat esse coniuncta. [184v] Secundo corrumpitur quia amittit τὴν πιότητα τῆς θείας διδασκαλίας, tertio quia confunditur cum viciis. Sic contigit huic prodigo. (Narra si placet evangelium [1]). Duo consideranda, primum personas et secundum πρᾶξιν τῶν προσώπων. Quo ad primum: ὅταν ὀνομάζεται ὁ θεὸς ἐν τῇ γραφῇ, ἢ ἐκ τῶν ὁμοίων, ἢ ἐκ τῶν ἀνομοίων· ἐκ τῶν ὁμοίων νοῦς, ζωή, φῶς, ἐκ τῶν ἀνομοίων λέων, πάρδαλις, ἄνθρωπος. Ὡς καὶ ὧδε· ,,ἄνθρωπος τὶς εἶχεν δύο υἱούς" [2].

ᾱ Vocatur homo deus· εἰ γὰρ τοῦτο γενέσθαι κατεδέχθη, καὶ ὀνομάζεσθαι δίκαιον· ,,ἄνθρωπος τὶς ἐποίησεν δεῖπνον μέγαν" [3] (ἐπὶ τὴν ἔνσαρκον οἰκονομίαν)·

β̄ ἵνα ἔχομεν παρηγορίαν ὅτι ὁ πλάστης καὶ ποιητὴς καλεῖται τὸ ὄνομα τοῦ πλάσματος καὶ ποιήματος· πολλάκις δὲ λέγεται πράττειν καὶ τὰ ἀνθρωπινά, ὡς τὸ ,,ἄνθρωπος τὶς ἦν οἰκοδεσπότης καὶ ἐφύτευσεν ἀμπελῶνα" [4] (διὰ τὴν ἐκκλησίαν)·

γ̄ον ἐπειδὴ ὁ ἄνθρωπος κατ᾽ εἰκόνα καὶ καθ᾽ ὁμοίωσιν (,,ποιήσομεν" γάρ φησι ,,ἄνθρωπον" etc. [5]) καὶ πρωτότυπον τοῦ ἀνθρώπου ὁ θεός, οὐ θαυμαστὸν ὡς ἡ εἰκών, οὕτω καὶ τὸ πρωτότυπον καλεῖσθαι·

δ̄ον διὰ τὸ σπλάχνος· τὸ γὰρ εἶδος τῷ ἰδίῳ εἴδει συμπάσχει, τὰ ἄλογα τοῖς ἀλόγοις, (καὶ εἰ αἰσθάνοιντο) τὰ ξύλα τοῖς ξύλοις, καὶ τῷ ἀνθρώπῳ ὁ ἄνθρωπος. Διατί δὲ εὐσπλαχνεῖ καὶ φιλανθρωπεύεται ὁ θεὸς τὸν ἄνθρωπον, διὰ τοῦτο ἄνθρωπος καὶ καλεῖσθαι καταδέχεται· εὐσπλαχνεῖται δὲ καὶ φιλανθρωπεύεται ὡς ἐν τῇ γραφῇ ἀναγινώσκομεν· ,,ἐνθεώρουν" γάρ φησιν ,,οἱ υἱοὶ τοῦ θεοῦ (ἤγουν τοῦ Σήθ) τὰς θυγατέρας τῶν ἀνθρώπων (ἤγουν τῶν υἱῶν τοῦ Κάϊν) [6] etc. καὶ εἶπεν ὁ θεὸς ἀπαλείψω τὸν ἄνθρωπον" [7], decretum contra humanam naturam. Deinde pepercit et retinuit Noë etc. Ergo miseretur. [185r] 195 Λέξειε δ᾽ ἄν τις· ,,διατί ὧδε ,,ἄνθρωπος" λέγει ὁ εὐαγγελιστής, καὶ οὐ πατήρ, ἐπειδὴ ἄνθρωπος πρὸς τοὺς υἱοὺς οὐδεμίαν ἔχει τὴν σχέσιν;" Respondetur, quia in homine invenitur trinitas; ibi enim est mens loco patris, ὁ ἐνδιάθετος λόγος loco filii, spiritus loco spiritus sancti. (Amplifica.)

---

[1] Luc. 15:11-32.
[2] Luc. 15:11.
[3] Luc. 14:16.
[4] Mt. 21:33.
[5] Gen. 1:26.
[6] Gen. 6:2.
[7] Gen. 6:7.

Homo itaque est pater duorum filiorum. Filii sunt iusti et pec-
catores. Ὁ πρεσβύτερος loco iustorum, ὁ νεώτερος autem peccatorum.
Iustitia enim antiquior, illa enim à deo creatore. Peccatum a
diabolo et homine creaturis. Lege pagina 193 B*. Adde quod in
idaea divina ante mundum iustitia semper erat, sed peccatum homo
fecit, quod corrigere multipliciter deus voluit, praesertim τῇ
παιδείᾳ. Διωρθώνει (παιδεύει) δὲ ὁ θεὸς τιμωρίᾳ, ὡς τὸν Σαούλ· φόβοις·
Δαβίδ· „ἐπ' ἐμὲ διῆλθον αἱ ὀργαί σου, οἱ φοβερισμοί ἐτάραξαν, ἐκύκλω-
σαν" ¹· θείαις πνεύσεσι, ὡς τοὺς τελώνας τοὺς εὐαγγελικούς, etc. Ὡς

---

* [183v] 193 Divus Athanasius, in oratione contra gentes,
cuius principium, ἡ μὲν περὶ τῆς θεοσεβείας, sic dicit: „ἐξ ἀρχῆς μὲν
οὐκ ἦν κακία, ἄνθρωποι δὲ ταύτην ὕστερον ἐπινοεῖν ἤρξαντο, καὶ καθ'
ἑαυτῶν ἀνατυποῦσθαι" ². Inferius: „οἱ δὲ ἄνθρωποι, κατωλιγωρήσαντες
τῶν κρειττόνων, τὰ ἐγγύτερω μᾶλλον ἑαυτῶν ἐζήτησαν· ἐγγύτερα δὲ
τούτοις ἦν τὸ σῶμα καὶ αἱ τούτου αἰσθείσεις" ³. In indice vide malum **. Ibidem: „κακίας δὲ καὶ ἁμαρτίας αἰτία, ἡ τῶν κρειττόνων
ἀποστροφή, ὡς γὰρ ἐὰν ἡνίοχος ἐπιβὰς ἵπποις ἐν σταδίῳ καταφρονίσῃ
μὲν τοῦ σκοποῦ, εἰς ὃν ἐλαύνειν αὐτὸν προσήκει, ἀποστραφεὶς δὲ τοῦτον
ἁπλῶς ἐλαύνῃ τὸν ἵππον, ὡς ἂν δύνηται· δύναται δὲ ὡς βούλεται, καὶ
πολλάκι μὲν εἰς τοὺς ἀπαντῶντας ὁρμᾷ, πολλάκι δὲ καὶ κατὰ κρημνῶν
ἐλαύνῃ φερόμενος, νομίζω ὅτι οὕτω τρέχων οὐκ ἐσφάλη τοῦ σκοποῦ· πρὸς
γὰρ μόνον τὸν δρόμον ἀποβλέπει, καὶ οὐχ ὁρᾷ ὅτι ἔξω τοῦ σκοποῦ
γέγονεν. Οὕτω καὶ ἡ ψυχὴ ἀποστραφεῖσα τὴν εἰς τὸν θεὸν ὁδόν, καὶ
ἐλαύνουσα παρὰ τὸ πρέπον τὰ τοῦ σώματος μέλη, μᾶλλον δὲ καὶ αὐτὴ
μετ' αὐτῶν ὑφ' ἑαυτῆς ἐλαυνομένη, ἁμαρτάνει καὶ τὸ κακὸν ἑαυτῇ
πλάττει οὐχ ὁρῶσα ὅτι πεπλάνηται ἔξω τοῦ σκοποῦ γενομένη, εἰς ὃν ὁ
μακάριος Παῦλος ἀποβλέπων ἔλεγε· „κατὰ σκοπὸν διώκω, εἰς τὸ
βραβεῖον τῆς ἄνω κλήσεως" ⁴. Ibidem: „ὡς γὰρ ἄν τις ἡλίου φαίνοντος,
καὶ πάσης τῆς γῆς τῷ φωτὶ τούτου καταλαμπομένης, καμύων τοὺς
ὀφθαλμοὺς σκότος ἑαυτῷ ἐπινοεῖ οὐκ ὄντος σκότους, καὶ λοιπὸν ἐν
σκότει περιπατῶν κρημνίζεται, οὕτω ἡ ψυχὴ καμύσασα τὸν ὀφθαλμόν,
δι' οὗ τὸν θεὸν ὁρᾷ, ἑαυτῇ τὰ κακὰ ἐπενόησεν etc. Σολομών· „ὁ θεὸς τὸν
ἄνθρωπον εὐθῆ ἐποίησεν, αὐτοὶ δὲ ἐζήτησαν λογισμοὺς πολλούς" ⁵.
** Index (Vide Introductionem p. 5)
[66r] 62 Athanasius, in oratione contra gentes, de malo vide
ibidem non procul ab initio in hoc sensu: τινὲς τῶν Ἑλλήνων τὸ κακὸν

---

¹ Ps. 87:17, 18.
² Athanasius Alex., Λόγος κατὰ Ἑλλήνων, 2, PG 25, 5 C.
³ Athanasius Alex., op. cit., 3, 8 BC.
⁴ Phil. 3:14. Athanasius Alex., op. cit., 5, 12 BC.
⁵ Eccles. 7:29. Athanasius Alex., op. cit., 7, 16 AB.

ἡ ναῦς ἡ ἀνέμου ἀποροῦσα τοῖς κύμασί δὲ συγχυζομένη, ἐξαίφνης εὑροῦσα καιρὸν εἰς λιμένα κατευοδοῦται, οὐκ ἄλλως ὁ ἐν ἁμαρτίαις ζῶν· θείας ἐλθούσης νεύσεως εἰς τὸν τῆς ἐκκλησίας εἰσέρχεται λιμένα. Οὕτω τοιγαροῦν ὁ νεώτερος τὸ τῶν ἁμαρτωλῶν μέρος, ὁ πρεσβύτερος τῶν δικαίων. Ταῦτα τὰ πρόσωπα, ἡ δὲ πρᾶξις αὕτη. „Εἶπεν ὁ νεώτερος τῷ πατρί· πάτερ, δός μοι το ἐπιβάλλον μέρος τῆς οὐσίας" [1]. Οὐσίαν ζητεῖ. Λέγει τῆς οὐσίας τὴν παραγωγήν, καὶ ὅτι καταχρηστικῶς καὶ ὁ πλοῦτος οὐσία· καὶ ποσαχῶς ἡ οὐσία ἐκ τῆς πρώτης κατηγορίας. De substantia quid lege Philippus Diez, tomus 2, pagina 37, articulum 25 [2]. [185v] Ἐπειδὴ ζητεῖ οὐσίαν παρὰ τοῦ πατρός, ὁ δὲ πατήρ ἐστιν ὁ θεός, τὴν ἑαυτοῦ οὐσίαν οὐ δίδωσι· οὐδὲ γὰρ δύναιτο βουλόμενος· ἀληθὴς γὰρ οὐσία τοῦ θεοῦ· διὰ τοῦτο δε ἀληθὴς ὅτι ἀμετάτρεπτος. (Argumentare ex loco Divi Augustini quod accidens in deo non cadit; in hoc libro pagina 150 *) Ἐκεῖνος ὅς ἐστι ὁ οὐκ ἦν μεταβάλλεται· ὁ θεός ἐστι ὁ οὐκ ἦν. Responde e [a]. Ὁ

a) Linea ad verba supra „quod accidens in deo . . .".

ἔχειν ὑπόστασιν λέγουσι . . . [Sequitur Λόγος κατὰ Ἑλλήνων, 6, 7, PG 25, 12D-16A, paene litterate transcriptus].
* [151r] 150 Ex libro 5. de Trinitate Augustini. Utrum accidens cadat in deo.
Negatur. Accidens enim non solet dici, nisi quod aliqua mutatione eius rei cui accidit amitti potest. Nam etsi quaedam dicantur accidentia ἀχώριστα, sicut est plumae corvi color niger, amittit eum tamen non quidem quamdiu pluma est, sed quia non semper est pluma. Quapropter ipsa materia mutabilis est, et ex eoque desinit esse illud animal vel illa pluma, totumque illud corpus in terram mutatur et vertitur, amittit utique etiam illum colorem. Quamvis et accidens quod separabile dicitur, non separatione, sed mutatione amittatur, sicuti est capillis hominum nigredo, quoniam dum capilli sunt possunt albescere, separabile accidens dicitur, sed diligenter intuentibus satis apparet non separatione quasi emigrare

---

[1] Luc. 15:12.
[2] Philippus Diez, *Concionum quadruplicium* . . . . tomus secundus. Altera editio. Lugduni, apud P. Landry, 1589 (Paris Bibl. Nat. D 32494), Dominica in Quinquagesima, p. 37: Id circò B. Hieronymus dixit: Quotidie morimur, & tamen nos aeternos esse credimus, & hoc crebrius malis contingit, quibus mortis memoria amarissima est, ut dixit Ecclesiasticus. O mors quam amara est memoria tua homini pacem habenti in substantiis suis. Substantia non sumitur hic pro temporalibus divitiis, sed ut accepit S. Paulus cum dixit: Fides est sperandarum rerum substantia, id est fundamentum.

δίδωσιν ὁ πατὴρ βίος ἐστι παρ' αὐτῷ, οὐσία δὲ παρὰ τῷ υἱῷ· δίδωσι γὰρ αὐτῷ τὸ εἶναι. Ἔστι δὲ ταῦτα πίστις καὶ βάπτισμα. Ἐδύνατο δὲ ὁ

aliquid à capite dum canescit, ut nigritudo inde candore succedente discedat et aliquo eat, sed illam qualitatem coloris ibi verti atque mutari. Nihil itaque accidens in deo, quia nihil mutabile aut amissibile [1]. In deo autem nihil quidem secundum accidens dicitur, quia nihil in eo mutabile est, nec tamen omne quod dicitur secundum substantiam dicitur. Dicitur enim ad aliquid, sicut pater ad filium et è converso, quod non est accidens, quia et ille semper pater et ille semper filius. Nota: et non ita semper quasi ex quo natus est filius, ut ex eo quod nunquam desinat esse filius, pater non desinat esse pater, sed ex eo quod semper natus est filius, nec coepit unquam esse filius. Quod si aliquando esse coepisset, aut aliquandò esse desineret filius, secundum accidens diceretur. Si vero quòd dicitur pater, ad se ipsum, non ad filium, et quod dicitur filius ad se ipsum, non ad patrem, secundum substantiam diceretur et ille pater et ille filius. Sed quia pater non dicitur pater, nisi eo quod sit ei filius, et è contra filius non dicitur filius, nisi eo quod sit ei pater, ideo non secundum substantiam dicuntur, [151v] quia non quisque eorum ad seipsum, sed ad invicem atque ad alterutrum ista dicuntur, neque secundum accidens, quia et quod dicitur pater et quod dicitur filius aeternum atque incommutabile est eis. Quamobrem quamvis diversum sit patrem esse et filium esse, non est tamen diversa substantia, quia haec non secundum substantiam dicuntur, sed secundum relativum, quod tamen relativum non est accidens, quia non est mutabile [2]. Obiectio: deum dominum esse creaturae non sempiternè habet, cum et ipsa creatura non sempiterna sit, sed in tempore. Et dominus populli Israël. Respondeo: tempus non erat antequam inciperent tempora et ideo non in tempore accidit deo esse dominum. Quo vero ad creaturam quod deus dominus sit meus et tuus, qui modo coepimus, ex tempore accidit deo. Et ut dominus esset huius arboris et huius segetis, quae modò coeperunt, ex tempore accidit, quoniam non naturae anteà fuit dominus. Aliud tamen est dominum esse materiae, aliud iam naturae factae. Alio enim tempore est homo dominus ligni, alio tempore arcae ex ipso ligno fabricatae, quod utique non erat, cum ligni dominus iam esset. Et si videatur accidere, naturae tamen ipsius nihil accidit quo mutetur, sed sunt relativa accidentia quae cum aliqua mutatione rerum de quibus dicuntur, accidunt. Sicut amicus relativè dicitur, neque enim esse incipit, nisi cum amare coeperit, sed hoc in exemplo est aliqua mutatio voluntatis. Perpende aliud. [152r] 151 Num-

---

[1] Aurelius Augustinus, *De Trinitate*, V, iv. 5.
[2] Aur. Augustinus, *op. cit.*, V, v, 6.

πατὴρ ἀρνεῖσθαι, ἐπειδὴ ἔγνωκεν ὅτι ὁ υἱὸς ἔμελλεν ἀπωλεῖν· ἀλλ᾽
ἔδωκεν· ᾱᵒᵛ ἵνα ἡμῖν δείξῃ ὅτι δυνατὸς καὶ ἐκ τοῦ κακοῦ καλόν· β̄ᵒᵛ ἵνα
δείξῃ ὅτι ὑπερηφανευόμενοι οὐδὲν δυνάμεθα· γ̄ᵒᵛ ὅτι ἡμᾶς φιλεῖ καθ᾽
ὑπερβολήν· ὁ γὰρ φιλῶν οὐδὲν ἀρνεῖται τῷ φιλουμένῳ· 4° addi potest
τὴν εὐσπλαχνείαν. Ἔδωκεν τοιγαροῦν. Ὁ δὲ ἄφρων οὗτος συναγα-
γών . . . . ¹ et reliqua narra ut tibi videtur καὶ ἀλληγόρει. Dic de
mutatione, ὑστερεῖται· ἐξ ἄρχοντος δοῦλος, πτωχὸς ἐκ πλουσίου, ἐξ
εὐγενοῦς πένης, ἐκ τιμῆς εἰς ἀτιμίαν, etc. ,,Εἰς ἑαυτὸν ἐλθών . . . .᾽᾽ ²·
ἐν ἑαυτῷ ὑπάρχων ἔξω ἑαυτοῦ ἦν. Ὅς ἔστιν ἐν ἑνὶ τόπῳ, καὶ οὐκ ἔστι,
κατὰ δύο τρόπους, ἢ κατ᾽ ἄγνοιαν, ὡς ὁ ὢν ἐν τῇ ὁδεῖνι ³ πόλει, καὶ ἐν
ἑτέρᾳ νομίζων εἶναι, ἢ κατὰ μωρίαν, ὡς ὁ θαρρῶν εἶναι ἐν τινι καταστάσει
δικαιοσύνης ἢ εὐδαιμονίας καὶ οὐκ ὤν, ὡς ὁ Φαραὼ νομίζων βασιλέα

mus cum dicitur precium, relative dicitur, nec tamen mutatus est
cum esse coepit precium, neque cum dicitur pignus, et si qua sunt
similia. Si ergo nummus potest sui nulla mutatione toties dici
relative, ut neque cum incipit dici, neque cum desinit, aliquid in
eius natura vel forma, qua nummus est, mutationis fiat, quanto
facilius de illa incommutabili dei substantia debemus accipere, ut
ita dicatur aliquid relativè ad creaturam, ut quamvis temporaliter
incipiat dici, non tamen ipsi substantiae dei accidisse aliquid intel-
ligatur, sed creaturae ad quam dicitur. Psalmus 89: ,,domine᾽᾽,
inquit, ,,refugium factus es nobis᾽᾽ ⁴. Refugium ergo nostrum deus
relativè dicitur, et tunc fit refugium, cum ad illum refugimus. In
nobis haec mutatio, non in natura divina. Deteriores enim eramus,
antequam ad eum refugeremus, sed refugiendo efficimur meliores;
in illo autem nihil. Sic et pater noster, quando in eo regeneramur,
incipit esse sine substantiae mutatione. Et amicus dei, cum iustus
esse incipit, ipse mutatur. Deus tamen absit ut temporaliter diligat,
quasi nova dilectione quae in illo ante non erat, apud quem nec
praeterita transierunt, et futura iam facta sunt. Itaque omnes
sanctos suos ante mundi constitutionem dilexit, sicut praedestina-
vit. Sed cum convertuntur et inveniunt illum, Ephesios 1, tunc
adeo incipere diligi dicuntur, ut eo modo dicatur quo potest humano
affectu capi quod dicitur. Sic cum iratus malis, placidus bonis, illi
mutantur, non ipse, sicut lux infirmis oculis aspera, firmis lenis est,
ipsorum mutatione, non sua ⁵.

¹ Luc. 15:13.
² Luc. 15:17.
³ = δεῖνα.
⁴ Ps. 89:1.
⁵ Aur. Augustinus, De Trinitate, V, xvi, 17.

7

ἑαυτὸν καὶ Μωϋσέως κατεφρόνει καὶ τὸν Ἰσραὴλ ἐδούλου· τέλος κατεποντίσθη. Καὶ Ναβουχοδονόσωρ¹. [186r] 196 Οὗτος δ' ὁ ἄσωτος καὶ κατ' ἄγνοιαν καὶ κατὰ μωρίαν ἔξω ἑαυτοῦ ἦν, ἡδ' ἡ θεία χάρις τῇ θείᾳ νεύσει αὐτὸν εἰς μετάνοιαν ἤγαγεν. Narra quod poenituit, quid dixerit, quid ipse et pater fecerint, quid ei donatum fuerit. Ζητῆσαι τὴν δύναμιν τῆς μετανοίας, τὸ μέγεθος τῆς εὐσπλαχνείας. Nova vestis ² νέα διδασκαλία· τὸ δακτύλιον ² ὁ τῆς αἰωνίου βασιλείας ἀρραβών· τὰ ὑποδήματα ² ἵνα πατῇ ἐπάνω ὄφεων καὶ σκορπίων ³, ἢ ἵνα περιπατῇ νέαν στράταν οὐ κατὰ τὴν παλαιάν· ὁ μόσχος ὁ σιτευτὸς ἡ σὰρξ τοῦ τιμίου καὶ θεοῦ καὶ σωτῆρος ἡμῶν Ἰησοῦ Χριστοῦ. Ὀργίζεται ὁ ἀδελφός ⁴, εἰ καὶ δίκαιος, ᾱᵒᵛ ἵνα γνῶς ὅτι οὐδεὶς τέλειος· β̄ᵒᵛ οὐκ αἴτιος ἐκεῖνος ἀλλ' ὁ παῖς ὃν ἠρώτησεν· ἀπεκρίνατο γὰρ ἐκεῖνος ὅτι ,,τὸν ἀδελφόν σου ὑγιαίνοντα ὑπέλαβεν" ⁵, καὶ οὐκ εἴρηκεν ,,μετανοοῦντα". Ἐσηώπησεν δὲ ἀκούσας ὅτι ,,ἀπολολὼς ἦν καὶ εὑρέθη, νεκρὸς καὶ ἀνέζησεν" ⁶. Λέγε διατί ἀπολολώς. Λέγε διατί νεκρός. Θάνατος ἁμαρτίας, μυστικός, σωματικός, vide in indice *.

[186v] Εἰ περί σε σκεφθῇς, ὄψει καὶ εὑρήσεις περί σε, ἄνθρωπε, ὅτι υἱὸς ἀνθρώπου εἶ τοῦ θεοῦ· πατὴρ γὰρ πάντων ὁ θεός, ἐπειδὴ πατὴρ τὶς τριχῶς λέγεται, ἢ φύσει ὡς ὁ Ζεβεδαῖος, πατὴρ Ἰωάννου καὶ Ἰακώβου· κτίσει, ὡς ὁ θεὸς πατὴρ πάντων, ὅτι πάντων κτίσθης καὶ ποιητής· κατ' εὐεργεσίαν, ὡς πᾶς εὐεργέτης τοῦ εὐεργετουμένου, ὁ θεὸς ἡμῶν πάντων πατήρ, ὅτι οὐ μόνον εὐεργετήσας τὸ εἶναι δέδωκεν, ἀλλὰ καὶ τὸ εὖ εἶναι.

---

* Index (vide Introductionem p. 5) ,,mors".
[66r] 62 Mors triplex. Una mors peccati. Ezechiel 18: ,,anima quae peccat ipsa morietur" ⁷. Alia mystica, quando quis peccato moritur et deo vivit: Romanos 6: ,,consepulti enim sumus cum illo per baptismum in mortem" ⁸. Tertia mors, qua cursum vitae huius et munus explemus, id est animae corporisque secessio. Prima mala, secunda bona, tertia media, bona enim iustis, plerisque metuenda. Caput 2, de bono mortis, Ambrosi ⁹.

---

¹ Da. 4.
² Luc. 15:22.
³ Luc. 10:19.
⁴ Luc. 15:28.
⁵ Luc. 15:27.
⁶ Luc. 15:32.
⁷ Ez. 18:4.
⁸ Ro. 6:4.
⁹ Ambrosius, De bono mortis, II, 3, PL 14, 567 C-568 A.

Ἡμέτερος τοιγαροῦν πατὴρ ὁ θεός. Ἀλλ' ἡμεῖς καταχρώμεθα τῇ εὐσπλαχνίᾳ, τῇ καλοκαγαθίᾳ. Χρῆσις, ὡς τὸ ἐν τῇ λυχνίᾳ πῦρ, κατάχρησις τὸ ἐν τῷ χόρτῳ. Καταχρᾶσαι τιγαροῦν αἰτεῖς, λαμβάνεις τὸν βίον, τὸν πλοῦτον, τὴν οὐσίαν, καταβαίνεις εἰς ἕνα δρόμον, εἰς μίαν ὁδόν. Ὁδὸς ἡ ζωὴ αὕτη διὰ τρεῖς αἰτίας. Vide in indice *. Ἐν ταύτῃ τοιγαροῦν τῇ ὁδῷ ὑπάρχεις. Τὸν βίον κατεδαπάνησας ὑστερῆσαι etc. Ταῦτα ἐν σοὶ ὁρῶ· τὴν δὲ μετάνοιαν οὐκ ἔχεις, εἰς ἑαυτὸν οὐκ ἔρχει. Μετανοίας ἐν μέρος· ἡ κατάλειψις τοῦ κακοῦ· „ἀναστάς" [1]. β ἡ ἐργασία καὶ ἡ πρᾶξις ἡ καλή· „πορεύσομαι" [1]. γ ἡ ἐξομολόγησις· „ἥμαρτον εἰς τὸν οὐρανόν" [1]. δ ἡ ταπείνωσις· „οὐκ εἰμὶ ἄξιος κληθῆναι.... δέξαι ὡς ἕνα" [2] etc.

[187r] 197 Χαρὰ μεγάλη γίνεται ἐν τῷ οὐρανῷ· οὐ γὰρ τοιαύτη χαρὰ ἐν οἴκῳ ἄρχοντος, εἰ καὶ καθ' ἑκάστην ἡμέραν ἐν τῷ αὐτοῦ οἴκῳ βόες καὶ πρόβατα χίλια σφάζονται· ὅταν δ' αὐτὸς ὁ ἄρχων κυνηγῶν λάβῃ ἢ λέοντα, ἢ ἄρκον, ἢ ὄναγρον, ὦ ποῖα χαρὰ χαίρουσιν οἱ δοῦλοι! Χαίρει ὁ

* Index (Vide Introductionem p. 5) „Vita".

[90v] 87 Vita dicitur via, primum διὰ τὴν πρὸς τὸ τέλος ἑκάστου τῶν γενομένων ἔπειξιν· ὥσπερ γὰρ οἱ ἐν τοῖς πλοίοις καθεύδοντες, αὐτομάτως ὑπὸ τοῦ πνεύματος ἐπὶ λιμένας ἄγονται, κ' ἂν αὐτοὶ μὴ αἰσθάνονται, ἀλλ' ὁ δρόμος αὐτοὺς πρὸς τὸ τέλος ἐπείγει, οὕτω καὶ ἡμεῖς τοῦ χρόνου τῆς ζωῆς ἡμῶν παραρρέοντος, οἷόν τινι κινήσει συνεχεῖ καὶ ἀπαύστῳ πρὸς τὸ οἰκεῖον ἕκαστος πέρας τῷ λανθάνοντι δρόμῳ τῆς ἡμῶν ζωῆς κατεπειγόμεθα. Οἷον καθεύδεις καὶ ὁ χρόνος σε παρατρέχει, ἐγρήγορας καὶ ἄσχολος εἶ τὴν διάνοιαν, ἀλλ' ὅμως ἡ ζωὴ δαπανᾶται, κ' ἂν τὴν αἴσθησιν ἡμῶν διαφεύγῃ, δρόμον οὖν τινα τρέχομεν πάντες πρὸς τὸ οἰκεῖον τέλος κατεπειγόμενοι, διὰ τοῦτο πάντες ἐσμὲν ἐν ὁδῷ. Secundum: ὁδοιπόρος ἐφέστηκας τῷ βίῳ· πάντα παρέρχῃ, πάντα κατόπιν σου γίνεται. Ἴδες ἐπὶ τῆς ὁδοῦ φυτόν, ἢ πόαν, ἢ ὕδωρ, ἢ ὅτι ἂν τύχῃ τῶν ἀξίων θεάματος· μικρὸν ἐτέρφθης, εἶτα παρέδραμες. Πάλιν ἐνέτυχες λίθοις, φάραγξιν, κρημνοῖς, σκοπέλοις, ἥπου καὶ θηρίοις, μικρὸν ἠνιάθης, εἶτα κατέλιπες. Τοιοῦτος ὁ βίος. Tertium: ἡ ὁδὸς οὐκ ἔστι σοί, οὐδ' ἡ ὁδὸς σή, ἀλλ' οὐδὲ τὰ παρόντα σου. Ἐπὶ τῶν ὁδευόντων ὁμοῦ τε ὁ πρῶτος τὸ ἴχνος ἐκίνησεν, καὶ εὐθὺς ὁ μετ' αὐτὸν τὴν βάσιν ἤνεγκεν, καὶ μετ' ἐκεῖνον ὁ ἐφεπόμενος. Παραπλήσια τὰ τοῦ βίου· σήμερον τὴν γῆν σὺ ἐγεώργησας, καὶ αὔριον ἄλλος καὶ μετ' ἐκεῖνον ἕτερος. Τήμερον ὁ ἀγρὸς τοῦ δεῖνος, αὔριον ἑτέρου etc. Ἆρ' οὐχ ὁδὸς ἡμῖν ὁ βίος; „Μακάριος ἀνήρ, ὃς οὐκ ἔστη ἐν ὁδῷ ἁμαρτωλῶν" [3], etc.

[1] Luc. 15:18.
[2] Luc. 15:19.
[3] Ps. 1:1.

ἄρχων! Οὕτω οὐ τοιαύτη χαρὰ ἐν τῷ οὐρανῷ διὰ τοὺς δικαίους, ὡς δι' ἕνα ἁμαρτωλὸν μετανοήσαντα· τότε γὰρ χαίρουσιν οἱ ἄγγελοι [1], τότε εὐφροσύνη μεγάλη, ὅτι ὃς ἦν νεκρὸς διὰ τὴν ἁμαρτίαν καὶ παντὸς ἀγαθοῦ ἐστερημένος, γέγονεν κληρονόμος τῆς αἰωνίου βασιλείας, ἧς γένοιτο τυχεῖν etc.

XVI

[164v]　173　Ἐν Γιάσῃ τῆς Μπουγδανίας [2].
Κυριακῇ τῆς ὀρθοδοξίας. αχα', Μαρτίου ᾱ.

Προοίμιον.

Καθὼς πρέπει κάθα καιρὸν ὁ ἄνθρωπος νὰ στολίζεται καὶ νὰ εὐτρεπίζεται μὲ ταῖς ἀρεταῖς etc., οὕτω περισώτερον ταῖς ἡμέραις ταύταις, ἐν αἷς ἡ ἁγία τοῦ θεοῦ ἐκκλησία μνημονεύει καὶ ἔχει νὰ μνημονεύσει τὴν μεγάλην εὐεργεσίαν καὶ τὰς θλίψεις τοῦ κυρίου ἡμῶν Ἰησοῦ Χριστοῦ τὰς δι' ἡμᾶς, τὰ πάθη καὶ τὴν τριήμερον ἀνάστασιν. Πῶς νὰ στολίζεται etc., θέλομεν νὰ σᾶς εἰποῦμεν. Προσέχετε.

Ἀρχή.

Μεγάλην χαρὰν πέρνει ἕνας ὅποιαν φορὰ δὲν ἐλπίζει νὰ ἀπολαύσῃ καὶ νὰ ἀποκτίσῃ ἕνα πρᾶγμα, καὶ ἐξαίφνης ἀποκτίζει. Ὁ διάβολος τὴν ἀπώλειαν τοῦ ἀνθρώπου. Διὸ πρὸς αὐτὸν ὁ θεός· ,,τί ἐγκαυχᾶ ἐν κακίᾳ ὁ δυνατός, ἀνομίαν ὅλην τὴν ἡμέραν;" [3] etc. Ὁ Ἰακὼβ τὴν εὐλογίαν τοῦ πατρός [4]. Ὁ Φίλιππος τὴν ἀπόλαυσιν τοῦ Μεσία· διὸ ζητεῖ καὶ τίνι κοινωνῆσαι τὴν χαράν, καὶ εὑρίσκει τὸν Ναθαναήλ [5]. Ad textus intelligentiam duo consideranda, primum ποῖα ἡ ἐξέλευσις· ,,ἠθέλησεν ἐξελθεῖν" [6]· secundum τὰ ἀποτελέσματα τῆς ἐξελεύσεος. Ἡ ἐξέλευσις τριχής· πρώτη φυσική, ὡς ὁ βλαστὸς ἐκ τῆς ρίζης τοῦ δένδρου. Ηῖc de

---

[1] Luc. 15:7, 10.
[2] = Moldoblachia. Michael le Quien, *Oriens Christianus*, I, col. 1251-1252, 1254.
[3] Ps. 51:3.
[4] Gen. 27:1-29.
[5] Ioa. 1:45.
[6] Ioa. 1:43.

filii generatione, et processione spiritus sancti. Δευτέρα κατὰ
βουλήν· „ἐξῆλθεν δόγμα παρὰ καίσαρος Αὐγούστου” ¹. Ἡ τοῦ θεοῦ
βουλὴ ἐκ δύο αἰτίων, ἢ ἐκ προορισμοῦ (πάντα τὰ καλά), ἢ ἐκ παραχωρή-
σεως (καὶ τὰ κακά). Ἐκ τοῦ πρώτου ἡ πλᾶσις τοῦ ἀνθρώπου, ἐκ τοῦ
δευτέρου ἡ πτῶσις. Dic quod deus praeviderat peccatum hominis et
adde. Τρίτη τυπική. „Ἐξῆλθεν ὁ σπείρων τοῦ σπείραι τὸν σπόρον
αὐτοῦ” ². [165r] 174 Ἡ ἐξέλευσις αὕτη τυπικὴ ἦν. „Εὑρίσκει
Φίλιππον” ³. Ὁ εὑρίσκων ἢ τὸ ἴδιον, ἢ τὸ ξένον. Ὁ Χριστὸς εὑρίσκει
τὸν ἄνθρωπον, ἴδιον, νόμῳ κτίσεως καὶ δεσποτείας, ξένον, νόμῳ παρακοῆς
καὶ ἀποστασίας. Ὁ εὑρίσκων, ἢ πλανώμενον, ἢ ἀπολεσμένον, ἢ κεκρυ-
μένον. Φίλιππος, τὸ πλανώμενον πρόβατον ⁴· à 15 capite Lucae narra
et expone; ἡ ἀπολεσμένη δραχμή ⁵· hîc de imaginibus. Lege in indice,
imago *. Κεκρυμένος διὰ τὴν ἁμαρτίαν· „Ἀδάμ ποῦ εἶ;” ⁶ Φίλιππος
gentes significavit. Dic quod est nomen ἑλληνικὸν et quid significet.
„Ἀκολούθει μοι” ³. Vocatur sicut et caeteri apostoli ἀμέσως. Qui
vocantur vel ἀμέσως, ut apostoli, vel ἐμμέσως, ut populi. Vocat
apostolos Christus propter has causas: 1. ut in ecclesiae aedificio
ministri constituuntur; 2. ut sint testes in iudicio apostoli, ideo
dicuntur iudicantes ⁷. Ideo et Φίλιππος, qui gentes significat, sicut
et Nathanaël synagogam. Primo vocantur gentes quam synagoga,
quia synagoga et si deum noverat — „Γνωστὸς ἐν τῇ Ἰουδαίᾳ ὁ
θεός” ⁸ — tamen „οἱ ἴδιοι αὐτὸν οὐ κατέλαβον” ⁹. Si amicus tuus non

---

* Index (Vide Introductionem p. 5)
[56v] 52 Imago est ὁμοίωμα χαρακτηριστικὸν τοῦ πρωτοτύπου
κατά τι διαφέρον αὐτοῦ, οὐ κατὰ πάντα ἐξομοιοῦν τῷ πρωτοτύπῳ
(ἀρχετύπῳ)¹⁰. Λέγεται πένταχῶς· —— γ°ⁿ τυπωτική, ἥτις ἔστι ἡ τῶν
ἀοράτων καὶ ἀτυπώτων σωματικῶς γινομένη ἐκτύπωσις πρὸς ἀμυδρὰν
τοῦ ἀοράτου κατανόησιν —— ¹¹.

¹ Luc. 2:1.
² Luc. 8:5.
³ Ioa. 1:43.
⁴ Luc. 15:4-7.
⁵ Luc. 15:8-10.
⁶ Gen. 3:9.
⁷ Cf. Mt. 19:28; Luc. 22:30.
⁸ Ps. 75:2.
⁹ Ioa. 1:11.
¹⁰ Ioannes Damascenus, Περὶ εἰκόνων I, 9, PG 94, 1240 C.
¹¹ Ioannes Damasc., op. cit., 11, 1241 A.

recipit te in hospitio ad externum vadis. Vocatur tamen et synagoga in sua duricie. Ideo pondera verba Φιλίππου et Nathanaël. Φίλιππος· „ὃν ἔγραψε Μωσῆς ἐν τῷ νόμῳ καὶ οἱ προφῆται εὑρήκαμεν" [1]. Pondera ubi sit scriptum in Mose, et prophetis. Nathanaël: „ἐκ Ναζαρέτ δύναταί...." [2]. Infidelitatem, duriciem, etc., [165v] neque voluerat credere donec viderat; ubi nota illud „ἡ γεννεὰ αὕτη σημεῖον ζητεῖ [3], καὶ σημεῖον οὐ δοθήσεται αὐτῇ, nisi Ionae prophetae" [4]. Nota ibi obstinationem Ionae. Gratia tamen Christi est illa quae perficit; „καὶ λέγει περὶ αὐτοῦ...." [5]. Et reliqua nota. Quare ἀνεῳγμένοι οἱ οὐρανοί [6]; Respondeo: propter facilitatem salutis; erant enim clausi, ἐπειδὴ ἡ φλογίνη ῥομφαῖα τὴν εἴσοδον ἐκώλυεν [7]. Dic quare στρεφομένη [7]: propter hominis mutationem. Duplex homo. Uterque tamen sensus servos habet, qui cum sint perversi, quando animam corpori mancipium, quando corpus animae tradunt. Et sic fit mutatio. Ideo στρεφομένη ῥομφαῖα [7] etc. Πλὴν ἀνεῳγμένοι οἱ οὐρανοί. Νῦν καιρὸν ἔχεις νὰ ἀναβῇς. Βιάσου, μὴν στέκεσαι. Ἑτοιμάσου, εὐτρεπίσου πῶς μετὰ τῆς νηστείας, μετὰ τῆς προσευχῆς, αἱ δύο πτέρυγές εἰσί, αἵ σε ποιοῦσι πετᾶσαι. Αὗται τὰ ἐν σοὶ δαιμόνια ἐκβάλλουσι. Ἐπάνω θεώρει ὅτι ἠνεῴχθησαν, μὴν κάτω. Μὴ μέθαις. Ὡς γὰρ ἡ ναῦς βυθίζεται ἐν κλήδωνι πεφορτωμένη..... (Vide in indice Ieiunium à D. Basilio *). Αὕτη ἡ νηστεία οὐ νέον, ἀλλ' ἐν παραδείσῳ ἐνομοθετήθη. Πρώτη τῶν ἀρετῶν αὕτη ἔκλεισεν σοι

* Index (Vide Introductionem p. 5)
[58r] 54 Ieiunium. Βασίλειος, λόγῳ ᾱϕ περὶ νηστείας.
— — — νηστεία ἐν τῷ παραδείσῳ ἐνομοθετήθη. „Οὐ φάγεσθε" [8] νηστείας ἐστι καὶ ἐγκρατείας νομοθεσία. Ὁ Λάζαρος διὰ νηστείας εἰσῆλθεν εἰς τὸν παράδεισον. Ὁλκὰς εὐσταλεστέρα καὶ κούφη ταχεώτερον σώζεται τοῖς βαρυνομένης τοῖς ἀγωγίμοις. Τὴν μὲν γὰρ πεπιεσμένην τῷ πλήθει, βραχεῖα κύματος ἐπανάστασις κατεβάπτισεν· ἡ δὲ συμμέτρως τῶν ἀγωγίμων ἔχουσα ῥᾳδίως ὑπεραίρει τοῦ κλύδωνος, οὐδενὸς ἐμποδίζοντος αὐτὴν ὑψηλοτέραν γενέσθαι. Καὶ τοίνυν τὰ τῶν ἀνθρώπων σώματα

[1] Ioa. 1:45.
[2] Ioa. 1:46.
[3] Mc. 8:12.
[4] Mt. 16:4.
[5] Ioa. 1:47.
[6] Ioa. 1:51.
[7] Gen. 3:24.
[8] Gen. 2:17.

τὸν παράδεισον, ἐπειδὴ ἐξῆλθες κεκορεμένος. Αὔτη ἀνοίγει, ὅταν ἔλθῃς πεινασμένος, ἠσθένησας ἐκ τῆς πολλῆς σπατάλης, καὶ παροξυσμῷ (πυρετῷ) πέπτωκας. Τῇ νηστείᾳ ἀπαλλαχθήσει. Ταύτην ἀμφιέννυσο, καὶ εὐτρεπισθήσῃ, ὡραῖος ἔσῃ. Ὁ Μωϋσῆς ταύτῃ θαρρήσας εἰς τὸν γνόφον . . . etc. Γνόφος αὔτη ἡ τεσσαρακοστή, ἐν ᾗ ὁ θεός. Μετ᾽ αὐτοῦ μέλλεις λαλῆσαι [a], etc. Ταύτην εὐτρεπίσον, ὅτι ἐξέρχεται ὁ Χριστὸς εἰς τὴν Γαλιλαΐαν ταύτην, εἰς τὸν κόσμον τοῦτον, ἵνα σε εὔρῃ, ἵνα σε καλέσῃ, καὶ ὅταν εὔμορφον, ὄψεται τότε . . . . .

XVII

[187v] 1601, 8. Martii. Giassi, secundo Dominico Quadragesimae.

Prooemium.

† Ἂν ἴσως καὶ ἔνας ἄνθρωπος περπατῶντας καὶ παγένοντας εἰς ἔνα τόπον ἀπαντᾷ καὶ εὑρίσκει ἔνα φοβερόν, ἔνα ἄγριο καὶ ὡμὸν λιοντάρη, τὸ ὁποῖο προσπέφτοντάς του καὶ ταπεινουμένος ὀμπρός του τὸ κάμνει καὶ ἀποβάλλει κάθε σκληρότητα, κάθε ἀγριότητα, πόσον μᾶλλον δὲν εἶχεν εἶσται ἔξω ἀπὸ κάθε φόβον καὶ κίνδυνον, ἂν εἶχεν ἀπαντήσει ἔνα λιοντάρη ἥμερον, καλὸν μαθημένον θᾶττον εὐεργετεῖν καὶ ἀγαθοποιεῖν, ἢ σκίζειν τοὺς ἀνθρώπους καὶ νὰ τρώγει ὠμὰ κρέατα, καθῶς εἶναι τὸ λιονταράκη τοῦτο, τοῦτος ὁ σκῦμνος ἐκ φυλῆς Ἰούδα [1], τὸν ὁποῖον εὑρίσκοντάς τονε οὗτος ὁ ἄνθρωπος ὁ παραλυτικός [2], ὄχι μόνον δὲν τὸ βλάπτει, δὲν τὸν ξεσκίζει, ἄμε δείχνει κάθε ἱμερώτητα καὶ κάθα καλοσύνην πρὸς αὐτόν· διὰ τοῦτο ὄχι μόνον ψυχικὰ τὸν ἰατρεύει λέγοντας· ,,ἀφέονταί σοι αἱ ἁμαρτίαι σου'' [3], ἄμε καὶ σωματικὰ κράζοντας· ,,ἆρον σου τὸν κράββατον καὶ ὔπαγε εἰς τὸν οἶκον σου'' [4]. Περὶ ταύτης τῆς ὑποθέσεως λέξων ἤκω. Προσέχετε.

a) In margine: κηλιστή.

καταβαρυνόμενα etc. ἀσθενίαις etc. Ἐν τῷ παραδείσῳ οὔτε πότοι, οὔτε ζωοθυσίαι etc. Μετὰ τὸν κατακλυσμὸν οἶνος, οὗ ὁ Νῶε etc., κρεοφαγίαι etc. Ἀρχαιότερον τοίνυν τὸ τῆς νηστείας τερπὸν καὶ σεμνόν. Καὶ Μωσῆς οὐκ ἂν ἐθάρσησεν ἐλθεῖν εἰς τὸν γνόφον εἰ μὴ διὰ νηστείας [5] etc. ———

[1] Cf. Gen. 49:9.
[2] Mc. 2:1-12.
[2] Mc. 2:5.
[4] Mc. 2:11.
[5] Basilius Caesareensis, Περὶ νηστείας λόγος I, 3-5, PG 31, 168 A-169 C.

[188r] 198 † Ἡ φῦσις ἡ ἀνθρωπίνη ἐκατάντησεν εἰς τόσην κακίαν καὶ ταλαιπωρίαν, ὅτι δὲ θυμᾶται τοῦ θεοῦ, ἔτζη ὡσὰν ὅταν πέση εἰς θλίψεις, πειρασμούς, βάσανα, πάθη καὶ ἀσθενίας, ἐν τῷ καιρῷ τῆς εὐτυχίας δὲ θυμᾶται, διατὶ ἡ κακή μας προαίρεσις πλέον πιστεύει (ἐλπίζει) εἰς ταῦτα τὰ φθαρτὰ καὶ πρόσκαιρα παρὰ εἰς ἐκεῖνα τὰ αἰώνια etc., πλέον ἐλπίζει ἀπὸ τὸν κόσμον παρά'πὸ τὸν θεόν. Διὰ τοῦτο πολλοὶ τῶν ἀνθρώπων ὅταν πλουτήσωσι, ἔχωσι δόξαν καὶ τιμὴν πλέα δὲ λογιάζοντας νὰ δυστηχήσουσι, ἐπιλανθανόμενοι τοῦ θεοῦ, δὲ φοβοῦνται νὰ ἀδικοῦσι τοὺς πένητας, ὀρφανὸν καὶ χῆραν etc. Amplifica. Et in aerumnis deum invocant etc., et exaudit. Produc exempla. Et illud Ezechiae, cui mortem per Esaiam deus significavit [1], et verba recita: ὅταν ἔγνω ὁ 'Εζεκίας, τὸ σῶμα τὸ χρυσίοις ἐνδεδυμένον ὑπὸ σκολήκων μέλλειν δαπανᾶσθαι, τὸ σῶμα τὸ μαλακὸν καὶ μυρισμένον μέλλειν εἰς κόνιν βρομεράν, τὸ ὑπὸ δούλων βασταζόμενον καὶ ὑπηρετούμενον μόνον καὶ ἔρημον ἐγκαταλίπεσθαι, θλίβεται, λυπᾶται, κλαίει, et exauditur. Φανερὰ ὁ θεὸς παραχωρεῖ τὴν θλίψιν τῷ ἀνθρώπῳ, ἵνα σώση αὐτόν. Καθὼς καὶ τὸ σκεῦος, ἐν ᾧ ἔθετό τις τὶ βρομερόν, ἀείποτε βρομάει, εἰ μὴ θερμῷ ὕδατι ἀποπλύνῃ, ἢ τῷ πυρὶ καταφάγη τὴν βρόμαν, ὁ ἄνθρωπος σκεῦός ἐστι, ἐν ᾧ εἰσελθοῦσα ἡ βρομερὰ ἁμαρτία, οὐ δύνατον εἰς τὴν προτέραν ἔρχεσθαι εὐωδίαν ἡμὴ διὰ πυρός, ἤγουν θλίψεος καὶ βασάνων, καθὰ δὴ καὶ ἐν τούτῳ τῷ παραλυτικῷ etc. Narra quod ferebatur à quattuor [2], etc.   [188v] Εἰ βουλόμεθα τὴν εὐαγγελικὴν ὑπόθεσιν νοῆσαι, σκεπτέον τίς ὁ παραλυτικός, τίνες οἱ αἴροντες καὶ πρὸς τίνα καὶ ποῦ καὶ διατί etc.

Multi dubitant quare deus hominem creavit, cum sciret peccaturum, et cum peccarit quare irascitur. Respondetur à Gregorio Nysseno ὅτι ἡ ἁμαρτία οὐκ ἐδυνήθη νικῆσαι τὸ ἔλεος (τὴν δύναμιν) καὶ τὴν δικαιοσύνην (ἀγαθότητα) τοῦ θεοῦ. Διὰ τοῦτο γὰρ ὁ θεὸς ἔπλασεν ἵνα δείξη τό τε ἔλεος καὶ τὴν δικαιοσύνην [3]. Εἰ ἂν οὐχ ἥμαρτεν, ἐδείκνυτο τὸ ἔλεος, ὅτι αὐτὸν ἐκ τοῦ μὴ ὄντος παρήγαγεν. Dic quod ab ignobiliori elemento etc. Adde. Καὶ ἡ δικαιοσύνη, ὅτι δέδωκεν ἂν αὐτῷ χάριν μὴ δύνασθαι ἁμαρτάνειν, sicut sanctis angelis qui permanserunt, et daemoni contrarii fuerint. Adde quidquid placuerit. Ἐπεὶ δὲ ἥμαρτε πρῶτον τὸ ἔλεος δείκνυσι ὅτι αὐτὸν οὐ πάμπαν ἀπόλεσεν,

---

[1] IV Regn. 20:1.
[2] Mc. 2:3.
[3] Gregorius Nyssenus, Λόγος κατηχητικὸς ὁ μέγας, 24-26.

δεύτερον ὅτι ἵνα αὐτὸν σώσῃ τὸν υἱὸν αὐτοῦ τὸν μονογενῆ πέμπο-
φεν etc., ἡ δικαιοσύνη ὅτι αὐτὸν ἐτιμώρησεν διώξας τοῦ παραδείσου
etc.

[189r] 199 Cum vero deus hoc sciret, quare iratus fuit?
Dicunt enim theologi (scriptura) deum irasci peccatoribus: ,,ὠργίσθη
θυμῷ κύριος" [1]. Respondetur ὅτι ὀργίζεται, ὅτι ποιητὴς πάντων ὢν
τὴν ἁμαρτίαν καὶ τὴν κακίαν οὐκ εἰργάσατο, ὁ δὲ ἄνθρωπος τῇ κακῇ τοῦ
ὄφεως συμβουλῇ πισθεὶς ἐποίησεν· β\ον\ ὅτι ὁ ἄνθρωπος κατ᾽ εἰκόνα
θεοῦ πλασθεὶς τὸ κακὸν ποιῶν καὶ τὸ πρωτότυπον κακὸν εἶναι παρεισάγει.
Dic et alias rationes. Ὁ μὴ γνοὺς ὁ Μανιχαῖος ὁ αἱρετικὸς ἔλεγεν
ὀργίζεσθαι τὸν θεόν, ὅτι δύο εἰσὶ θεοί, εἷς ὁ τὸ ἀγαθόν, καὶ ἕτερος ὁ τὸ
κακὸν ποιῶν, ὀργίζεται δὲ τῷ ἀνθρώπῳ ὅτι τῷ κακῷ θεῷ συμφωνῶν
ποιεῖ τὴν ἁμαρτίαν, ἣν αἵρεσιν ὁ μέγας ἀποσκορακίζει Ἀθανάσιος.
Lege in indice malum (mala), pagina 62 [2]. Εἰ ὁ ἄνθρωπος τοιγαροῦν τὸ
κακόν, πλὴν οὐδενὸς κακοῦ αἴτιος ὁ θεὸς ὅτι ἔπλασεν τὸν ἄνθρωπον.
Ἔγνω ὁ θεὸς ἁμαρτήσοντα τὸν ἄνθρωπον, πλὴν ὅταν ἁμάρτῃ εἰκότως
ὀργίζεται, καὶ ὀργιζόμενος παραχορεῖ πολλάκις, ἵνα ἐμπίπτῃ ὁ ἄνθρωπος
τοῖς δεινοῖς, ταῖς συμφοραῖς, ταῖς ἀσθενίαις. Δείκνυσι τοῦτο ἡμῖν ἡ
γραφὴ (τὸ ἱερὸν εὐαγγέλιον), ἐπεὶ ὁ Χριστὸς διαφόρους ἀσθενίας ἐν τῷ
ἀνθρώπῳ ἰατρεύει, πότε λεπρὸν τὸν φιλάργυρον, ἄλαλον τὸν βλάσφημον·
πότε δαιμονιζόμενον τὸν πόρνον, κωφὸν τὸν μὴ πειθόμενον etc.· πότε
χωλὸν τὸν μὴ πορευόμενον εἰς τὴν ἐκκλησίαν· πότε τὴν πενθερὰν τοῦ
Πέτρου διαβεβλημένην καὶ πυρέσσουσαν [3] τὴν ψυχὴν τὴν ποτέ μεν
ἁμαρτάνουσαν, ποτέ δε οὔ, etc.· [189v] ποτὲ τὸν παραλυτικὸν ὡς τὴν
σήμερον· παράλυσις δέ ἐστι ἡ πλησίον τοῦ θανάτου ἀσθένεια. Πᾶσα γὰρ
ἀσθένεια ἐκ περισεύματος στοιχίου, αἵματος περίσευσις εἰς . . . . ., χωλῆς
εἰς . . . . ., φλέγματος εἰς . . . . ., ξανθῆς χωλῆς εἰς . . . . ., πάντων τῶν
στοιχείων εἰς παράλυσιν· οὐδὲν γὰρ μέλος σείει καὶ κινεῖ ὁ παραλυτικός.
Ὃς εἰς τὸν ἁμαρτωλὸν τὸν πάσας τὰς ἁμαρτίας ἐργαζόμενον ἀλληγορεῖται
καὶ λαμβάνεται· ἀσθενεῖ γὰρ τὴν κεφαλὴν διὰ τοὺς ἐπερχομένους λογισμούς, τὰς χεῖρας διὰ τὴν φιλαργυρίαν, τοὺς πόδας etc. Narra. Τοῦτον
αἴρουσι τέσσαρες, δύο μυστήρια, καὶ αἱ δύο ἐντολαί, ἐν αἷς ὁ νόμος καὶ

---

[1] Edwin Hatch and Henry A. Redpath, *A Concordance to the Septuagint
and the other Greek Versions of the Old Testament*, II, Oxford 1897, ὀργίζειν,
p. 1010, passim.
[2] Vide p. 94-95.
[3] Mt. 8:14.

οἱ προφῆται κρέμανται ¹, βάπτισμα, μετάληψις, ἡ πρὸς θεὸν ἀγάπη, καὶ ἡ πρὸς πλησίον.

De baptismate. Quadruplex est: τὸ πνευματικὸν τοῦ παλαιοῦ νόμου, προπαρασκευαστικὸν τοῦ Προδρόμου, ἐξουσιαστικὸν τοῦ Χριστοῦ, διακονικὸν τῶν ἱερέων. Lege in indice ,,κύριος τὸν κατακλυσμὸν κατοικιεῖ'' *.

[190r] 200 Περὶ μεταλήψεος. Ἡ μετάληψις κοινωνιά ἐστι τῆς σαρκὸς καὶ τοῦ αἵματος τοῦ τιμίου καὶ θεοῦ καὶ σωτῆρος ἡμῶν Ἰησοῦ Χριστοῦ, ἢν ὑπέσχετο ἡμῖν λέγων· ,,μεθ' ὑμῶν ἔσσομαι πᾶσας τὰς ἡμέρας τῆς ζωῆς ὑμῶν'' ². Dic quod panis sanctificatur. Dic quod non in azymo, sed in pane fermentato ³. Dic quod non in una specie, sed in utraque ³. Adde quod debet esse praeparatus qui vult communicare confessione ³; ἐκ γὰρ τοῦ ἁμαρτήσαντος ἀνθρώπου ὁ θεὸς οὐδὲν ἠτήσατο ἡμὴ τὴν ἐξομολόγησιν, λέγων· ,,Ἀδὰμ ποῦ εἶ;'' ⁴ καὶ τῷ Κάϊν· ,,ποῦ ἐστιν ὁ ἀδελφός σου;'' ⁵ etc.· ὅταν γὰρ τὶς ἐξομολογῆται, διὰ τοῦτο ὅτι γινώσκει τὴν ἁμαρτίαν αὐτοῦ, ὡς ὁ Δαβίδ· ,,σοὶ μόνῳ ἥμαρτον'' ⁶, etc.· διὸ καὶ συγχωρεῖται.

Περὶ τῆς εἰς θεὸν ἀγάπης. Χρεωστοῦμεν ἀγαπᾶν τὸν θεόν, ὅτι καὶ ἡμεῖς παρ' ἐκείνου φιλούμεθα. Φιλούμεθα δὲ τριχῆ ἀγάπῃ· ᾱⁿ ὡς ἡ τῆς τροφοῦ πρὸς τὸ τρεφόμενον· βᾱ ὡς ἡ τοῦ εὐσπλάχνου πατρὸς πρὸς παῖδα καὶ κακόν· γ̄ⁿ ὡς ἡ τοῦ γεωργοῦ πρὸς τὸ ζεῦγος τῶν βοῶν, ἀνθρώπου ἔξω καὶ ἔσω. [190v] Διδασκόμεθα τὸν θεὸν ἀγαπᾶν, παρά τε τῆς φύσεως, καὶ τάξεως, καὶ ἐντωλῆς θείας· τῆς φύσεως· τὸ γὰρ αἰτιατὸν τὸ ἑαυτοῦ αἴτιον φιλεῖν δεῖ, ὡς ὁ βλαστὸς τὴν ῥίζα, ὁ υἱὸς τὸν

---

* Index (Vide Introductionem p. 5). ,,Baptisma''.

[34v] 28 Psalmus 28: ,,κύριος τὸν κατακλυσμὸν κατοικιεῖ'' ⁷, id est baptisma; et 31: ,,πλὴν ἐν κατακλυσμῷ ὑδάτων πολλῶν πρὸς αὐτὸν οὐκ ἐγγιοῦσι'' ⁸· οὐ γὰρ ἐγγιοῦσιν αἱ ἁμαρτίαι τῷ λαβόντι βάπτισμα ἀφέσεως.

¹ Mt. 22:40.
² Cf. Mt. 28:20.
³ Res controversa inter catholicos romanos et orthodoxos orientales. Cyrillus defendit causam orientalium.
⁴ Gen. 3:9.
⁵ Gen. 4:9.
⁶ Ps. 50:6.
⁷ Ps. 28:10.
⁸ Ps. 31:6.

πατέρα· τῆς τάξεως, ὡς ὁ δοῦλος τὸν δεσπότης, ὁ μικρὸς τὸν μέγα, ὁ
ὑποκείμενος τὸν βασιλέα· τῆς διδασκαλίας ἢ ἐντωλῆς, ὡς τὸ ,,ἀγαπήσεις
κύριον τὸν θεόν σου ἐξ ὅλης" ¹ etc. Ἐν τῇ θεολογίᾳ διχῆς ἡ
ἀγάπη· ᾱⁿ' ἡ ἔχουσα ὅρον ἀρχῆς καὶ ὅρον καταλήξεως ἢ πληρώσεως.
Ἐπιθυμεῖν γάρ τις ἄρχεται τί· ἡ ἐπιθυμία ὅρος ἀρχῆς τῆς ἀγάπης, ὡς ὁ
ἐπιθυμῶν τὶ ἐσθίειν. Ἀπολαύσας τοῦ πράγματος, ἐπλήρωσεν τὴν ὄρεξιν,
κατέλυξεν ² ἡ ἀγάπη. ,,Ἐπεθύμησα τοῦτο τὸ πάσχα φαγεῖν μεθ'
ὑμῶν" ³. β̄ᵅ' ἡ μηδένα ἔχουσα ὅρον καταλήξεως, μόνον ἀρχῆς, ὡς ἡ
ἀγάπη τοῦ φιλαργύρου εἰς τὸ χρυσίον. Οὕτω Δαβίδ· ,,ἠγάπησα τὰς
ἐντολάς σου ὑπὲρ χρυσίον καὶ τοπάζιον" ⁴. Οὕτω δεῖ φιλεῖσθαι παρ'
ἡμῶν τὸν θεόν· διὸ καὶ γέγραπται· ,,ἀγαπήσεις κύριον τὸν θεόν σου" ¹
etc. [191r] 201 Obiectio: quare praeceptum non et de nobis,
sed de deo et proximo solum? Respondetur dupliciter. Primo
merito, quia peccatum nos ab amore dei separavit, quia primus
homo non obedivit deo, quod si illum amasset, obedivisset. Deinde
adversus proximum insurrexit, cum dixisset: ,,mulier, quam mihi
dedisti" ⁵ etc. Ideo deus de se et de proximo preceptum dat, non
de nobis. Secundo respondetur quod de nobis intelligitur praeceptum, cum dicat: ,,καὶ τὸν πλησίον σου ὡς ἑαυτόν" ⁶, unde cum dicat
,,ἑαυτόν", praesuppositum est quod et nosmet ipsos debeamus
diligere, sed non tam apertè dictum, ut non insolescamus in amore
nostri, quod esset facilius. Addi potest et tertio quod si de nobis
esset praeceptum, obliviceremur aliorum et de nobis solis curare-
mus, etc. Deus iubet, ut illum diligamus, et aliquando permittit in
nos tribulationes, ut facilius illum amemus. Sicut enim hortulanus
solet abscindere fructus et ramos, ut arbor illa melius fructificet, sic
deus divitias à te, parentes, amicos, etc., ut melius fructifices in
amore erga illum. Ista est tertia virtus, quae hominem conducit ad
Christum.

[191v] De amore erga proximum. Narra parabolam quod
ἐβουλήθη συνάραι λόγον etc. Abraham ἐκαθέζετο πρὸς τῆς θύρας τῆς

---

¹ Dt. 6:5; Mc. 12:30; Luc. 10:27.
² = κατέληξεν.
³ Luc. 22:15.
⁴ Ps. 118:127.
⁵ Gen. 3:12.
⁶ Luc. 10:27.

σκηνῆς μεσημβρίας ¹. Nota „μεσιμβρίας", id est quod omne incommodum patiebatur, ut bene faceret proximo. Dupliciter benefit proximo, parcendo et miserendo. Ad primum convenit parabola. Ad secundum est elemosinam dare. Hîc affer illud: sicut aqua ignem, sic elemosina peccata extinguit. Sicut Saraptana Heliae, ubi nota benedictionem: „ἡ ὑδρία τοῦ ὕδατος οὐκ ἐκλήψει, καὶ ὁ καψάκης τοῦ ἐλέου οὐκ ἐλαττονήσει" ². Affer de gentili, qui cum uxorem christianam haberet, neque possideret plus quam 50 aureos, dare volebat, qui accipiebat cum usura, non aprobavit uxor, dedit tamen consilium ut Christo darentur, si partiti pauperibus. Tempore debito venit gentilis et videns iterum pauperes, neque illis dari aliquid animadvertens forte, invenit unum aureum, quo dato sibi inter alia piscem emit, in quo lapidem preciosum, quo vendito 500 accepit. Ubi hoc vidit gentilis, credidit et baptizatus fuit, etc. ³.

[192r] 202 Istae quattuor virtutes ad Christum hominem conducunt. Habet tamen fundamentum fidem. Ideo dicitur: „ἰδὼν τὴν πίστιν αὐτῶν" ⁴ etc. Quae στέγη, et quis οἶκος, vide in alia concione quae in hoc libro est ⁵. Ζητῆσαι ὅτι ἤρετο, διὰ τὴν λήθην τῶν γηΐνων. Ὅτι δὲ ἐχάλασαν αὐτὸν ⁶ ad humilitatem refer. Nota verbum „ἀφέονταί σοι αἱ ἁμαρτίαι σου" ⁴, quod sicut bonus medicus, radicem peccati (vulneris) prius. „Ἔγειρε ἆρον σου τὸν κράββαττον καὶ ὕπαγε εἰς τὸν οἶκον σου" ⁷. Dictum est „ἔγειρε", quod peccator iacet εἰς βρόμους, εἰς ῥύπους etc. „Ἄρον" · ὁ θεὸς τὸν ἄνθρωπον διπλοῦν κατὰ τὴν ψυχὴν καὶ τὸ σῶμα ⁸, ὑποκεῖσθαι δ' ἐχρῆν τῇ ψυχῇ τὸ σῶμα· ἐπεὶ δ' ὑποτάχθη αὐτὴ τῷ σώματι, τὸ σῶμα ἐβάσταζεν αὐτήν· ἰατρεύων δὲ τὸν ἁμαρτωλὸν ὁ Χριστὸς „ἆρον", φησι, „σὺ τὸν κράββατον", τουτ' ἔστι

---

¹ Gen. 18:1.
² III Regn. 17:14.
³ Unde? Compara: *Nouvelles françaises inédites du quinzième siècle*, éd. E. Langlois, Paris 1908, No. XXVI, De Michault du Poreau, usurier, qui se repentist, p. 103-104; Michel Klimo, *Contes et légendes de Hongrie, Les littératures populaires de toutes les nations*, tome XXXVI, Paris s.a., La bénédiction de Dieu, p. 232-238.
⁴ Mc. 2:5.
⁵ Vide p. 59-60.
⁶ Mc. 2:4.
⁷ Mc. 2:11.
⁸ Sc. creavit.

βασταζέτω σὲ ἡ ψυχή, καὶ προσταττέτω σοι, οὐ αὐτῇ ὁ κράββατος, ἠγοῦν τὸ σῶμα. Βούλεσθε δὲ εἰδέναι πῶς ὑπέκειτο τῷ σώματι ἡ ψυχή; Ἀκούετε. Αἱ ἐσθήσεις ἔχουσι πόρόν τινα καὶ στράτα πρὸς ἕκαστον μέρος τῆς ψυχῆς ἤγουν τὸ λογικόν, τὸ θυμικόν, τὸ ἐπιθυμητικόν, οἷς καὶ ὑπηρετοῦσιν αὐταί. Ὅταν ἑκάστη τῶν αἰσθήσεων, ὡς ἡ ἀκοή, τὶ λαμβάνει ἢ τῆς ἐπιθυμίας, ὡς κτᾶσθαι τὸν φιλάργυρον χρυσίον, τῷ ἐπιθυμιτικῷ πέμπει· [192v] ὅταν τὶ ἄξιον θυμοῦ, τῷ θυμικῷ, ὡς τὴν ὕβριν· τῷ δὲ λογικῷ, ᾧ ἐχρῆν ὡς προτέρῳ καὶ τὰ τοῦ ἐπιθυμιτικοῦ καὶ τὰ τοῦ θυμικοῦ πέμπειν, οὐδὲν πέμπει ἡμὴ σπανίως. Καὶ οὕτως εἰκῶντες ὁ θυμὸς καὶ ἡ ἐπιθυμία τῇ κακῇ τῶν αἰσθήσεων ὑπηρεσίᾳ ποιοῦσι τὴν ψυχήν, ἧς κυριώτερον μέρος τὸ λογικόν, ἕλκεσθαι ὑπὸ τοῦ σώματος καὶ κυριεύεσθαι. Ὦ δόλιαι αἰσθήσεις, ὦ κακαὶ ὑπηρέτιδες! Καλῶς ὁ προφήτης Ἱερεμίας· „διὰ τῶν θυρίδων εἰσῆλθεν ὁ θάνατος" [1]. Ὑμεῖς αἱ θυρίδες ἐστὲ αἱ ἐν τῷ ἀνθρώπῳ. Ἀπορήσειε δ' ἄν τις· „εἰ ὁ θεὸς οὐ βούλεται ὡς ἐπιθυμῶμεν καὶ ὀργιζώμεθα, τίνος ἕνεκα τῇ ἡμετέρᾳ ψυχῇ τὸ θυμικὸν καὶ ἐπιθυμητικόν;" Respondeo dupliciter: θέλει ὁ θεὸς ἵνα ὀργίζῃ, ἀλλὰ κατὰ τοῦ κακοῦ· „ὀργίζεσθε καὶ μὴ ἁμαρτάνετε" [2]· explica hoc dictum; νὰ ἐπιθυμεῖν, ἀλλὰ τὸν θεόν· „ἐπεπόθησα τοῦ ἐπιθυμῆσαι τὰ κρίματά σου ἐν παντὶ καιρῷ" [3]. Καθὰ καὶ ὁ Ἀδὰμ ἐν τῇ προτέρᾳ καταστάσει ἔχων τὸ ἐπιθυμητικὸν καὶ θυμικὸν submittebat τῷ λογικῷ καὶ οὕτω πάντοτε τὰ τοῦ θεοῦ ἐμελέτει, nec nunquam insurrexerant, donec serpens commoverat. [193r] 203 Secundo dedit, ἐπεὶ γὰρ ἐν σοὶ τὸν κόσμον ἐξηκόνησεν, ὡς κατὰ τὸ θυμικὸν τοῖς λοιποῖς ζώοις ἐξομοιοῖ, καθὰ τοῖς ἀγγέλοις κατὰ τὸ λογικόν, καὶ τοῖς φυτοῖς κατὰ τὸ ἐπιθυμητικόν· ἐπιθυμοῦσι γὰρ καὶ αὐτὰ ὕδωρ, ὡς ὁ ἄνθρωπος τὴν ζωήν. Adde. Οὐ χρὴ λοιπὸν τὴν ψυχὴν τῷ σώματι ὑποτάττειν· διὸ φησί· „ἔγειρε ἆρον τὸν κράββατον καὶ περιπάτει" [4].

„Ὕπαγε"· οἶδας τί τοῦτο· εἷς λίθος οὐ κινεῖται, ὅτι κινεῖσθαι οὐκ ἔχει φῦσιν· ὅτα σὺ κινήσῃς, ἐνατίον τῆς φύσεως ποιεῖς. Οὕτω ἕκαστον τὸ πεφυκὸς κινεῖσθαι, ὅταν οὐ κινεῖται, παρα φῦσίν ἐστι. Ἐπεὶ δ' ὁ ἄνθρωπος οὐκ ἐκινεῖτο μένων ἐν τῇ ἁμαρτίᾳ — ἀληθὴς γὰρ κίνησίς ἐστιν ἡ εἰς τὸ καλὸν κίνησις — ὁ Χριστός φησιν „ὕπαγε εἰς τὸν οἶκον σου" [5], ὃς ἡ ἐκκλησιά ἐστι. Ὡς πότε, χριστιανοί, ἡμᾶς κατακεῖσθαι,

[1] Cf. Ier. 9:20.
[2] Ps. 4:5.
[3] Ps. 118:20.
[4] Mc. 2:9.
[5] Mc. 2:11.

ἕως πότε παραλυτικοὺς εἶναι, ἕως πότε βρομάειν; Ἐγερθῶμεν. Εἰ οὐ
δυνάμεθα, αἱ δύο αὗται ἐντολαὶ ἐγειρέσθωσαν καὶ τὰ δύο μυστήρια καὶ
εἰς τὸν οἶκον τοῦτον ὁδηγήτωσαν, ὅπου ὁ Χριστός. Πᾶσαν στέγην ἀποβάλ-
λομεν, πᾶσαν σκληροκάρδιαν. Ἔχεις τὸ βάπτισμα ὁποῦ σε συκώνει[1],
ἔλα καὶ εἰς τὴν θείαν μετάληψιν, καὶ ἂν σοῦ φαίνεται δύσκολον, ἔχεις τὴν
ἐξομολόγησιν ὁποῦ σε κρατεῖ. Ἂν δὲ μεταλάβῃς, δὲν ἔχεις μέρος μετὰ
τοῦ Χριστοῦ. Πλὴν μή σε λείπουσιν καὶ αἱ ἐντολαὶ αἱ δύο αὗται, ὅτι
πολλὰ βαρὺς εἶσαι καὶ δεμποροῦσι νὰ σε συκόσουν δύο. [193v] Ὅταν
ἔχῃς ταύτας, φρόντιζε νὰ σε συκόσουν ἀπὸ τὴν γήν. Μὴ λογιάζεις τὰ
γήϊνα πλέον· καὶ τότε καὶ κάθα λογισμὸν κακὸν εὐκολώτερα ἀποριπτεις·
πολλοὶ γάρ, φησι, ἦσαν ὥστε μηκέτι οὐδὲ τὰ πρὸς τὴν θύραν χωρεῖν.
Εὑρίσκεις τρόπον νὰ ἔλθῃς, καὶ θέλεις ἰδῇ ὅτι εὐθὺς ἄφεσιν λαμβάνεις
ἁμαρτιῶν. Κάθε ἀσθένειας θὲς εὕρη ἰατρείαν. Infirmitas quam nociva
est pacienti et quam maior tàm curanti maius decus et gloriam
refert. Sic peccata quamvis magna et condemnationum digna, deo
tamen magnam gloriam curanti referunt. Magna est infirmitas
nostra, multa peccata. Ideo Δαβὶδ μέγα ἔλεος ἐζήτει[2], ,,καὶ ἱλάσθητι
τῇ ἁμαρτίᾳ μου· πολλὴ γάρ ἐστι''[3]. Δεῦτε, χριστιανοί, μὴ στέκεστε.
Ἰδού, Χριστέ μου θεέ, ἐπουράνιε βασιλεῦ, ἰατρέ τῶν ψυχῶν καὶ τῶν
σωμάτων, ἰδοὺ ἐρχόμεθα. Συγχώρησον, ἰάτρευσον, ἐλέησον. Ἂν οὐ
ποιήσεις ἐναντίον τῆς ἀληθείας σου, τοῦ ἐλέους σου, ἀλλ' οἶδ' ὅτι
ποιήσει. Ἐν τῷ προφήτῃ γὰρ εἶπας, Ἰεζεκιὴλ 18· ,,ὁ ἄνομος ἐὰν
ἐπιστρέψῃ ἐκ πασῶν τῶν ἀνομιῶν αὐτοῦ, ὧν ἐποίησεν, καὶ φυλάξῃ τὰς
ἐντολάς μου, ζωῇ ζήσεται, καὶ οὐ μὴ θανάτῳ ἀποθάνῃ''[4]. Exaggera.
Οὕτω, θεέ μου εὔσπλαχνε, etc., ἵνα ὅπη δίκαιοι, ὅσιοι, οἱ ἅγιοι ἄγγελοι,
μεθ' ὧν σε δοξολογῶμεν, ὑμνῶμεν λέγοντες· ,,ἅγιος, ἅγιος'' καὶ σοὶ
πρέπει πᾶσα δόξα, τιμή, καὶ προσκύνησις, τῷ πατρὶ καὶ τῷ υἱῷ καὶ τῷ
ἁγίῳ πνεύματι.

XVIII

[194r] 204 Κυριακῇ τρίτῃ τῶν νηστειῶν[5]. 1601, in Giassi.

Prooemio.

Τίς εἶναι ἐκεῖνος ὁ ἀνδριωμένος, ὁποῖος θεορῶντας ἕνα μεγάλον

---

[1] = σηκώνει.
[2] Ps. 50:3.
[3] Ps. 24:11.
[4] Ez. 18:21.
[5] = 15 Martii.

καπετάνιο καὶ χάτμανο, νὰ βοᾶ, νὰ καλῇ, καὶ νὰ λέγει· ,,ἄνθρωποι,
ὁποῖος θέλει ἀπὸ τ' ἐσᾶς νὰ ἔλθη μαζῇ μου, νὰ πᾶμεν, νὰ πολεμήσωμεν,
νὰ τζακίσωμεν καὶ νὰ νικήσωμεν τὸν ἐχρόν, ὁποῦ γυρεύει ὄχι ἐμένα ἀμ'
ἐσᾶς νὰ σκλαβώση, ὄχι ἐμένα ἀμ' ἐσᾶς νὰ φονεύση, ὄχι ἐμένα ἀμ' ἐσᾶς
νὰ ἐξολοθρεύση" · καὶ νὰ μὴν πάξη τὰ ἄρματά του, νὰ λάβη τὸ σπαθήν του
με χαρὰ μεγάλη καὶ προθυμίαν, νὰ πάει νὰ ἀκολουθήση ἐτουτοῦ τοῦ
καπετάνιου, ὄξω νὰ μὴν εἴθελεν τινὰς ἐννοιάζεται διὰ τὴν ὑγείαν του, διὰ
τὴν τιμήν του καὶ διὰ τὴν σωτηρίαν του, καὶ ἔτζη νὰ ἀπομείνη νὰ μὴν
ἀκολουθήση. Θεοροῦμεν τὴν σήμερον τὸν μέγαν στρατιώτην ἐτοῦτον
τὸν κύριον ἡμῶν Ἰησοῦν Χριστόν, ὁποῦ ἐτοιμαζόμενος εἰς πόλεμον δι'
ἡμᾶς κάθα ἕνα ἀπὸ τ' ἐμᾶς καλεῖ, νὰ ἐτοιμαστοῦμεν εἰς τὸν τόπον τοῦ
Γολγοθᾶ, ἐκεῖ ὁποῦ ἔχει νὰ βάλλει ταῖς παράταξαίς του, ἐκεῖ ὁποῦ ἔχει
νὰ στέση[1] ταῖς φάλαγγαίς του, διὰ νὰ μπορήσωμεν μαζῇ του νὰ νικήσωμεν
τὸν κοινόν μας καὶ παλαιὸν ἐχθρὸν τὸν διάβολον. Διὰ τοῦτο κράζει
(καλεῖ) τὴν σήμερον καὶ λέγει· ,,ὅστις θέλει ὀπίσω μου ἐλθεῖν ἀπαρνησά-
σθω ἑαυτὸν καὶ ἀράτω"[2] etc. Ἀπάνω εἰς τοῦτο τὸ εὐαγγέλιον
θέλομεν κάμει τὸν λόγον. Προσέχετε, etc.

[194v] Principium.

† Ὅσον μακρότερον ἕνα μικρὸν πρᾶγμα λείπει ἀπὸ ἄλλο μεγαλιώτερον,
τόσον ὀλιγώτερον μετέχει ἀπὸ τὴν ἐνέργειαν, ἀπὸ τὴν χάριν καὶ δύναμιν
ἐκείνου τοῦ πράγματος. Καὶ δὲν εἶναι ἄλλη ἡ αἰτία παρὰ διατὶ τὸ
διάστημα τοῦ τόπου γίνεται medium impedimentum, etc. ,,Non intelligimus te". Audi. Ὁ θεὸς ἐν μέσῳ τῶν ἄλλων κτισμάτων ἐποίησεν τὸν
ἥλιον, κατὰ τὸν Δαβὶδ εἰς ἐξουσίαν τῆς ἡμέρας[3], ἵνα φέγγη etc. καὶ
ἐνεργῇ καὶ τὴν ἑαυτοῦ χάριν πορίζῃ. Οἱ ἐγγύτεροι, καὶ πλησιώτεροι τοῦ
ἡλίου μᾶλλον μετέχουσι ἢ οἱ πορρότερω κατοικοῦντες, ὡς οἱ ἐν μεσημβρίᾳ,
καὶ ὑπερβόρειοι ἐν τῷ τοῦ χειμῶνος καιρῷ etc. Sic deus est sol (dic
causam), qui dat gratiam suam hominibus, qui penes deum illi
facilius ἀρρύονται, qui longius illi difficilius, imò amittunt omnino,
nam aliter se habet sol corporalis ad clymata sua et homines, et sol
spiritualis et mysticus ad suas creaturas. Exempla. [195r] 205
Adam peccans mansit nudus. Inter alias causas dic quod nudus,

---

[1] στένω, drizzare, rizzare sù piedi, ergere, erettare. Alessio da Somavera,
Tesoro della Lingua Greca-Volgare ed Italiana, Parigi 1709, p. 383.
[2] Mc. 8:34.
[3] Ps. 135:8.

quia nudus gratia divina etc. Filius prodigus ἀπεδήμησεν εἰς χώραν μακρὰν¹ a patre suo, et perpende diligenter quod privatus fuerit τὰ πλούτη, ταῖς δόξαις, ταῖς ἀγάπαις καὶ ταῖς τιμαῖς ταῖς πατρικαῖς. Non secus natura nostra elongata à deo magnam patitur miseriam, et praesertim quia volentes nos accedere, iterum nactus est diabolus occasionem et stat in via et non mittit nos, sed miris modis impedit, difficultates proponens etc. Ac ideo ἐχρῆν ἡμῖν ὁδηγοῦ, qui nos duceret et quid agendum doceret contra diabolum. Est autem salvator noster qui hodie clamat: ,,ὅστις θέλει . . . .''² etc., in quibus verbis quattuor nobis cognoscere offeruntur: ᾱ ,,ὅστις θέλει'' · ποῖα ἡ θέλησις· β̄ ,,ἀπαρνησάσθω'' · ποῖα ἡ ἑαυτοῦ ἀπάρνησις· γ̄ ,,καὶ ἀράτω τὸν σταυρόν'' · ποῖα ἡ ἄρσις τοῦ σταυροῦ· δ̄ ,,καὶ ἀκολουθείτω'' · ποῖα ἡ ἀκολούθησις. De primo, id est περὶ θελήσεως, dicendum quod inter alia quae habuit dona homo à summo suo creatore et liberum arbitrium magnum fuit, quod dederat ei quia illum summo modo volebat glorificare (ex Bellarmino³). Quo loco autem scripturae et quomodo sciri possit, hominem liberum arbitrium habere, rationem quaere in Damasceno³. [195v] Ex scriptura autem affer illud: ,,ποιήσωμεν αὐτῷ βοηθόν''⁴, etc. Vide in hoc libro paginam 191⁵. Hoc liberum arbitrium philosophus duas esse animae potentiae dicebat, quia hoc vocabulum à theologis est inventum, id est νοῦν καὶ βούλησιν τόσον παρὰ τῇ θεολογίᾳ αὐτεξούσιον λέγειν, ὡς παρὰ φιλοσόφοις νοῦν καὶ βούλησιν· νοῦς qui discernit, βούλησις, quae eligit. Has et David, psalmo 48: ,,ἐπὶ τὸ αὐτὸ ἄφρω καὶ ἄνους''⁶, ἄνους ἐπὶ τὸν κακῶς διακρίνοντα, ἄφρων ἐπὶ τὸν κακῶς βουλόμενον. Profer has duas potentias in scriptura. Anima comparatur et vocatur luna. Canticum: ,,pulchra ut luna''⁷. Nam sicut pulchritudo lunae tunc augetur, cum duo eius cornua in altum erecta apparrent, quousque ipsa totum suum orbem compleant, cum vero decrescit, cornua in terram demittit, simili modo crescit anima, cum duo cornua intellectum et voluntatem in coelum mittit, intel-

---

¹ Luc. 15:13.
² Mc. 8:34.
³ Vide p. 88.
⁴ Gen. 2:18.
⁵ Vide p. 88-89.
⁶ Ps. 48:11.
⁷ Cant. 6:10.

lectum qui non separatur à deo, voluntatem, quae implet quae sunt divinae voluntatis. Et sicut luna non statim sed paulatim implet suum orbem, sic anima sensim; ideo dicitur de talibus animabus: ,,πορεύσονται ἐκ δυνάμεως εἰς δύναμιν· ὠφθήσεται ὁ θεός"[1], etc. Quando mittit in terram, tunc πᾶσαν ἀπώλεσεν ὡραιότητα καὶ εὐπρέπειαν. [196r] 206 Opus est itaque ut mente (intellectu) et voluntate, quae nil aliud sunt quam hominis libertas, vellit bonum etc.; sin secus, difficile ut salvetur. Paralitico in piscina dicebat Iesus: ,,θέλει ὑγιὴς γενέσθαι;"[2] ῾Ιερεμίας 21· ,,ἰδοὺ δέδωκα πρὸ προσώπου ὑμῶν τὴν ὁδὸν τῆς ζωῆς καὶ τὴν ὁδὸν τοῦ θανάτου"[3], quasi diceret: ,,liber es, tantum vellis". Opus ut vellimus, etc. ᾿Ιεζεκιὴλ 18, interrogat per prophetam deus: ,,ἵνα τί ἀποθνήσκετε, οἶκος ᾿Ισραήλ;"[4] Et quia respondere poterant: ,,iustus dominus es, tu nos creasti, tu iubes et vis ut moriamur", ideo obiectioni respondet: ,,οὐ θέλω τὸν θάνατον τοῦ ἀποθνήσκοντος, λέγει ἀδωναὶ κύριος, ὡς τὸ ἐπιστρέψαι καὶ ζεῖν αὐτόν"[5]. Conclusive: omnium malorum, quae in te sunt, causa tu es, quia non vis bonum. Voluntas nostra triplex est. Ex Ambrosio. Lege ,,voluntas" in indice *. Quod quia non [..]ctiva est nostra voluntas dicitur: ,,ὅστις ...."[6].

* Index (Vide Introductionem p. 5).

[91r] 88 Voluntas naturaliter duplex in hominis anima, sensualis et animalis. Sed cum adest gratia dei, accedit ei per donum spiritus tertium genus, ut possit fieri spiritalis[7]. Sensualis est quam et carnalem dicere possumus, quae non erigitur supra eum motum qui de corporis sensibus nascitur, qualis est in animis parvulorum, qui licet nullo iudicio rationis utantur, ostendunt tamen aliquid se velle, aliquid nolle, videndo, gustando, tangendo, etc.[8]. Ab hoc sensuali appetitu, in quo remanent et ii quos etiam in annis maioribus excordes videmus et fatuos, ad animalem surgitur voluntatem. Quae priusquam spiritus dei agatur, etiam si supra sensualem motum sese atollere potest, tamen sine summi amoris participatione

---

[1] Ps. 83:8.
[2] Ioa. 5:6.
[3] Ier. 21:8.
[4] Ez. 18:31.
[5] Ez. 18:32.
[6] Mc. 8:34.
[7] *De vocatione omnium gentium* (opus ascriptum Ambrosio), I, 2, PL 51, 650 A.
[8] *Op. cit.*, I, 3, 650 AB.

De secundo, id est ποῖα ἡ ἑαυτοῦ ἀπάρνησις. Diabolus nos statim à principio mundi multis organisi utens debellare et praecipitare contendit, neque se praebet ut hostis, sed fictus amicus. Organa itaque habet 1. carnem, 2. malos homines et 3. res mundi (mundum). 1. Eva, quae ἀλληγορεῖται εἰς τὴν σάρκα, Adam, qui est mens, blanditiis subiugavit, et sic triumphavit diabolus. 2. Malus Caïn sub specie solatium capiundi dixit enim: ,,διέλθωμεν μέχρι τοῦ παιδίου'' ¹, fratrem interfecit. Sic homines mali parentes vel amici cogunt, ut obtemperentur propriis iniusticiis, sceleribus et voluptatibus. 3. Ò quot mundus et gloria mundi praecipitavit et praecipitat. Abundamus exemplis etc. [196v] Deus autem qui nostram salutem in cura gerebat, occurrens huic absurdo, quoniam placuit misericordiam suam mundo ostendere primis illis temporibus, vocans Abraham dicebat: ,,ἔξελθε ἐκ τῆς γῆς σου'' ², etc. Λέγοντας ,,τῆς γῆς'' ἐκώλυεν καὶ μᾶς ἐδίδασκεν φεύγειν τὸ πρῶτον, ἤγουν τῆς σαρκός· ,,τῆς συγγενείας σου'' ², τὸ δεύτερον· ,,τοῦ οἴκου τοῦ πατρός σου'' ², τὸ τρίτον. Quare autem audi. Γῆ ἡ σάρξ· ὅταν γὰρ λέγει ἡ γραφή· ,,ἔπλασεν ὁ θεὸς τὸν ἄνθρωπον χοῦν λαβὼν ἀπὸ τῆς γῆς'' ³, οὐ διὰ τὴν ψυχὴν ἀλλὰ διὰ τὸ σῶμα. Ἔξελθε τοιγαροῦν ἐκ τῆς σαρκός σου ἤγουν τῶν ἡδονῶν, etc. Διατί; Ὅτι ἡ γῆ ξηρὰ καὶ ψυχρά. Ψυχρὸς ὁ ἁμαρτωλὸς καὶ ξηρός, μὴ ἔχων πιότητα θείας διδασκαλίας.

in terrenis occiduisque versatur. In hac humana etiam ingenia si corporeae voluptati non turpiter serviant, et cupiditates suas iustitiae atque honestatis legibus temperent, nihil supra mercedem gloriae temporalis acquirunt. Et cum presentem vitam decenter exornent, aeternae tamen beatitudinis praemium non habent. Quia rectas actiones et bona studia sua, non ad eius laudem atque honorem referunt à quo acceperunt, sed ut in ipsa animali discretione sublimius saperent, et excelentius caeteris enitescerent ⁴. Est instabilis, infirma ad efficiendum, facilis ad audendum ⁵, etc. Spiritalis est germen omnium virtutum. Matthaeus 15: ,,omnis plantatio quam non plantavit pater meus'' ⁶ etc. Ambrosius, caput 2 de vocatione gentium.

---

¹ Gen. 4:8.
² Gen. 12:1.
³ Gen. 2:7.
⁴ De vocatione omnium gentium, I, 4, 650 C-651 A.
⁵ Op. cit., I, 6, 652 C.
⁶ Mt. 15:13. Op. cit., I, 6, 653 A.

Διατί οἱ ἐκ τῆς γῆς; "Ὅτι τὸ τῆς γῆς στοιχεῖον μελαίνην χωλὴν γεννᾷ. Πύκρά ἐστιν ἡ ἁμαρτία. Διὸ „ἔξελθε". Διατί ἀκίνητος; Ἐκ τῶν ἄλλων στοιχείων. Τρία ποιοῦσι τέλειον ἕκαστον πρᾶγμα· ἡ οὐσία, ἡ ζωὴ καὶ ἡ κίνησις, etc. Ὁ ἄνθρωπος εἰ καὶ ταῦτα ἔχει, οὐ τέλειος, ὅταν μὴ ἐν θεῷ. Παῦλος· „ἐν αὐτῷ ἐσμέν, καὶ ζῶμεν, καὶ κινούμεθα" ¹. Εἶναι, ζῆν καὶ κινεῖσθαι ἐν θεῷ. Εἰ δ᾽ ἄλλως, ἀκίνητος. Διὸ „ἔξελθε", etc. [197r] 207 „. . . .ἐκ τῆς γῆς σου". Μὴν συγχύζεις τὴν ψυχὴν τὴν κατ᾽ εἰκόνα θεοῦ πλασθεῖσαν μετὰ τοῦ φθαρτοῦ σώματος. Μεγάλη γὰρ γίνεται φθορά, sicut Basilius in libro de virginitate, ὅταν ἐν τῷ σκεύει ἔλεον καὶ ὕδωρ ἀνακατώσας σύγχυσιν μεγάλην ποιῇς, καὶ οὔτε ὕδωρ ἐστι ἐπεὶ λαδωμένον, οὔτε ἔλεον ἐπεὶ νερομένον, sic in hoc vaso humano, cum anima cum corpore miscetur, μεγάλη γίνεται σύγχυσις ². Et sicut oliva, cuius supra esse vult sua natura, aquae luto miscetur et corrumpitur, sic anima corrumpitur corporis terrestreitate etc. Ideo debes τῆς γῆς ἐξέρχεσθαι, τὴν σάρκα φεύγειν, καὶ οὕτω σεαυτὸν ἀρνεῖσθαι. Ὁ ἀρνούμενος ἢ ὅτι φοβεῖται, ἢ ὅτι μισεῖ. In indice 192 ³. „. . . . καὶ ἐκ τῆς συγγενείας σου", propter malos homines, et consultores. Συγγένειαν ἔχομεν καὶ τοὺς κακοὺς λογισμούς, quos non abiicimus, sed illos amplectimur, ita ut postea non possimus ἀποβάλλειν, sicut muscae, si una introit, facile eiicitur, si multae difficile. [197v] „. . . . ἐκ τοῦ οἴκου τοῦ πατρός σου". Praeceptum contra mundum et quae sunt mundi. Dic quod pater diabolus et mundus οἶκος διαβόλου. Multos enim modos habet diabolus in mundo ut fallat et capiat. Si enim saturatum te invenit, luxuria capit; si famelicum, gula; si laboribus oppressum, impacientia; si divitem, superbia; si devotum, vanitate; si egenum et pauperem, tunc maiorem habet occasio. Sicut auceps tempore brumali facilius reti aves apprehendit, quia victum non habent, sic egenos, ut lucrentur, multa mala, συκοφαντίαι, ἀδικίαι etc.

[197r] De tertio, ἄρσις τοῦ σταυροῦ. Crux quid sit scimus, nempe lignum illud benedictum, in quo Christus etc., et quod προσκυνοῦμεν σήμερον. Simbolycè vero crux est πᾶσα θλίψις· si μετανοεῖς καὶ διὸ θλίβει, σταυρός ἐστιν ἡ θλίψις· εἰ διώκεσαι διὰ τὴν ἀλήθειαν, σταυρός

---

¹ Act. 17:28.
² Basilius Ancyranus, Περὶ τῆς ἐν παρθενίᾳ ἀληθοῦς ἀφθορίας, 46, PG 30, 760 B-D.
³ Vide p. 89.

ἐστι καὶ σταυρὸν αἴρεις· εἰ πλούσιος ἦς καὶ τὸν πλοῦτον ἀπώλεσας, σταυρός ἐστι· εἰ ὑγιὴς καὶ νῦν ἀσθενής, etc. [197v] ῎Αν σ' ἔβλαψεν ὁ πλησίον καὶ σὲ ἤυρησεν ¹, ἀπόμεινε διὰ τὸν θεόν, καὶ σταυρὸν εἶναι etc. Adde. ῎Αν νηστεύεις, λύπαις θέλεις νὰ ἔχεις πύκραις, βάσανα, ,,μακάριοι οἱ κλαίοντες νῦν, ὅτι γελάσετε'' ². Δια τοῦτο προτίθεται τὸν σταυρὸν ἡμῖν ἀσπασομένοις ὁ Χριστός, ὥστε μεμνημένοι τὰ ὑπὲρ ἡμῶν αὐτοῦ πάθη καὶ ἡμεῖς ὑπομένωμεν, etc. ᾿Ανάγκην ἦν τὸν Χριστὸν σταυρωθῆναι, ἵνα ἡμᾶς σώσῃ. ᾿Επειδὴ γὰρ τὸν πόδα ἐτζακίσαμεν ἀποπεσόντες τοῦ παραδείσου, ξύλινον ἡμῖν πόδα τίθησι τὸν σταυρόν, ὡς πάλιν δι' αὐτοῦ εἰσέλθομεν εἰς τὸν παράδεισον. [198r] 208 ᾿Ανάγκη ἦν σταυρωθῆναι τὸν Χριστόν, ἵνα ἡμᾶς σώσῃ. ῾Ως γὰρ ὁ κολυμβιτὴς βουλόμενος περάσαι μίαν θάλασσαν ἐπ' αὐτὴν βυθίζεται καὶ πνίγεται — narra Elisaei etc., posuit lignum, ἀνέβη ὁ σίδηρος ³, id est natura nostra, necessaria Christi crucifixio —, οὕτως ἀνάγκη καὶ ἡμῖν ἄραι τὸν σταυρὸν εἰς ἀκολούθησιν. Σύκοσαι, σύκοσαι, τί θέλει νὰ εἰπῇ τοῦτο; ῎Ενας ὁποῦ συκόνει, γροικᾷ βάρος, βαρεῖ ὁ σταυρὸς ἐδῶ, ἄμε ὕστερα δὲ γίνεται ἐλαφρός. ᾿Ανάγκη ἄραι τὸν σταυρόν. ῎Ιδες ποτέ σου τινὰ νὰ παγένει εἰς τὸν πόλεμον χωρὶς σπαθή; ῎Οχι. Σε πόλεμον σε καλεῖ ὁ Χριστός, ἐπειδὴ πάγει νὰ πολεμίσῃ, ὄχι διὰ λόγου του, μα διὰ τ' ἐσένα. Πρέπει νὰ ἐτοιμασθοῦμεν, ,,ἵνα μή'', λέγει ὁ μακάριος Παῦλος, 2 Κορινθίους 2, ,,πλεονεκτηθῶμεν ὑπὸ τοῦ σατανᾶ'' ⁴. Πρέπει νὰ ἐτοιμασθοῦμεν πολλὰ καλά, διατὶ δὲν ἔχομεν νὰ κάμομεν μὲ ἀνθρώπους· ,,οὐ γὰρ ἡ πάλη ἡμῶν πρὸς σάρκα καὶ αἷμα, ἀλλὰ πρὸς τὰς ἀρχάς, πρὸς τὰς ἐξουσίας, πρὸς τοὺς κοσμοκράτορας τοῦ κόσμου τοῦ αἰῶνος τούτου'' ⁵. Πρέπει νὰ ἐτοιμασθοῦμεν. ῎Εν σημεῖον ἐστιν, οὗ ἄνευ ὁ πόλεμος οὐ κατορθοῦται. Πρέπει νὰ ἐτοιμασθοῦμεν, νὰ βάλλομεν τὰ ἄρματά μας διὰ νὰ μπορήσωμεν νὰ ἀντισταθοῦμεν. ,,᾿Ενδύσασθε τὴν πανοπλίαν ὑμῶν πρὸς τὸ δυνηθῆναι ἀντιστῆναι πρὸς τὰς μεθοδίας τοῦ διαβόλου'' ⁶. ῎Εχομεν θώρακα τὴν πίστιν. ῎Εχομεν περικεφαλαίαν τὴν ἐλπίδα. ῎Εχομεν σκουτάριον τὴν ἀγάπην. Σπαθὴ μᾶς λείπει καὶ δίδει μᾶς τὸ σήμερον ὁ μέγας στρατιώτης ὁ κύριος ἡμῶν ᾿Ιησοῦς Χριστὸς τὸν σταυρόν, [198v] τὸ σπαθὴ ἐκεῖνο διὰ τὸ ὁποῖον ᾿Ησαΐας 27 · ,,ἐν τῇ ἡμέρᾳ ἐκείνῃ ἐπάξει ὁ θεὸς τὴν

---

¹ = ὕβρισεν.
² Luc. 6:21.
³ IV Regn. 6:1-7.
⁴ 2 Cor. 2:11.
⁵ Eph. 6:12.
⁶ Eph. 6:11.

μάχαιραν τὴν ἁγίαν, τὴν μεγάλην καὶ τὴν ἰσχυρὰν ἐπὶ τὸν δράκοντα τὸν ὄφιν" [1] etc. (dic quare est ἁγία, μεγάλη καὶ ἰσχυρά). Ταύτην ἔχεις ἐν τῇ χειρί, ἔχεις καπετάνιον, ὃν ἔχειν ὁ Δαβὶδ ἐπαρακάλει· „πολέμισον τοὺς πολεμοῦντάς με· ἐπιλαβοῦ ὅπλου καὶ θυρεοῦ καὶ ἀνάστηθι εἰς τὴν βοήθειαν" [2], et Psalmo 82, cuius principium est: „ὁ θεός, τίς ὡμοιωθή-σεταί σοι;" [3] etc. Lege. Hîc potes de purgatorio, quod si tua re opera, sed purgatorium non adiuvat, quia non est, et redde causam [4].

De quarto. Ταύτην [5] ἔχων καὶ κρατῶν ἀκολούθει. Καὶ τί νομίζετε εἶναι τὴν ἀκολούθησιν, ἢ μίμησιν; 1 Petri 2, versus 21: „εἰς τοῦτο γὰρ ἐκλήθητε, ὅτι καὶ ὁ Χριστὸς ἔπαθεν ὑπὲρ ἡμῶν, ἡμῖν ὑπολιμπάνων ὑπογραμμόν, ἵνα ἐπακολουθήσητε τοῖς ἴχνεσιν αὐτοῦ" [6]. Iudices 7, Gedeon: „quod me videtis facere, facite" [7]. Lege ibi. Perpende illud „ὀπίσω", α^ον ἵνα μὴ ἀπολέσῃς τὴν ὁδόν, β^ον ἵνα βαστάξῃ τὸν βαρύτερον πόλεμον. 2 Corinthios 4: „aporiamur, sed non destituimur; persequutionem patimur, sed non derelinquimur" [8], etc. Ibi semper adiuvamur, tantum sequere. Modo donec habeas tempus. Supravenit mors etc. Lege Tomum 1 Diez, pagina 58, 59 [9].   [1991]   209

---

[1] Is. 27:1.
[2] Ps. 34:1, 2.
[3] Ps. 82:2.
[4] Plerique theologi orthodoxi dogma romanum de purgatorio reiicerunt.
[5] Sc. τὴν μάχαιραν.
[6] I P. 2:21.
[7] Iudc. 7:17.
[8] II Cor. 4:8, 9.
[9] Philippus Diez, *Concionum quadruplicium* .... tomus primus. Altera editio. Lugduni, apud P. Landry, 1589 (Paris Bibl. Nat. D. 32494), prima pars, Sabbatho post Cineres, p. 58-59:
In omnibus tribulationem patimur, sed non angustiamur. Aporiamur, sed non destituimur. Persequutionem patimur, sed non derelinquimur. Humiliamur, sed non confundimur. Deiicimur, sed non perimus. Semper mortificationem Iesu Christi in corpore nostro circunferentes, & ut vita Iesu manifestetur in corporibus nostris. O admirabilem animum, & invictam fortitudinem Sanctorum afflictorum, sed mirabilius auxilium domini, qui eò in tribulationes ducebat, ut laboriosissima, & patientissima divini magistri vita in afflictis, & tribulatis sanctorum discipulorum corporibus illucesceret? inter haec verba D. Pauli difficillimum est illud Aporiamur: Aporiamur est verbum Graecum, quod significat: Usq; ad ultimum fatigamur, sed non derelinquimur. In necessitatem nos Deus adducit, sed non nos deserit. Ut patet in hodierna sancti Evangelii lectione, quia eos in tempestatem intulit, & illis statim occurrit. Ita bonus est Deus, ut omnes labores simul non immittat, sed eos dividat, ut nos illos facilius toleremus. Sic etiam discipulis suis paulatim labores misit prius ipsos in maximam tempestatem immisit,

Έρωτᾶ ὁ Δαβὶδ psalmo 48· ,,ἵνα τί φοβηθήσομαι ἐν ἡμέρᾳ πονηρᾷ; ἡ ἀνομία τῆς πτέρνας μου" ¹, ἤγουν ὁ θάνατος, ὃς τῆς ζωῆς τέλος εἶναι, ἐκεῖνο χρὴ φοβεῖσθαι. Καὶ πῶς μὴ φοβεῖσθαι; Ἂν ἴσως καὶ ἄλλους θνήσκοντας ὁρῶντες φοβούμεθα, πῶς οὐχ ἡμεῖς χωριζομένου τοῦ σώματος ἐκ τῆς ψυχῆς; Καὶ μάλιστα· καθὰ γὰρ χρεοφιλέτης παρὰ τῶν δανειστῶν ἁρπάζεται βουλόμενος ἀναχωρῆσαι, οὕτω καὶ ἡ ψυχὴ ἡ ἁμαρτωλὸς χωριζωμένη παρὰ τῶν δαιμόνων καθέλκεται καὶ σπαράτεται,

sed erat ipse cum illis cum in mari dormiebat, & tunc non erat tantus labor cum tam bene sociati essent. Postea tanquam homines, qui in virtute proficiebant, in aliam tempestatem illos induxit, cum ipse abesset, & haec laboriosior fuit, & ideo in illa magis timuerunt: Ecce quomodo labores immittit secundum subiecta. Horologium quod habet rotas suas, & necessarium artificium, si illi proportionate pondera apponantur, progrediatur ordinatissime, quod si pondera abstrahas, non progredietur, sed statim inordinabitur, sic homo est horologium, quod confecit supernus ille artifex eximio quodam artificio, & in eo omnes necessarias rotas humanae vitae posuit, quae sunt potentiae, sensusque animae, & corporis, hoc horologium cum ponderibus, maximo ordine procedit, cum laboribus, tentationibus, &c. Desinentibus tamen ipsis statim quiescit, & inordinatur. Attendite David, cum eum Saul per montes persequeretur, quod bonus, & ordinatus incedebat: ablatis tamen ponderibus, ablatis tribulationibus videte qualis fuerit. Cum filii Israel fatigarentur in Aegypto clamabant ad Deum, ita ut dixerit Deus Moysi: Vidi afflictionem populi mei in Aegypto, & clamorem eius audivi significans in hoc voces illorum afflictorum ad cor suum pervenisse, in deserto tamen constituti Manna, & Coturnicibus satiati quid fecerint, perpendite. Quid tam longè properamus? animadvertite quid vobisipsis quotidie contingat. Cum vos paulisper afflictos videtis, quid soliciti estis, quid frequenter in coelum oculos, & cogitationes attollitis, & Deum assiduo rogatis? ablata autem afflictione quales remanetis? quid est hoc? nisi quod cum primum horologio subtrahuntur pondera, statim inordinatur. Erat quidam Monachus in deserto valde tentatus, & perrexit ad senem quendam, & ei laborem suum dixit, quem vir sanctus interrogavit. Vis ut Deum exorem, ut hanc tibi auferat tentationem? respondit tentatus: Non, sed ut me adiuvet quo eam tolerare possim. Bene cognoscebat hic servus Dei tentationum pretium, laborumque valorem considerabat. Sed quemadmodum pondera oportet proportionari rotis, & magnitudini molis horologii, ita dicit S. Paulus: Fidelis autem Deus, qui non patietur vos tentari supra id, quod potestis, sed faciet etiam cum tentatione proventum, ut possitis sustinere. Hoc est quod dicebamus Deum paulatim discipulis suis labores adaugere, prout in virtute proficiunt quod significavit Deus in illo mirabili fluvio quem vidit Ezechiel, in quem ingrediens Sanctus Propheta, dicit primum sibi aquam ad tallos pervenire, deinde ad genua, postea ad pectora, postea tandem affirmat se non invenisse in illo ubi niteretur, & sic mergebatur. Hic est stylus quem servat Deus in omnes suos, ut quo plus in suo servitio proficiunt, eo altiores & profundiores laborum aquas experiantur.

¹ Ps. 48:6.

etc., καὶ αὐτῆς τῆς καλῆς καὶ ἁγίας οὐ φείδεται· ἔρχεται καὶ πρὸς αὐτήν. Πλὴν καθῶς ὁ κλέπτης εἰσέρχεται εἰς τὸν οἶκον ἵνα κλέψῃ, καὶ θεωρήσας τὸν οἰκοδεσπότην καθεύδοντα φονεύει αὐτὸν καὶ οὕτω κλέπτει, ἀγρυπνοῦντα δέ, πλάττει δι' ἑτέραν αἰτίαν ἐληλυθέναι, οὕτω καὶ ὁ διάβολος, εἰ ἁμαρτωλὸς ἡ ψυχή, κλέπτει αὐτήν, εἰ δὲ δικαία πλάττει δολίοις τρόποις, πλὴν πειράζει ἂν μπορήσῃ νὰ σύρει, σύρνει. Πῶς λοιπὸν νὰ μὴν φοβηθῇ ὁ Δαβίδ, πῶς νὰ μὴν παρακαλέσῃ, νὰ λέγῃ Psalmo 21· „ἔξελε ἐκ ῥομφαίας τὴν ψυχήν μου καὶ ἐκ χειρὸς κυνὸς τὴν μονογενῆ μου" [1]. Ὦ χριστιανοί, φοβερὸς ὁ θάνατος, ὁ λιμένας τοῦ διαβόλου, εἰς τὸν ὁποῖον πολεμᾷ νὰ μᾶς σύρει, καὶ σύρνει μας ἂν ἀμελήσομεν. Τότε πλέα βοηθὸν δὲν ἔχεις, οὔτε φίλον, οὔτε συγγενῆ, οὔτε πλούτη, οὔτε δόξαις, οὔτε αἱ χαραῖς καὶ ξεφάντοσαις ὅπου κάμνεις τῶρα δὲ θέλουσι σε φελέση. Μόνον αἱ ἀρεταί σου, ἐκεῖναις θέλουσε βοηθήσῃ. [199v] Ὁπόταν θελήσεις, καὶ ἔχεις τὸ αὐτεξούσιον, καὶ μπορεῖς μόνον νὰ θέλεις, καὶ θέλοντας ἀρνεῖσον σεαυτόν, τὴν σάρκα σου, ταῖς ἡδοναῖς σου, ταῖς ἁμαρτίαις σου, τοὺς κακοὺς ἀνθρώπους, ταῖς δόξαις, καὶ ἀρνούμενος σύκοσαι τὸν σταυρόν σου, τοῦτο τὸ σατζάκη [2], τοῦτο τὸ σπαθή. Ἔτζη ἀκολούθησαι τοῦ Χριστοῦ μας, τοῦ μεγάλου στρατιώτη, καὶ θὲς γνωρίσῃ ὅτι ἐπληρώθη τὸ ῥητὸν τοῦ μακαρίου Παύλου, Ephesios 6· „ἀπεκδυσάμενος τὰς ἀρχὰς καὶ τὰς ἐξουσίας ἐδειγμάτισεν ἐν παρρησίᾳ, θριαμβεύσας αὐτοὺς ἐν αὐτῷ" [3]. Καὶ γίνεται καθ' ἑνὸς ἀποτ' ἐμᾶς μεγάλη εὐδαιμονία, καὶ μεγάλη χαρά, ἣν ἕξομεν συν τῷ σωτῆρι Χριστῷ ἐν τῇ βασιλείᾳ αὐτοῦ πάντοτε, νῦν καὶ ἀεὶ etc.

XIX

[156v]   155   1601, 22 Martii, Giassi. Quarto dominico quadragesimae.

Prooemium.

Ἂν ἴσως καὶ ἕνας ἄνθρωπος, ὅταν ἔχει ἕνα φίλον καλόν, ἕνα φίλον ἐμπιστεμένον, καὶ νὰ τὸν θεωρῇ εἰς χρείαν, γηρεύει νά του βοηθήσῃ με κάθε τρόπον, ἂν τὸν θεωρῇ εἰς ἀσθένειαν, με κάθε προθυμίαν τρέχει εἰς τὸν ἰατρόν, διὰ νὰ ἔλθῃ νὰ τὸν ἰατρεύσῃ καὶ νὰ τὸν ἐλευθερώσῃ ἀπὸ τὴν

---

[1] Ps. 21:21.
[2] σαντζάκι Fahne. Man. A. Triandaphyllidis, *Die Lehnwörter der mittelgriechischen Vulgärliteratur*, Strassburg 1909, S. 149.
[3] Col. 2:15.

ἀσθένειαν ἐκείνην, πλέα περισώτερον πρέπει, ὅταν ἕνας ἄνθρωπος, ἕνας γονής, ἕνας πατὴρ θεωρῇ τὴν σάρκα του, τὸ αἷμα του, τὸ ἴδιόν του παιδὴ εἰς ἀνάγκην καὶ εἰς ἀσθένειαν νὰ κάμνη. Δια τοῦτο τὴν σήμερον οὗτος ὁ ἄνθρωπος, οὗτος ὁ πατὴρ θεορῶντας τὸ υἱόν του ἔχοντα τὴν ἀσθένειαν τὴν μεγάλην, ἐπειδὴ εἶχε πνεῦμα ἄλαλον καὶ κωφόν ¹, εἰς τοῦ λόγου του τρέχει πρὸς τὸν ἰατρὸν τῶν ψυχῶν καὶ τῶν σωμάτων, τὸν κύριον ἡμῶν Ἰησοῦν Χριστόν, παρακαλόντας, γονατίζοντας, κλαίοντας διὰ νὰ τὸν ἰατρεύση. Αὕτή ἐστιν ἡ ὑπόθεσις περὶ ἧς λέξων ἥκω. Ἀκροάζεσθε.

[157r] 166 Κάθε πρᾶγμα τίμιον καὶ ἀκριβὸν εἶναι πλέα ἐπιθυμιτὸν παρὰ τὰ κοινὰ καὶ οὐτιδανά. Ἡ αἰτία, διὰ τὸ σπάνιον· πᾶν γὰρ σπάνιον ἐπιθυμητόν. Ἐν τῇ πρώτῃ καταστάσει οὐδὲν ἦν ἐπιθυμίας ἄξιον, πάντα γὰρ ὁμοίως εἶχε. Μετὰ δὲ τὴν παράβασιν αὐξηθεῖσα ἡ ἐπιθυμία τῶν μὲν τιμίων περισότερον ἐπιθυμεῖ. Τίς γὰρ ἐκλέξεται ἀντὶ χρυσίου λίθους ἢ σίδηρον; Οὐδείς. Καὶ ὁ κλέπτης εὑρήσας ἄργυρον οὐ λήψεται ξύλα. Ὁ θεὸς πάντων τῶν κτισμάτων τιμιώτερον τὸν ἄνθρωπον. Ἐποίησεν τοὺς οὐρανοὺς ὡραίους, τοῖς λίθοις τοῖς διαυγέσι λάμποντας καὶ εὐτρεπισμένους, ἐξ ὧν ἡ ἡμετέρα ζωή, ἐπεὶ ἐκεῖθεν καὶ ἡ κίνησις. Τιμιώτερον δὲ ὁ ἄνθρωπος. Διὸ ὁ θεὸς ἐρωτούμενος παρὰ Μωϋσέως τί λέξειν τοῖς Ἑβραίοις περὶ τοῦ ἀποστελλόντος, Exodus 3, λέγει· ,,ὁ θεὸς Ἀβραάμ, Ἰσαὰκ καὶ Ἰακώβ" ², etc., οὐχ ὁ θεὸς τοῦ οὐρανοῦ etc., ἐπειδὴ ἐν μέσῳ τῶν ἄλλων ὁ ἄνθρωπος τιμιώτερον. Οὗτος μόνος παρὰ θεοῦ ἐπιθυμεῖται, ἵνα δοξασθῇ. Λέγε ὅτι τὰ πάντα περὶ ἀνθρώπου. Ὁ δὲ διάβολος κατὰ πάντα τῷ θεῷ ἐναντιούμενος τοῦτον ἐπιθυμῇ, ἵνα κολασθῇ. Διὸ καὶ ἡ συμβουλὴ καὶ ἡ φροντὶς αὐτοῦ περὶ ἀνθρώπου. Καθὰ ἄρχων ἐν συμβουλίῳ διαφόρους ἔχουσι γνῶμας, οὕτω καὶ ὁ σατανᾶς περὶ ἀνθρώπου. Τίς ψαλμῷ π̄β̄· ,,δεῦτε καὶ ἐξολοθρεύσωμεν" ³ etc.· τίς ἐτιμάσαι παγίδα etc.· ,,παγίδα ἡτοίμασεν τοῖς ποσί μου" ⁴ etc.· [157v] ἕτεροι Psalmo 136 ,,ἐκκενοῦτε, ἐκκενοῦτε" ⁵ etc., ἐπειδὴ ὁ ἄνθρωπος σκεῦός ἐστι ἐν ᾧ τὰ θεῖα χαρίσματα etc. Ὅτάν τι οἰκοδόμημα evertere vis, à tecto aggrederis, mox ad parietes et tandem ad fundamentum. Sic diabolus spirituale aedificium hominis. Prius virtutes et dona

---

¹ Mc. 9:17-31.
² Ex. 3:15.
³ Ps. 82:5.
⁴ Ps. 56:7.
⁵ Ps. 136:7.

spiritualia tolere nititur, deinde fundamentum quod est fides. Et
sic vacuus remanet. Ut in hoc homine etc. Narra evangelium.
Inter alia membra hominis sensus sunt nobiliores, quia sunt
custodes mentis et animae. Qui vult expugnare arcem aliquam,
tunc facilius expugnat, si custodes arcis ad suam trahit amicitiam et
sic aprehendit ducem. Sic diabolum facere non ignoramus. Primum
enim sensus, qui sunt custodes, trahit, quibus portam aperientibus
introit et depredatur, postea et ipsos sensus λυμαίνεται, ne forsan
insurgant. Sic huic presenti fecit, cuius os et auditum occupat,
auditum ne audiat dei mirabilia, incarnationem, os ne glorificet et
cantet ,,gloria in excelsis'', auditum ne audiat et credat corde, et
ὁμολογήσῃ, ὅτι εἶς κύριος, εἶς Ἰησοῦς Χριστός, μία πίστις, ἕν βάπτισμα [1],
etc. (insurge Turcis, Iudaeis, etc.), auditum ne audiat τὸν λόγον
τῆς μετανοίας καὶ χαλινώσῃ τὸν θυμόν, τὴν ἐπιθυμίαν, os ne currat ad
confessionem. (Vide 167 à tergo). [158v] 167 Est enim invidus,
timetque ne aliquomodo bonum faciat, et praesertim per poenitentiam et confessionem. Si quis enim litem habet et pars alia dolet,
dum videt consulentem aliquem prudentem. Si diabolus pecca-
torem in propria causa consilium a confessore quaerentem, solum ut
consilium diabolicum sequatur et sic illum pensundet, acquirat, et
penes se habeat, vel incarceratum teneat. Qui aliquem in carcere
tenet propter magnum delictum, custodi mandat ut fores custodiat,
et ne alicui permittat, ut cum illo loquatur, ne modum per consilium
inveniat ad exeundum. Sic diabolus hominem cum teneat in
carcere, nemini permittit ut loquatur illum in aure, vel ut aperiat
fores, id est os ad confessionem. (Lege Diez, Tomi I partem 2,
pagina 192 [2]). Δεμένον ἔχει τὸν λαιμόν του, ἵνα μὴ φύγῃ. ,,Ἤνεγκα τὸν

---

[1] Eph. 4:5.
[2] Philippus Diez, *Concionum quadruplicium* ... tomus primus. Altera
editio. Lugduni, apud P. Landry, 1589 (Paris Bibl. Nat. D 32494), secunda
pars, Dominica Tertia in Quadragesima, p. 191-192: Sciendum est vobis,
neque Angelum, neque diabolum animae substantiam, & essentiam posse
introire, hoc enim soli Deo competit. Pro quo est notandum, quod quemadmodum in rebus corporalibus videamus unum corpus non posse aliud
penetrare, nec in illud infundi, idest, unus lapis non potest in alium lapidem
introire, nec lignum in alterius ligni substantiam potest infundi: sic etiam res
spirituales non possunt una in alterius essentiam infundi nisi solus Deus.
Etenim quemadmodum lux, & solis radius in crystallo, ut in clarissima aqua
illam penetrat, ac clarificat, sic etiam Deus in animae, sive Angeli essentiam

υἱόν μου πρὸς σὲ ἔχοντα πνεῦμα ἄλαλον" ¹. Ἡσαΐας 52· ἔκδυσαι τὸν δεσμὸν τοῦ τραχήλου σου, ἡ αἰχμάλωτος θυγάτηρ Σιών" ². Notanter dicit „τὸν δεσμόν..." etc.· ὅταν γὰρ ἐν τοῖς ποσί, ἐν ταῖς χερσὶν ὁ δεσμός, ἐλπὶς σωτηρίας τῷ καταδίκῳ, ὅταν δ' ἐν τῷ τραχήλῳ οὐδεμία ἐλπίς. Τοῦτον οὐχ ἓν ἀλλὰ τέσσαρα κατέχει σχοινία· ᾱᵒᵛ προσβολή, ῥήσσει αὐτόν· β̄ᵒᵛ λογισμόν, ἀφρίζει· γᵒᵛ συγκατάθεσις, τρίζει τοὺς ὀδόντας· δ̄ᵒᵛ πρᾶξις, ξηραίνεται ³. (Sequitur pagina 168 à tergo).

[159v] 168 Obiectio: quare habet supra nos potestatem diabolus? Respondetur: sicut sancti angeli non habent in nos nisi quod deus iusserit etc., sic et diabolus, nisi quod deus permisit, ut nos videlicet tentet, ut sic magis glorificemur. Deus solus habet in nos potestatem, nam solus creator et illuminator. Quemadmodum enim lux et solis radius in crystallo reverberans, sic lux dei in anima, etc. Diabolus autem tentando nobis nocet, quod si nos tentationibus resisteremus, nil prorsus possit. Contrarium in isto homine, qui πνεῦμα ἄλαλον εἶχε· „καὶ εἶπον τοῖς μαθηταῖς σου ἵνα αὐτὸ ἐκβάλλωσι, καὶ οὐκ ἴσχυσαν" ³. Redde rationem quia non poterant, quarum una sit propter infidelitatem, et sic perge de fide etc. Sanavit Christus illum aiens: „τὸ πνεῦμα τὸ ἄλαλον καὶ κωφόν" ⁴, etc. Nominat „πνεῦμα ἄλαλον καὶ κωφόν", ne excusaretur quod illi non mandatur. „Ego

indicibili quodam modo infunditur, & illam illuminat, atque clarificat. Itaque unus Angelus non in alium quidem Angelum, neque in animam valet introire. Et sic David dicit: immittit Angelus Domini in circuitu timentium eum. Et textus Hebraeus dicit: Angelus Domini ponit castra sua in circuitu timentium eum, quod est idem, quod immittit. Idest, operationes suas, atque diligentias in circuitu animae facit, veruntamen in illam nequit introire. Et idem necessario de diabolis dicendum est, qui licet in animam ingredi nequeant, possunt tamen in ea multas operationes causare. Et sic David dicit, intravit sicut aqua in interiora eius. Accidit vobis in hieme aqua frigida manus abluere, & dicitis, pro Deum immortalem, quomodo haec aqua me penetravit. Quomodo fieri potest te ab aqua fuisse penetratum, siquidem extra palmam remansit? volo dicere. Humiditatem, & frigiditatem aquae me penetrasse, & intra venas ingressam fuisse, sic daemon dicitur in animam introire, quia eius frigiditas, malitia, superbia, ac denique turpitudo in illam ingreditur. Haec est pura veritas. Intravit sicut aqua in interiora eius. Interius hominis est anima, quae quidem diaboli qualitates in se recipit, & daemoniaca remanet, atque quodammodo effecta diabolus.

¹ Mc. 9:17.
² Is. 52:2.
³ Mc. 9:18.
⁴ Mc. 9:25.

σοι ἐπιτάσσω" ¹. Nota omnipotentiam et exemplum. Ingrederis in domum ubi sunt plures homines inter quos etc. Diez, Tomus 2, pagina 512 ². „Ἐγὼ" ὁ ἀναλοίωτος θεός, ᾧ πάντα ὑπακούει, ὁ ἐπὶ πάντα τὰ ὄντα, ὁ ἐληλυθὼς ἵνα σώσῃ τὸν ἄνθρωπον, etc. Amplifica. (Sequitur pagina 177). [168r] 177 „... σοι ἐπιτάσω". Non rogat, sed imperat et mandat etc. Ὦ χαρὰν μεγάλην πέρνει ὁ πατέρας ἐτοῦτος θεορῶντας τὸ παιδή του ὑγιές etc. Ποῖα ἡμέρα νὰ εἶναι ἐκείνη, ὁποῦ καὶ ὁ νοῦς ὁ ἡμέτερος νὰ προσφέρῃ τὸ σῶμα τοῦτο τὸ δαιμονισμένον πρὸς τὸν Χριστόν, ὁποῦ τῇ ἁμαρτίᾳ ὑποταχθὲν οὐ μόνον ἔχει πνεῦμα ἄλαλον καὶ κωφόν, ἐπειδὴ οὐ μόνον οὐκ ἀκούομεν τὴν θείαν διδασκαλίαν, οὐκ ἐξομολογούμεθα, ἀλλ' ὅλα μας κυριεύει τὰ μέλη, ἐπειδὴ καὶ οἱ λογισμοὶ καὶ τὰ διανοήματα καὶ αἱ πράξεις γίνουνται ὄχι καθὼς τῷ θεῷ ἀλλὰ τῷ σατανᾷ ἀρέσκει, καὶ δια τοῦτο μας κυριεύει. Οὐαί, οὐαί! Ἐγκατελίπομεν τὸν θεόν, καὶ παρεδόθημεν τῷ σατανᾷ, καὶ κυριεύει ἡμῶν. Ὦ θυμοῦμαι μετανοεῖν. Vides illum qui ad cauponam pignus fert non illa intentione ut ibi relinquat prorsus, sed ut ad tempus, sed ille cum ipsos dies frequentet cauponam et tàm multum biberit, quantum pignus constarit, opus ut pignus amittat, sic nos peccando quotidie, et si cogitemus poenitentiam, paulatim tamen nos peccando nosmet ipsos non possumus recuperare et sic amittimur. Ò ineptiam, ò miseriam! Nec animadvertimus quid hoc sibi vellit. Κυριεύει σου ὁ διάβολος, εἰς πολλὰ βάσανα σε ρίκτει, καὶ δὲ μετανοεῖς, ρίκτει σε εἰς ἀσθένειας, καὶ δὲν τρέχεις πρὸς τὸν ἰατρόν. Καὶ ἂν πάγεις, σε δίδει φάρμακα, καὶ σὺ ἀμελεῖς. Καταφρονεῖ ὁ ἀσθενῶν καὶ ἀηδιάζει ἐπὶ τῷ ρεομπαρμπάρῳ, πλὴν ἐκείνῳ εἶναι ὠφέλιμον. Πυκρά σοι δοκεῖ ἡ νηστεία, [168v] πυκρὰ ἡ προσευχή, ἀλλ' αὖται ἰατρεύουσι. Πυκρὸν ὅταν ἀσθενεῖς καὶ ἰατρὸν οὐκ ἔχεις. Πυκρότερόν ἐστι, ὅταν ἔχεις ἰατρὸν

---

¹ Mc. 9 : 25.
² Philippus Diez, *Concionum quadruplicium* .... tomus secundus. Altera editio. Lugduni, apud P. Landry, 1589 (Paris Bibl. Nat. D 32494), Feria IIII post Dominicam in Passione, p. 512: Ingrederis in domum, ubi plurimi habitant, nec nosti quisnam sit dominus illius domus. Et vides ingredientem unum cum magna auctoritate, omnibus imperantem, & dicentem: Tu fac hoc, & tu hoc, tu tolle istud hinc, tu verò pone istud hic, tu vade illuc, tu verò revertere huc. Et cernis omnes illi obtemperare: statim dicis: Procul dubio hic est dominus huius domus. Sic ingressus est Christus redemptor noster in orbem terrarum, quae est domus diversarum creaturarum imperans ventis, morbis, mortique, & omnia illi obediunt, manifestè ostendit se creaturarum omnium esse dominum.

καὶ οὐ ζητεῖς ἵνα σε ἰατρεύσῃ. Ὦ χριστιανέ, τί ποιεῖς; Δὲ λογιάζεις τοῦ λόγου σου. Τί στέκεσαι; Ἀναμένεις νὰ ἀπεθάνεις, νὰ κολασθῆς. Ὄχι τῶρα εἶναι καιρό. Φερέτω σε ὁ πατήρ σου, κλαυσάτω, γονυπετησάτω, δεηθήτω, παρακαλεσάτω. Καὶ ἂν καλὰ καὶ θέλει ἀκούσῃ· ,,ὦ γενεὰ ἄπιστος καὶ διεστραμμένη, ἕως πότ᾽ ἔσομαι" ¹ etc., δίκαια θέλεις τὸ ἀκούσῃ. Διατί ἔχεις τὴν πίστιν ἄνευ ἔργων, διατί ἀκούεις, ἰξεύρεις ὅτι οὐδεὶς ἁμαρτωλὸς δύναται σωθῆναι, καὶ σὺ πορνεύεις, κλέπτεις, βλασφημᾶς καὶ κακὸν δὲν ἀφήνεις, ὁποῦ νὰ μὴν τὸ κάμῃς, δια τοῦτο, ἀδελφοί, etc. Exaggeratio etc.

XX

[123v] 120 1601, 29 Martii. Giassi. Quinto ᵃ dominico quadragesimae.

Ἰδοὺ ἀναβαίνομεν εἰς Ἱεροσόλυμα etc. ².

Πιστώνεται κάθε ἄνθρωπος ἐκ τῆς διηγήσεως τοῦ θείου καὶ ἱεροῦ εὐαγγελίου, ὅτι πὼς ὁ κύριος ἡμῶν Ἰησοῦς Χριστὸς ἑκὼν καὶ τῷ ἰδίῳ θελήματι παγένει καὶ ἀνεβαίνει τὴν ὁδὸν ἐκείνην τὴν τείνουσαν καὶ ἐπάγουσαν εἰς τὴν Ἰερουσαλήμ, ὅπου εἶχε νὰ εὕρῃ θλίψαις, βάσανα, ἐμπτυσμούς, κολαφισμούς, ὅπου εἶχε νὰ πίῃ τὸ τρομερὸν ποτήριον ἐκεῖνο καὶ λαβεῖν τὸ φοβερὸν βάπτισμα διὰ τὸ ὁποῖον λέγει τῷ Ἰακώβῳ καὶ Ἰωάννῃ· ,,τὸ ποτήριον ὃ ἐγὼ πίνω πίεσθε, καὶ τὸ βάπτισμα ὃ ἐγὼ βαπτίζομαι βαπτισθήσεσθε·" ³ etc. Αὐτή ἐστιν ἡ ὑπόθεσις. Προσέχετε.

Ἐν μέσῳ τῶν λοιπῶν παραγγελλιῶν ἃς ὁ μακάριος Παῦλος πρὸς Ῥωμαίους γράφει, κεφάλαιον 12· ,,μὴ ὑπερφρονεῖν παρ᾽ ὃ δεῖ φρονεῖν" ⁴· τῷ λογισμῷ καὶ λόγῳ· ὁ γὰρ διάβολος· ,,θήσομαι τὸν θρόνον μου ἐπὶ τῶν νεφελῶν" ⁵, etc.· τῷ λόγῳ καὶ ἔργῳ· ,,δεῦτε πλινθεύσωμεν πλίνθον" ⁶ etc.· ζητήσει· ὡς Ἰάκωβος καὶ Ἰωάννης. Narra evangelium. Dic quòd αἴτησις ἀπρεπὴς καὶ ἄτοπος, ᾱ διὰ τὸν καιρόν, β̄ διὰ τὸν τρόπον, γ̄ διὰ τὸν σκοπόν, δ̄ διὰ τὸ μέγεθος τοῦ πράγματος.

---

a) MS: 4.

¹ Luc. 9:41.
² Mc. 10:32-45.
³ Mc. 10:39.
⁴ Rom. 12:3.
⁵ Cf. Is. 14:13, 14.
⁶ Gen. 11:3.

ᾱ. Καιρός· πᾶν πρᾶγμα ἐν τῷ προσήκοντι καιρῷ· Θεμιστοκλῆς 'Αθηναῖος βουλόμενος πολεμῆσαι κατὰ Λακεδαιμονίων, ὅτι τέθνηκεν ὁ υἱὸς αὐτοῦ ἀκούσας πρὸς τὸν ἀναγγείλλαντα ,,ἐθήλητάς με'' ἀπεκρίνατο, καὶ οὕτω τὸν πόλεμον μὴ ἄρχεσθαι ἐκέλευσε [1]. Καὶ αὐτὸς ὁ Χριστός, εἰ καὶ κύριος καὶ τοῦ χρόνου αὐτοῦ — ,,σὴ'' γάρ φησι (Psalmo 73) ,,ἔστιν ἡμέρα καὶ σή ἐστιν ἡ νύξ, σὺ κατηρτίσω φαῦσιν καὶ ....'' [2] — (Sequitur 122 in manu[3]). [125r] 122 ἐν δὲ τῷ δείπνῳ τῷ ἐν Κανᾶ ἔλεγεν· ,,οὔπω ἥκει ἡ ὥρα μου'' [4] (vide in Ioanne tempore coenae: ,,εἰδὼς ὁ 'Ιησοῦς ὅτι ἐλήλυθεν ἡ ὥρα ....'' [5]· Psalmum: ,,προς σὲ προσδοκῶσι, δοῦναι τὴν τροφὴν εἰς εὔκαιρον''[6] etc.), quod dictum diversi modè intelligitur (lege in Diez [7]), inter alios modos et sic quasi diceret: ,,quando tempus fuerit, tunc acquam in vinum vertam.'' Non erat tempus ut modò peterent, nam Christus περὶ παραδώσεως, ἐμπαιγμάτων, μαστίγων, at Iacobus et Ioannes petunt etc. Esaia 55 merito dicitur: ,,οὐ γάρ εἰσιν αἱ βουλαί μου ὥσπερ αἱ βουλαὶ ὑμῶν'' [8]. Et si deus cogitet nos salvare, pro nobis pati, nos tamen nostra curamus. Ὦ μαθηταὶ 'Ιωάννε καὶ 'Ιάκωβε, καιρὸς οὐ καθῆσαι ἐκ δεξιῶν καὶ ἐξ εὐωνύμων ζητεῖν, ἀλλὰ μάχαιραν, εἰς πόλεμον, εἰς βοήθειαν

---

[1] Unde?
[2] Ps. 73:16.
[3] Manus omissa in editione.
[4] Ioa. 2:4.
[5] Ioa. 13:1.
[6] Ps. 103:27.
[7] Philippus Diez, Conciones Quadruplices, tomus tertius, Venetiis 1591, Dominica II post Epiphaniam, Concio tertia, p. 352: O Christe universarum rerum potentissime domine, quomodo dicis domine horam tuam nondum accessisse? nunquid super omnia tempora potestatem non habes? Nunquid David de te non dixit. Tuus est dies, & tua est nox, tu fabricatus es auroram, & Solem? O ineffabilem Dei probitatem. Et enim & si omnia tempora, at que horae suae sunt, illam tamen peculiarius horam suam appellat, in qua nobis utilius est aliquod beneficium, quod in nos conferre conatur sic horam suam horam mortis suae vocavit, quia nobis futura erat utilissima. Quia verò miraculum, quod facere decreverat, utilius futurum erat hominibus postquam sibi vinum deesse cognoscerent, horam suam nondum venisse dicit, quia nondum accesserat hora maioris illorum utilitatis, quae erat quando miraculi cognoscendi, & per illud eum, qui hoc fecerat, verum Deum esse credendi, maior esset occasio. In hoc verbo firmissimam nobis dominus fiduciam addit, ut cum ad eum in necessitatibus nostris confugimus, nec nobis statim subvenit, consideremus eum nobis dicere. Nondum venit hora mea: hoc est. Nondum tempus accessit, quum hoc quod à me petis ad maiorem Spiritus tui utilitatem te oportet accipere.
[8] Is. 55:8.

τοῦ κυρίου καὶ διδασκάλου etc. Sic itaque ἀπρεπὴς διὰ τὸν καιρόν, etc. Ioannes 21: ,,si exaltatus fuero à terra, omnia traham mecum" [1], etc., et tu cogitas etc.

β. διὰ τὸν τρόπον. Primum enim dixerunt: ,,θέλομεν ὃ ἐὰν αἰτήσωμέν σε ἵνα ποιήσῃς ἡμῖν" [2] etc., ut polliceretur antequam peterent.

[125v] γ. διὰ τὸν σκοπόν, ἵνα πλεονεκτήσῃ καὶ ἵνα ὑπερηφανεῦθῃ. Ἡ πλεονεξία ἐκ πονηρίας· ὁ διάβολος τὴν τοῦ Ἀδὰμ σωτηρίαν· δι' οἰκονομίας· ὁ Ἰακὼβ τὴν εὐλογίαν τοῦ Ἡσαῦ [3]· διὰ φιλαυτίαν· ὁ Ἰάκωβος καὶ ὁ Ἰωάννης. Διὸ ἐμπίπτουσιν καὶ εἰς τὸ πάθος τῆς ὑπερηφανίας etc. καὶ τῆς ματαιότητος. Δαβίδ· ,,πλὴν μάταιοι οἱ υἱοὶ τῶν ἀνθρώπων" [4]· ἐν εἰκόνι (Psalmo 38) διαπορεύεται πᾶς ἄνθρωπος" [5]. Diez, Tomus I, pagina 171 [6].

δ. διὰ τὸ μέγεθος τοῦ πράγματος. Ὁ Μωσῆς ᾐτήσατο μόνον ἰδεῖν τὸν θεὸν καὶ οὐκ ἐδώθη αὐτῷ [7]. Ἡσαΐας ἐν ἐκστάσει τοῖς τοῦ νοὸς ὀφθαλμοῖς τὴν δόξαν τοῦ θεοῦ καὶ ἔτρεμεν [8], οὗτοι δὲ ἐν τῇ δόξῃ καθῆσαι ἐξ ἀριστερῶν καὶ ἐξ εὐωνύμων [9] αἰτοῦσι. Ἀπόκρισις δικαία· ,,οὐκ οἴδατε τί αἰτεῖσθε" [10]· ᾱᵒᵛ ὅτι τοῦτο αἰτοῦντες ὅμοιοι τῷ Χριστῷ εἶναι ἐζήτουν· οὐδὲν γὰρ ἄλλο ἐξ ἀριστερῶν καὶ ἐξ εὐωνύμων [9] καθῆσαι· β̄ᵒᵛ unumquodque corpus sex habet dimensiones, sed Christus ut deus omni caret dimensione, et illi dicunt ἐκ δεξιῶν καὶ ἐξ εὐωνύμων etc.· γ̄ᵒᵛ vos creditis aliquid vobis utile deprecari, sed non dabitur vobis.

---

[1] Ioa. 12:32.
[2] Mc. 10:35.
[3] Gen. 27.
[4] Ps. 61:10.
[5] Ps. 38:7.
[6] Philippus Diez, Concionum quadruplicium .... tomus primus. Altera editio. Lugduni, apud P. Landry, 1589 (Paris Bibl. Nat. D 32494), prima pars, Feria IIII post Dominicam II in Quadragesima, p. 170-171: Hoc significat quod David ait: In imagine pertransit homo, scilicet in imagine exteriori, sed & frustra conturbatur, frustra perturbatur, ut solis hominibus bene videatur, siquidem hoc est tam sine utilitate. Imago in tabula depicta nihil habet plus, quam illam exteriorem apparentiam, sic vanus, & honoris ambitiosus, nihil habet, praeter exteriorem aspectum, & nullum spiritualem interius habet sensum.
[7] Ex. 33:18-23.
[8] Is. 6:1-5.
[9] Error: ἀριστερός = εὐώνυμος.
[10] Mc. 10:38.

Sciebat enim Christus τὸν ἐκείνων σκοπόν. Narra illud simile quod est apud Diez, Tomo 1, parte 2, pagina 146, de parente bono, qui filio petenti malum aequum non concedit ut assendat [1]. (Lege pagina 149 à tergo). [150v] 149 "Ὅταν ζητοῦσιν οἱ μαθηταὶ aliquid magnum dupliciter Christus respondet, vel ᾱ προφάσει, β̄ vel ἐλέγχῳ. Πρόφασις, ὡς ὅταν οἱ μαθηταὶ ἐζήτουν εἰδέναι, quo tempore erunt ista [2], respondit: „οὐδεὶς οἶδε οὔτε ὁ υἱός" [3]. Hîc excusatur, neque quis dicat quod non dixit verum. Sicut enim medicus amarum medicamentum praebet aegroto consolans tamen illum, ut suscipiat bono animo, dulce esse affirmat, nec mentitur, cum talis eius non sit intentio, sic et Christus. Ἔλεγχος hîc habetur, cum dicat: „οὐκ οἴδατε τί αἰτεῖσθε" [4]. Habetur tamen et πρόφασις inferius, quam sunt meriti propter promptitudinem τοῦ πιεῖν τὸ ποτήριον. Interrogati enim: „δύνασθε πιεῖν..." [5] etc., responderunt: „δυνάμεσθα" [5]. Ideo moliter illos tractans dixit se excusans: „οὐκ ἔστιν ἐμὸν δοῦναι, ἀλλ' οἷς ἡτοίμασται" [6]. Ποίοις; Τοῖς ἁγίοις ἀγγέλοις, Ἡσαίας ϛ· „καὶ σεραφὶμ εἰστήκεισαν κύκλῳ αὐτοῦ" [7], etc. Alii dicunt τὴν παναγίαν καὶ τὸν πρόδρομον etc. Questio utrum et illis poterat hoc concedi etc. Declara et solve. (Sequitur 179). [170r] 179 Εἰκότως ἐλέγχει, καὶ προφασίζεται· αὐτοὶ γὰρ ἄλλα παρὰ τὴν τοῦ Χριστοῦ βουλήν. Ἡ γὰρ βουλὴ τοῦ Χριστοῦ αὕτη ἦν, ὥσπερ aliquis magnates, dum aliquo se conferre vult ad magnam rem perficiendam, si Christus cum se conferre vellet Hyerosolyma ad passionem, illis hoc communicat et praenuntiat, ut parati essent. Ad passionem ibat. „Nisi enim

---

[1] Philippus Diez, *Concionum quadruplicium* .... tomus primus.Altera editio. Lugduni, apud P. Landry, 1589 (Paris Bibl. Nat. D. 32494), secunda pars, Feria IIII post Dominicam II in Quadragesima, p. 146:
Habes filium dilectissimum, & adducitur tibi equus indomitus, dicitque tibi filius tuus. Domine sine me in illum ascendere, atque agitare. O Iesus (inquit pater) fili ne tale cogites, est enim indomitus, & te in terram deiiciet. O domine (ait filius) ego fortiter adhaerebo sellae, dicit pater ne me rogites, quia nolo. Nisi esset filius tuus, & te nimis rogitaret, fortasse eius rogitationibus molestatus eum conscendere patereris. Hoc negare filio tuo quid alius est, nisi illi benefacere.
[2] Mt. 24:3.
[3] Mt. 24:36.
[4] Mc. 10:38.
[5] Mc. 10:39.
[6] Mc. 10:40.
[7] Is. 6:2.

exaltatus (Ioannes 21 [1]) fuero à terra" etc. Ideo dicit: „ἰδοὺ ἀναβαίνομεν εἰς Ἱεροσόλυμα, καὶ ὁ υἱὸς τοῦ" [2] etc.

Et nos parati simus, christiani. Sed quis erit apparatus. ᾱ qui ascendit opus est ut non habeat onus, ut levius ascendat; β̄ ἵνα μὴ ὁρᾷ κάτω, ἀναβαίνων· γ̄ ἵνα μὴ ἀκούῃ τὰς ἐνταῦθα σειρῆναις· δ̄ ὅλος δωθῇ τῷ πνεύματι· τὸ γὰρ σῶμα κατωφερές, τὸ δὲ πνεῦμα ἀνωφερές. Ideo enim caecidit ille qui descendebat in latrones [3]· ε̄ μὴ στρέφεσθαι ὀπίσω, ὡς ἡ τοῦ Λώτ [4]. (Et in omnibus repete: „ἰδοὺ ἀναβαίνομεν εἰς Ἱεροσόλυμα" [2]). Τί τὰ Ἱεροσόλυμα; Θεωρία καὶ ὄρος. „Τίς ἀναβήσεται εἰς τὸ ὄρος κυρίου; Ἀθῷος χερσί, καθαρὸς τῇ καρδίᾳ, ὃς οὐκ ἔλαβε ἐπὶ ματαίῳ τὴν ψυχήν, οὐκ ὤμοσεν ἐπὶ δόλῳ" [5] etc. Οὗτος εἰς τὸ ὄρος, οὗτος εἰς τὰ Ἱεροσόλυμα. „Ἰδοὺ ἀναβαίνομεν" [2]. Τί σοι τὸ „ἰδοὺ" σημειώνει; Μόνον νῦν καιρός. Dic quod tempus confessionis, paenitentiae. Depone superbiam etc., [170v] depone vanitatem. „Κύριε, οὐχ ὑψώθη ἡ καρδία μου, οὐδ᾽ ἐμετεωρίσθησαν . . . ." [6]. Cogita quae et deus . . . . Nunc tempus passionem Christi mentis oculis contemplari etc.

XXI

[211v]   221   In festo palmarum. 1601, alli 5 Aprile, in Giassi.

Prooemio.

Διηγᾶται ὁ παλαιὸς καὶ σοφὸς ἱστοριογράφος ὁ Ξενοφών [7], ὅτι πῶς εἶχαν συνήθειαν οἱ Πέρσαι, ὅταν οἱ βασιλεῖς τως νικηταὶ τροπαιοῦχοι ἔστρεφαν ἀπὸ τὸν πόλεμον, νὰ τοὺς προϋπαντοῦσιν, καὶ ἄλλοι νὰ τοὺς ὑμνοῦσι, ἄλλοι νὰ τοὺς πλέκουν στέφανα, ἄλλοι νὰ στρώνουσι καμοκάδες καὶ ἀτλάζα νὰ πατοῦσινε, εἰς σημεῖον εὐχαριστείας καὶ μεγάλης τιμῆς καὶ δόξης ὁποῦ ἐπεῖραν ἀπ᾽ ἐκεῖνον τὸν πολεμικὸν ἀγῶνα. Τοιαύτην προϋπάντησιν θεοροῦμεν (μανθάνομεν) καὶ κάμνει (ἔκαμεν) σήμερον ὁ λαὸς τῆς Ἱερουσαλὴμ τοῦ κυρίου ἡμῶν Ἰησοῦ Χριστοῦ. Ὅταν νικήσας τὸν θάνατον, ἀναστήσας τὸν Λάζαρον, καθεσθεὶς ἐπὶ πῶλον καὶ ὄνον

---

[1] Vide p. 126, n. 1.
[2] Mc. 10:33.
[3] Luc. 10:30.
[4] Gen. 19:26.
[5] Ps. 23:3, 4.
[6] Ps. 130:1.
[7] Xenophon, Κύρου παιδεία, VIII, iii, 13, 14, v, 18, 19.

εἰσήρχετο εἰς τὴν πόλιν, τότε ὁ λαὸς ὅλος ἐξελθὼν διὰ τιμήν, διὰ δόξαν καὶ εὐχαριστίαν, ἄλλοι ἔστρωνασι τὰ ἴδιά τως φορέματα νὰ περνᾶ ἀπὸ πάνω, ἄλλοι ἔκοπτον κλάδους ἐκ φοινίκων καὶ με μίαν διάνοιαν, φωνήν, μ' ἕνα στόμα ἔκραζον λέγοντες· ,,ὡσαννά, ὡσαννά", etc. Ταύτην ἡμῖν τὴν ὑπόθεσιν προβάλλεται, περὶ ἧς λέξων ἥκω.

Χειρότερον πρᾶγμα δὲν εἶναι ὡς ἡ ἀχαριστεία, ὅταν εὐεργετηθῇς καὶ οὐκ εὐχαριστεῖς, ἐπειδὴ τυφλένεσαι καὶ οὐ γινώσκεις σεαυτόν, τότε μὲν ἴσως δεόμενον καὶ εἰληφότα τὴν εὐεργεσίαν, νῦν δ' ἀχαριστοῦντα· ἐφ' ᾧ ὁ θεὸς ὀργίζεται. Ὁ θεὸς εὐεργετῶν τὸν Ἰσραὴλ ᾠκονόμησεν καὶ εὗρεν χάριν παρὰ τοῖς Αἰγυπτίοις καὶ ἔλαβον τὸ χρυσίον αὐτῶν [1], καὶ ἀντὶ εὐχαριστείας μόσχον ἐποίησαν καὶ ἐπροσκύνουν [2]. Et 2 Paralipomenon, caput 16, de Asa rege: ,,οὐχ οἱ Αἰθίοπες καὶ οἱ Λύβιες ἦσαν εἰς δύναμιν;" [3] etc. Καὶ Σαοὺλ διὰ τὴν βασιλείαν ἀχάριστος τῷ θεῷ, διὸ ,,ἐξουδένωσας ...." [4]. Καθὼς λοιπὸν ἡ ἀχαριστεία κακόν, οὕτω κρεῖττον οὐδὲν ὡς ἡ εὐχαριστεία, δι' ἣν ὁ Δαβὶδ φίλος τῷ θεῷ· ἔλεγεν γάρ· ,,τί ἀνταποδώσω τῷ κυρίῳ" [5] etc. Εὐχαριστείαν τὴν σήμερον καὶ αἱ δύο ἀδελφαί, (Vide[....]) [213r] 223 (A pagina 221) ἦτε Μάρθα καὶ ἡ Μαρία, τῷ Χριστῷ, ὅτι ἀνέστησεν τὸν ἀδελφὸν αὐτῶν τὸν Λάζαρον. Δεικνύουσι δὲ τὴν εὐχαριστείαν τριχῶς· τῷ δείπνῳ, τῇ διακονίᾳ, τῷ δώρῳ.

Δεῖπνος ἡ μετὰ ἑτοιμασίας τράπεζα· ,,ἐποίησαν οὖν δεῖπνον ἐκεῖ" [6]· διχῆς δέ· εἷς, ὃν ὁ θεός, ὡς ,,ἄνθρωπος τὶς ἐποίησε δεῖπνον μέγα" [7]· ἦν δ' οὗτος ἡ ἔνσαρκος οἰκονομία, ἐν ᾧ τροφή μεν ὁ θεῖος ἄρτος — hîc discurre de specie sacramenti — ποτὸν τὸ θεῖον αἷμα, ὅτι ὁ ἄμοιρος τούτου οὐ σώζεται etc. Ἕτερος, ὃν ποιοῦσιν οἱ ἄνθρωποι· Apocalypsis 3: ,,ἰδοὺ ἕστηκα ἐπὶ τὴν θύραν καὶ κρούω· ἐάν τις ἀκούσῃ τῆς φωνῆς μου καὶ ἀνοίξῃ τὴν θύραν, εἰσελεύσομαι πρὸς αὐτὸν καὶ δειπνήσω μετ' αὐτοῦ καὶ αὐτὸς μετ' ἐμοῦ" [8], etc. Dic quod cœna pœnitentia; Ioannes 4: ,,ῥαββί, φάγε"· ,,ἐγὼ βρῶσιν ἔχω φαγεῖν ἣν ὑμεῖς οὐκ οἴδατε" [9], etc.

---

[1] Ex. 11:2, 3. Vide p. 133, n. 3.
[2] Ex. 32.
[3] II Par. 16:8.
[4] I Regn. 15:23, 26.
[5] Ps. 115:3.
[6] Ioan. 12:2.
[7] Luc. 14:16.
[8] Ap. 3:20.
[9] Ioa. 4:31, 32.

Διακονία· ,,ἡ δὲ Μάρθα διηκόνει" ¹. Ὁ ὑπηρετῶν ὅλοις καὶ πᾶσι τοῖς μέλεσι χρὴ διακονεῖν. Totum enim corpus opus ut serviat, nam si munus sola sine pede vel sine mente, res fieret imperfecta. Genesis 18, Ἀβραὰμ dicit: ,,εἰ εὗρον χάριν ἐναντίον σου, μὴ παρέλθῃς τὸν παῖδα" ², etc. ,,Ἔσπευσεν Ἀβραάμ" ³ etc. Ἀβραὰμ ὁ νοῦς. Modo Sarrae mandat, quae est ἡ προαίρεσις, modo aliis membris etc. Sic Martha quae est praxis.

Δῶρον· τὸ μῦρον ⁴. Uno modo: ἐκεῖ σκεῦος corpus; ἐκεῖ μῦρον bona opera; αἱ τρίχες ⁴ cogitationes. Altero modo, μύρῳ, εἰκότως· μῦρον γὰρ ὁ Χριστός· ,,μῦρον ἐκκενωθὲν ὄνομά σου" ⁵· ἐκένωσεν γὰρ ἑαυτὸν θεὸς ὤν. Ἡ ὀσμὴ ⁴ τὰ εὐαγγελικὰ ῥήματα (καὶ ἡ χάρις) ἃ ἠκούσθησαν ἐν ὅλῳ τῷ κόσμῳ· ὀσμὴ μύρ[...] ὑπὲρ πάντα τὰ ἀρώματα. Διὸ καὶ σκανδάλου αἴτιον [213v] τῷ Ἰούδᾳ ⁶· τοῖς γὰρ ἀπειθοῦσι σκάνδαλον ὁ Χριστός. Αἱ τρίχες οἱ ἅγιοι, ὅτι περισεύματα καὶ νεκραί, πλὴν κεφαλῆς κόσμος. Ὁ Χριστὸς ἐς οὐδενὸς χρείαν ἥκει, δοξάζεται δ᾽ ὅμως ἐν τοῖς ἁγίοις.

Talis gratitudo erga Christum propter miraculum resurrectionis, propter victoriam adversus mortem, quam cum populus vidisset et cognovisset, quando Christus Ierosolymam ingrediebatur, et ipse non prorsus ingratus. Magnifice illum excepit. Et dubitatur 1 quare Christus super asinum, 2° quare permisit tantam laudem sibi fieri.

Ad primum: super asinum sedebat

1. propter humilitatem. Tria animalia sunt humilia: asinus, bos et ovis. Ultimo comparatur, ,,ὡς πρόβατον ἐπὶ σφαγήν" ⁷, etc., paenultima in sua nativitate adfuit, antepenultimo modo utitur. Triplex et humilitas: erga deum, erga proximum, erga se, etc.

2. propter simplicitatem, quia simplex animal. Simplex enim et sincerus et fidelis sermo Christi, non ut quorundam contra quos

¹ Ioa. 12:2.
² Gen. 18:3.
³ Gen. 18:6.
⁴ Ioa. 12:3.
⁵ Cant. 1:3.
⁶ Ioa. 12:4-6.
⁷ Is. 53:7.

invehitur David, Psalmo 54: „ἡπαλύνθησαν οἱ λόγοι αὐτῶν" [1] etc.,
et Psalmo 61: „τῷ στόματι αὐτῶν ηὐλόγων" [2], etc.

3. pacientiam, quia tolerat labores, sine qua nil perfici potest. Ut
enim agricola .... etc. Lege Stapletonem, partem hyemalem,
pagina 376 [3]. Psalmus 72: „κτηνώδης ἐγενόμην παρὰ σοί" [4].

4. ut praesignificaret gentes. Sicut enim asinus τῶν ἀκαθάρτων
ἦν ἐν τῷ νόμῳ [5], sic gentes. Oblongas habet aures. Sic gentes. Ideo
crediderunt. Ex auditione enim fides [6], [214r] 224 quod
praesignificatum Iudices 15. Sampson enim ex asini maxilla potatus
fuit [7] etc., et Balaam [8] etc.

Ad secundum: quare permisit laudari. Primo ad irridendam
gloriam mundi. Post parum enim qui triumphabat ut latro condemnatus est. Secundo ut nobis significaret, quod cantibus et
hymnis se confert ad mortem pro salute nostra. Exeunt omnes et
clamant: „ὡσαννά" [9]. Apocalypsis 14, canticum novum[10] etc.
'Αρμόδιος λόγος· ἑρμηνεύεται γὰρ „σῶσον". David: „σῶσον δή,
ἐυόδωσον δή"[11], etc. Κάθε βασιλεὺς ὅταν εὐγένει εἰς πόλεμον καὶ ὅταν
γυρίζει, τοῦ κάμνουσιν ντόβα[12]. Τῷ Δαβίδ· „κύριε, σῶσον τὸν βασιλέα"[13],

---

[1] Ps. 54:22.
[2] Ps. 61:5.
[3] Thomas Stapleton, *Promptuarium Morale super Evangelia totius anni*,
(Mons Bibliothèque Centrale), Pars Hyemalis, Antverpiae, In Officina
Plantiniana, 1593, In Dominicam Sexagesimae, 8, p. 376: Quemadmodum
enim agricola de semine suo in terram iacto nunquam fructum referet, nisi
magna usus fuerit patientia, nisi multos labores perferat, multum diuque
messem expectet; unde David, Euntes ibant & flebant, mittentes semina
sua: sic cor bonum, adeoque optimum, ex verbo Dei accepto nunquam
fructum referet, nisi magna cum patientia, & animi fortitudine, Qua negligen-
tiam excutiat, consuetudini pravae resistat, tentationes, vel ex cupiditate,
vel ex voluptate natas, repellat, operi virtutis, quod verbum docet, incumbat.
[4] Ps. 72:22.
[5] Lev. 11:3.
[6] Ro. 10:17.
[7] Iudc. 15:15-17.
[8] Nu. 22:22-33.
[9] Ioa. 12:13.
[10] Ap. 14:3.
[11] Ps. 117:25.
[12] Daco-romanice dova, Turcice du'ā', appellatio, invocatio. *The Ency-
clopaedia of Islam*, new edition, ed. B. Lewis, Ch. Pellat and J. Schacht, II,
Leiden 1965, pp. 617-618.
[13] Ps. 19:10.

καὶ „Σαοὺλ ἐν χιλιάσι, Δαβὶδ ἐν μυριᾶσι"¹. Sic et Christo: „ὡσαννά".
Ad istam laudem provocantur βασιλεῖς τῆς γῆς καὶ πάντες λαοί,
ἄρχοντες ² etc., ut clament osanna, comitentur Christum in maius
certamen. „Εὐλογημένος ὁ ἐρχόμενος"³ etc. Quando publicum
aliquod certamen celebratur, vir qui solus pugnam sustentaturus
amicis propriis magno cum apparatu deducitur, in loco autem
constitutus relinquitur. [214v] „Βασιλεὺς τοῦ Ἰσραήλ"³. Verè
Christus rex Israël fuit, nam Hebraei ad Samuelem olim clamabant:
„constitue nobis regem"⁴, et deus quamvis indignatus iussit tamen
Samuelem ungere Saulem ⁵, magno cum populi detrimento. Deum
enim noluerunt regem, sed hominem, quod deus misericors cor-
rigens filium suum dedit nobis, ut ipse deus et homo noster rex
esset. Ideo „βασιλεὺς τοῦ Ἰσραήλ"³. David fuit primo rex sed
persequutus, deinde rex in pace. Sic Christus in hoc mundo persequutus, in altero vero in pace. Tantam laudem meretur Christus
propter tantam mortis victoriam. Custodiam enim diaboli primo
dissipavit et Lazarum amicum liberavit ⁶, congressurus cum ipso
rege inferni super lignum crucis. Tantam meretur gratitudinem ab
omnibus. Quale tempus illud erit, quo et nos gratias agemus,
obviam ibimus domino nostro, benefactori nostro, sponso nostro!
Sponsus enim est animae nostrae. Bene tamen scitis quod si thalami
sint aureis operti, etc., (Stapleton, pars hyemalis, pagina 590 ⁷)
et sponsa deformis, nil est. Tunc erit pulcra, quando gratias agit

---

¹ I Regn. 18:7.
² Ps. 148:11.
³ Ioa. 12:13.
⁴ I Regn. 8:5.
⁵ I Regn. 9:16, 17.
⁶ Ioa. 11:1-44.
⁷ Thomas Stapleton, *Promptuarium Morale*, Pars Hyemalis, Antverpiae
1593, In Dominicam Palmarum, 5, p. 590-591: Sicut enim in sponsae (ut
appositè scribit B. Chrysostomus) licet thalami sint velis aureis operti, licet
mulierum adsint pulcherrimarum chori, licet rosae, licet coronae, licet
ancillae, licet amici, licet sponsus, licet omnes decus & ordinem pulcherrimum
servent, tamen illa si deformis sit & turpis, perit totum nuptiarum decus,
non honoratur sponsus, non delectantur amici: ita quidem & in anima, quae
sola Dei sponsa est, si illa sola decus & dignitatem suam non servet, si illa
sola rationis & pietatis regula turpiter exorbitet. etsi divitiae affluant,
honores abundent, caeteráque omnia suppetant, quae apud homines in
precio habemus, totus tamen homo Deo displicet, & coram Angelis Dei
despicitur.

(Stapleton, pars hyemalis, pagina 208 [1]). Canticum 4: ,,ἰδοὺ εἶ
καλή, ἡ πλησίον μου, ἰδοὺ εἶ καλή· ὀφθαλμοί σου περιστεραί" [2].
Columba gratum est animal. Ubi comederit granum, caput erigit in
signum gratiarum. Magnum malum ingratitudo (Ibidem Stapleton [3]). Qui sitit ad fontem currit, potatus terga vertit. [215r] 225 Sol
per radios exaltat nubem, quae ubi fuerit exaltata obscurat cumen
solis. Sic ingratus deum spernit. Esaias 1: ,,filios enutrivi, ipsi me
spreverunt" [4]. Exemplum de S. Sabba, Stapleton, pars hyemalis,
pagina 211 [5], et de draconis gratitudine pars aestivalis, pagina 326 [6].

---

[1] Thomas Stapleton, *op. cit.*, Pars Hyemalis, In Dominicam III post
Epiphaniam, p. 208-209: Sponsa in Canticis, quae est anima fidelis, quum
laudatur à sponso, ut tota pulchra: prima pulchritudinis pars, unde sic
laudatur est: Oculi tui sicut columbarum. In quo eam gratitudinis nomine
collaudat. Columba cùm singula grana rostra deglutit, rostrum atque
oculos in altum extollit. Accipit unum granum, & oculos in altum elevat:
accipit alterum, & iterum oculos erigit: & sic denique ad singula grana
facit, quae deglutit. Talis est anima fidelis: ad singula Dei beneficia oculos &
corda sursum tollit, gratias agens Deo suo.

[2] Cant. 4:1.

[3] Thomas Stapleton, *Promptuarium Morale*, Pars hyemalis, p. 209:
Ingratitudo verò (ait Divus Bernardus) est quasi ventus exiccans & urens
fontem pietatis, rorem misericordiae, fluenta gratiae. Si Rex quotannis mille
aureos tibi dari iuberet, tu verò illos omnes in emendo veneno, quo eum
tolleres, vel in armis ad ei bellum inferendum, consumeres; nónne maximam
iniquitatem te admisisse, & mille mortes commeruisse omnes iudicarent?
At sic faciunt qui Dei dona in occasionem peccati vertunt, qui divitiis,
honoribus, scientia, accepta denique frequenti peccatorum remissione, ad
luxum, ad superbiam, ad impietatem, ad faciliorem recidivam abutuntur.
Dedit Deus Hebraeorum populo eam gratiam in oculis Aegyptiorum, ut eos
omni auro atque argento, rebusque pretiosis spoliarent. At boni isti Hebraei
ex his Aegyptiorum spoliis vitulum sibi aureum conflaverunt quem, reiecto
vero Deo, infandè colerent. An magis execrabilis potuit esse ingratitudo?
At eandem committimus omnes, qui, quod modo dictum est, facimus.

[4] Is. 1:2.

[5] Thomas Stapleton, *Promptuarium Morale*, Pars Hyemalis, In Dominicam
III post Epiphaniam, p. 211: Ad hanc ingratitudinem circa Dei beneficia
diligentissimè cavendam, innumera gratitudinis exempla, barbaris &
ethnicis exhibita, nos incitare debebant: quod fecit S. Saba, multorum
monasteriorum celeberrimus pater. Quibusdam Agarenis per cellam eius
transeuntibus, & famentibus, apposuerat radices tantum quasdam mela-
griorum, & arundinum cortices: neque enim alio cibo ipse utebatur. Re-
dierunt illi postea, afferentes ei caseos & dactilos. Quo viso, Heu mihi,
inquit, Barbari isti, parvi nostri beneficii memores, referre gratiam munificè
studuerunt: nos autem, qui quotidie fruimur bonis Creatoris, nullam ei
vicissim studemus referre gratiam per mandatorum observationem.

[6] Thomas Stapleton, *Promptuarium Morale*, ..., Pars Aestivalis, (Mons

Simus grati, fratres (summe à coena), eamus obviam, sed quomodo nisi bona opera facientes, confessionem amplectentes cum
poenitentia et contritione. Tunc et communione digni erimus.
Obviemus Christum. Palmam teneamus. Palma triplicem pro-
prietatem ª. Prima ὅτι ἔχει ἄκανθα. Sic nos ad impediendos conatus
diabolicos. Secunda ὅτι πατούμενος ὑψοῦται. Sic nos debemus, si
humana infirmitate aliquando cadimus. Tertia χλωερός. Sic nos
bonis operibus florentes vestes nostras substernamus, μηδὲν τοῦ
Χριστοῦ προτιμήσωμεν, μηδὲν ὑμᾶς ἀποσπάσῃ τῆς ἀγάπης τῆς πρὸς τὸν
Χριστὸν καὶ τῆς ἧς χρεοστοῦμεν ἔχειν προθυμίας δια τὴν ψυχικὴν
σωτηρίαν. Sed omnia Christo subiiciamus. Sic erimus digni et in
altero saeculo deum laudare cum sanctis angelis, cui sit honos et
gloria etc.

XXII

[145v]   144   Venerdi Santo, 1601, alli 10 Aprile. Composta in
Giassi. Prooemio. Non recitata.

Ἂν ἴσως καὶ καθα εἷς λοιπᾶται [1] καὶ κλαίει, ὅταν ἰδῇ ἔνα καλὸν
ἄρχοντα καὶ σπλαχνικὸν βασιλέα τιμημένον, δοξασμένον, ὁποῦ πολλὴν
καλοσύνην καὶ μεγάλην εὐεργεσίαν ἔκαμεν τῷ κόσμῳ, χωρὶς αἰτίαν νὰ
πάσχει ἄδικα, νὰ τιμωρᾶται ἀπὸ τοὺς ἰδιούς του ὑπηρέτας καὶ δούλους,
ποῖος εἶναι κεῖνος ὁποῦ με κλαυθμερὰ ὀμμάτια καὶ με θλιβερὴν καρδίαν
δὲ θέλει ἰδῇ, καὶ δὲ θέλει ἀκούσῃ, ὅτι πῶς ὁ πλάστης τοῦ κόσμου, ὁ
εὐεργέτης τῶν ἀνθρώπων, ὁ κύριος τῆς δόξης, ὁ υἱὸς τοῦ θεοῦ, ἐν ᾧ οὐκ

---

a) Additum: quia rectum.

Bibliothèque Centrale), Antverpiae, In Officina Plantiniana, 1593, In
Dominicam XIII post Pentecosten, p. 326: Ipsa bruta animantia ingratitudinem nostram coarguunt, & naturae instinctus plus apud ea valuit,
quàm apud nos pietas valere solet. Civitas est in Achaia, nomine Patrae. In
ea puer draconem parvulum emebat, magnaque eum cura educabat: cumque
crevisset loquebatur quasi cum intelligente, ludens ac dormiens cum ipso.
Cùm verò ad ingentem magnitudinem draco pervenisset, in solitudinem à
civibus est dimissus. Pòst, cùm puer adolescens factus, reversus à spectaculo
quodam, cum aliquibus aequalibus in latrones incidisset, & clamorem
extulisset, ecce draco praesto est, & alios in fugam vertit, alios interimit,
ipsum verò salvum conservat. Quid dracone inhumanius? humanitatis
tamen, ut benefactori se gratum ostenderet, oblivisci non potuit.
[1] = λυπᾶται.

εὑρέθη δόλος ¹, τὴν σήμερον ἀπὸ τὸν ἴδιόν του ὑπηρέτην, ἀπὸ τοὺς ἰδιούς (ἴδιόν) του σκλάβους (σκλάβον), ἀπὸ τὸ ἀχάριστον γένος τῶν Ἰουδαίων, ὡς κατάδικος εἶναι παραδομένος, ὡς κακούργος πιασμένος, ὡς λῃστῆς ἀποφασισμένος, καὶ εἰς τὸν σταυρὸν κρεμασμένος, κυκλωμένος ὄχι ἀπὸ τὰ χερρουβεὶμ καὶ σερραφείμ, καθὼς τὸν ἔβλεπεν ὁ θειότατος προφήτης, ὁ Ἠσαΐας ², ἄμε τριγυρισμένος ἀπὸ κλέπταις, ἀπὸ φονιάδαις, ἀπὸ χαραμίδαις ³, οἱ ὁποῖοι χωρὶς νὰ ἔχουσι καμίαν λύπην (σπλάχνος), χωρὶ νὰ κάμουσι κανέναν ἔλεος, καὶ ἐμπαίζουσι καὶ βλασφημοῦσι καὶ θανατόνουσι καὶ τὴν πλευρὰν ὀρύττουσι. Οὐαί, οὐαί! Τί πάθη ἐστι ταῦτα ἃ ὑπομένεις ἄδικα. Τί μυστήριαν εἶναι ταῦτα ἃ οἰκονομεῖς, ἐπουράνιε βασιλεῦ. Τί φρικτὰ καὶ φοβερὰ πράγματα (πάθη), ὁποῦ μᾶς φανερώνεις. Πῶς νὰ μὴν κλαύσῃ καὶ νὰ μὴν θρηνίσῃ καθα εἷς ὄχι μόνον διηγούμενος καὶ λέγοντας τα, ἄμα βάνοντάς τα εἰς τὸν νοῦν του. Περὶ τούτων καὶ ἡμεῖς λέξειν ἤκομεν. Πλὴν ὅτι δύσκολον τελειῶσαι ἄνευ θείας βοηθείας, προστρέξωμεν πρὸς τὴν κοινὴν μεσίτριαν, τὴν τοῦ κόσμου προστασίαν, εἰς τὴν ὑπεραγίαν θεοτόκον, ἣν εἰ καὶ λυπημένην εὑρήσομεν θεωροῦσαν τὸν υἱὸν τὸν μονογῆ αὐτῆς, τὸν ἠγαπημένον, ἐν σταυρῷ, καὶ ὀδυρομένην πικρῶς, ὅμως δεῦτε πάντε· μιᾷ καρδίᾳ καὶ διανοίᾳ καὶ ἑνὶ στόματι, ὡς ὑπακούσῃ λέξατε· ,,προστασία τῶν χριστιανῶν'' ⁴ etc.

[146r] 145 (Principium hoc magis ad coenam domini quam ad passionem accomodatur). Συνήθειαν ἔχουσιν magnates qui moriuntur, vel quando discedunt ad longiquas regiones ut testamentum faciant, ut ordinent, atque omnia sua disponant etc. Ordinando vero et disponendo duo solent facere, vel donare, vel praecipere, id est χαρίσμασι, καὶ παραγγελείαις. Sic Christus (Ioanne 13) εἰδὼς ὅτι ἐλήλυθεν ἡ ὥρα ἵνα μεταβῇ ἐκ τοῦ κόσμου τούτου πρὸς τὸν πατέρα ⁵ etc. donat, dum relinquit, apostolis corpus suum: ,,λάβετε, φάγετε'' ⁶ et sanguinem: ,,πίετε'' ⁷ etc. Hîc perge de sacramento eucharistiae.

---

¹ 1 P. 2:22.
² Is. 6:2.
³ Χαραμής, ladro, assassino. Alessio da Somavera, *Tesoro della Lingua Greca-Volgare ed Italiana*, Parigi 1709, p. 441.
⁴ *Analecta Sacra Spicilegio Solesmensi*, ed. Ioannes Baptista Pitra, Tom. I, Parisiis 1876, Παρακλητικόν, p. 535, VI, α'.
⁵ Ioa. 13:1.
⁶ Mt. 26:26.
⁷ Mt. 26:27.

Praecipit dum illos docet: ,,ἐντολὴν καινὴν δίδωμι ὑμῖν'' [1], etc.
Lege in indice ἀγάπη, pagina 27 *. Praecipit dum suo exemplo

---

* [33r]   27   Index (Vide Introductionem p. 5)

'Αγάπη· Ioannes 13, versus 34: ,,ἐντολὴν καινὴν δίδωμι ὑμῖν, ἵνα ἀγαπᾶτε ἀλλήλους, καθὼς ἠγάπησα ὑμᾶς'' [1], etc. ᾱᵒᵛ amorem commendat quia τὰ μικρὰ αὐξάνει et è contra ecclesiae enim opus erat multiplicatio etc.; β̄ᵒᵛ propter perfectionem, nam nisi deum imitemur non possumus esse perfecti propterea, et ad imaginem sumus creati. Deus autem est ipsa charita. Lege pagina 30 **. ,,Καθὼς ἠγάπησα, οὕτω ἀγαπᾶτε ἀλλήλους'' [1] et ,,ἐκ τούτου γνώσε[...] ὅτι ἐμοὶ μαθηταί ἐστε, ἐὰν ἀγαπᾶτε ἀλλήλους'' [2]. Λευιτικόν 6· οὐ σβεσθήσεται (ᾱ) τὸ πῦρ ἐπὶ (β̄) τὸ θυσιαστήριον [3]· ᾱ ἡ ἀγάπη, β̄ ἡ καρδία ἡ καθαρά. ,,Καρδίαν καθαρὰν κτίσον ...'' [4] etc. Et deus dicitur ,,πῦρ καταναλίσκον'' [5]; ut enim ignis ceram ad propriam vertere optat naturam, sic deus homines. Et ut πυροῦται τὸ χρυσίον καὶ τὸ ἀργύριον [6] ad probationem, sic à deo homines. Hanc charitatem nobis tradit dominus ante passionem. Ideo dicit: ,,ἀγαπήσας τοὺς ἰδίους τοὺς ἐν

** [36r]   30   Index.

Ex Charitate eluxit hominibus trinitas, id est amans, quod amatur et amor. 1 Ioannes 4: ,,Deus charitas est'' [7]. 1 Ioannes 4, mens dilectio est. Augustinus, De Trinitate, liber 15, caput 6 [8]. Non dixit Ioannes: ,,domine charitas mea'', vel: ,,tu es charitas mea'', vel: ,,deus charitas mea'', quia ita donum dei intelligeretur, sicut psalmo 70: ,,quoniam tu es patientia mea'' [9], non quia dei substantia sit patiencia nostra, sed quod ab ipso nobis est, sicut alibi, psalmo 61: ,,quoniam ab ipso est patientia mea''[10]. Sic dicitur: ,,tu es, domine, spes mea''[11], et: ,,deus meus misericordia mea''[12], et similia. Sed dicitur: ,,Deus charitas est'' [7]; sua enim substantia ipsa charitas est[13].

---

[1] Ioa. 13:34.
[2] Cf. Ioa. 13:35.
[3] Lev. 6:1, 5, 6.
[4] Ps. 50:12.
[5] Dt. 4:24, 9:3; Hb. 12:29.
[6] Za. 13:9.
[7] I Ioa. 4:16.
[8] Aurelius Augustinus, De Trinitate, XV, vi, 10.
[9] Ps. 70:5.
[10] Ps. 61:6.
[11] Ps. 90:9.
[12] Ps. 58:18.
[13] Aurelius Augustinus, De Trinitate, XV, xvii, 27.

illos obedientiam. Lege in indice obedientia *. Et humilitatem

τῷ κόσμῳ" ¹, addit tamen: „εἰς τέλος ἠγάπησεν αὐτούς" ¹. Charitas enim erga fratres triplex est. Primo θεῖναι τὸν πλοῦτον ὑπὲρ τοῦ ἀδελφοῦ, ὡς ὁ Χριστὸς dedit nobis suos spiritus, id est sanctos angelos à thesauro suo. Ideo dicitur: „ὁ ἐξάγων ἀνέμους ἐκ θησαυρῶν αὐτοῦ" ². Secundo θεῖναι [33v] τὴν τιμήν, ut Christus multas ὕβρεις pro nobis est passus. Tertio ut vitam, ut Christus pro nobis. Si deest una pars, non est perfecta charitas et quia Christus habuit omnes, ideo εἰς τέλος ἠγάπησεν αὐτούς. Imò Christus in charitate erga nos non humanum, sed divinum nobis tradidit exemplum, nam pro amico mori certe magnum est. Ioannis 15: μείζονα ταύτης ἀγάπην οὐδεὶς ἔχει, ἵνα τὶς τὴν ψυχὴν αὐτοῦ θῇ ὑπὲρ τῶν φίλων ³. Sed hoc et homo facit, sed pro inimicis mori hoc divinum est, quod solum in Christo, etc.

* [71v] 67 Index.

Obedientia. Maioribus obediendum. Sicut enim tonsori obedis qui supra caput tenet forficem et vertis, humilias, erigis, si dixerit, caput etc. ..., Diez, Tomus 2, pagina 332 ⁴, sic deo debes etc. Stapletonem lege, partem hyemalem, pagina 176 ⁵. Ἑβραίους 11:

---

¹ Ioa. 13:1.
² Ps. 134:7.
³ Ioa. 15:13.
⁴ Philippus Diez, *Concionum quadruplicium* .... tomus secundus. Altera editio. Lugduni, apud P. Landry, 1589 (Paris Bibl. Nat. D 32494), Feria V post Dominicam III in Quadragesima, p. 332-333:

Quare domini furorem non pertimescitis? Notate quodam exemplum, quo vos faciam obmutescere: ita, ut non habeatis, quid mihi possitis respondere. Quando quis tondetur debet esse nimis quietus: si illi dicit tonsor, eleva caput, statim elevat, si declinare iubet, continuo illud declinat, si iubet aperire os, aperit, denique si illi huc, aut illuc verti iubet, omnia libentissimè adimplet. Quod si illum interrogetis, quare illo homine gubernetur? respondebit, quia habet in manu novaculam, & super caput meum illam vibrat, & iuxta fauces meas ponit, & in magno discrimine constitutus sum, ne aliquid vulnus mihi infligat. Attendite nunc: Nunquid omnia in ditione Dei non sunt posita? sic dicitur, quia in ditione tua cuncta sunt posita. Nunquid Deus non habet in manu sua ancipitem novaculam? sic certè, sic enim dicitur, nisi conversi fueritis gladium suum vibravit. Nunquid super vos manum suam non habet positam? talem autem manum, quam magnopere pertimescens Iob dicebat: Manum tuam longè fac a me. Siquidem igitur hic dominus vobis dicit: caput extollite, hoc est coelestia contemplamini, &c. caput reclinatè per humilitatem, vultum convertite, & proximis vestris loquimini, inimicisque vestris ignoscite. Aperite os, id est laudate me, quare huic potentissimo Domino non obtemperatis? obeditis tonsori timentes ne vos percutiat, quare igitur non timetis, ne a Deo percutiamini.

⁵ Thomas Stapleton, *Promptuarium Morale super Evangelia totius anni*,

docet pedes lavando ¹ etc. Talia decebat donare et dolere. ,,'Ὑμεῖς
με λέγετε ὁ κύριος καὶ ὁ διδάσκαλος" ², etc. Hinc ad illud ,,περίλυπός
ἐστιν ἡ ψυχή μου" ³, ᾱᵒᵛ quia sciebat dulcissimam matrem sibi

'Ἀβραὰμ ὑπήκουσεν ἐξελθεῖν ⁴ etc. Dic quod nos ταῖς ἰδίαις ἀκολουθεῖν ἁμαρτίαις προελόμενοι οὐκ ἀκολουθοῦμεν et non obedimus
deo. Christus quia per inobedientiam cecidit homo, per obedientiam
vulnus medetur. Φιλιππησίους 3: ,,γενόμενος ὑπήκοος" ⁵ etc. Ioannes 6:
,,καταβέβηκα ἐκ τοῦ οὐρανοῦ οὐχ ἵνα ποιῶ τὸ ἐμὸν ἀλλὰ τὸ θέλημα τοῦ
πέμψαντός . . ." ⁶, hoc est ut crucifigatur.

(Mons Bibliothèque Centrale), Pars Hyemalis, Antverpiae, In Officina
Plantiniana, 1593, In Dominicam II post Epiphaniam, p. 176:
    Propter primum Christus laudavit Centurionis fidem, qua dixit: Ego homo
sum sub potestate constitutus, & dico huic, Vade, & vadit; & servo meo.
Fac hoc, & facit. Nam ut Centurio ex hac sua, & suorum obedientia facilè
collegit omnia Deo obedire, ideoque solo verbo Christum sanare posse: sic
Christus hanc collectionem mirificè probans, ideoque fidem eius com-
mendans, eadem opera ipsam quoque collectionem, & assumptam pro-
positionem laudat; & docet, omnia revera debere sic Deo & Christi verbo
obedire, sicut in seculari potestate, Principis verbo omnia obediunt. Quae
sanè obedientia secularis nostram erga Deum maximè deberet incitare sicut
illam deficientem maximè coarguit atque confundit. Scipio Maior suos in
Sicilia milites ostendens, dixit: Nullus horum est, qui non concensa turri
semper in mare praecipitaturus sit, si iussero. Cuius etiam gestae obedientiae
exemplum commemorat Baptista Fulgosius, Assasinorum in Syria princeps,
Vaetus dictus, praesente Henrico Campaniae Comite, qui ad eum Legatus
venerat, ut suorum subditorum obedientia quanta esset, ostenderet, mon-
stratis in altae turris summitate aliquot hominibus, unum nominatim
evocavit: & is nulla mora facta in ipsorum conspectu è turri se dimisit; qui
ex casu detritus, vitam statim finivit. Et cùm alios etiam vocare vellet,
Comitis precibus, ne id faceret, vix retentus fuit. Sed & non minorem
obedientiae erga Deum promptitudinem (qui ea abuti non potest, ut mundi
Principes) Scripturae nos docent. Quod enim scribit Ezechiel, Animalia ibant
& revertebantur, in similitudinem fulgeris coruscantis, celeritatem obedientiae iustorum significat: quia divinis praeceptis & omnibus etiam
internis moribus, velocissimi fulguris instar obediunt. Hanc promptissimam
& celerem obedientiam Abraham praestitit, pater credentium, & cuius
aequè obedientiam atque fidem sequi debemus, quando sicut hanc Paulus,
ita illam Iacobus, & necessariam commendat. Ait enim: Et ex operibus
fides eius consummata est: id est, ad salutem perfecta & efficax; futura
alioqui inutilis, &, ut Iacobus ibi loquitur, mortua.
    ¹ Ioa. 13:1-11.
    ² Cf. Ioa. 13:13.
    ³ Mt. 26:38; Mc. 14:34.
    ⁴ Hb. 11:8.
    ⁵ Phil. 2:8.
    ⁶ Ioa. 6:38.

compati, β^{ον} propter scandalum discipolorum, et perditionem
Iudae. Ideo καὶ ἐγένετο ἐν ἀγωνίᾳ. Ἀγωνία autem est ἀπάλή ¹ τις,
quae triplex in Christo fuit:

1. naturae cum morte; natura enim numquam mori vult; accidit verò invito viventibus mori, non enim tantum animalia, sed et
ipsa insensibilia, ut sunt arbores, unquam deponerent flores et folia,
nisi cogerentur ab hyeme. Sic natura in Christo.

2. cum patre, nam exigebat poenas pro peccato. Hîc discurre
quod filius dei semper pro nobis stetit ut fidei iussor coram patre.
Σηράχ· „χάριτας ἐγγύου, μὴ ἐπιλάθῃ· ἔδωκε γὰρ τὴν ψυχὴν αὐτοῦ ὑπὲρ
σοῦ" ².

3. cùm diabolo, qui quaerebat deglutire discipulos; iam enim
unum vicerat Iudam. Εἰσῆλθεν ὁ σατανᾶς εἰς αὐτόν ³. Si lupus non
timuit intrare gregem Christi et unum de duodecim mactare, quid
faciet de grege pastori con isso? „Τοῦ διαβόλου ἤδη βεβληκότος εἰς τὴν
καρδίαν" ⁴ etc. Hînc sudor ille sanguineus. Perge. Talia Christus pro
salute nostra, pro liberatione nostra etc. Iudas è contra quomodo
illum prodere, quot argenteos accipere etc. Perfida synagoga
consilium capit ⁵, pecuniam pollicetur ⁶, signum assignat ⁷ etc., ut
Iezabel adversus Heliam ⁸, Herodias contra Ioannem ⁹, etc. [146v]
Hînc adventus Iudae, et perfidum osculum; „χαῖρε, ῥαββί"¹⁰.
Pondera Christi verba: „ἑταῖρε, ἐφ' ᾧ πάρει;"¹¹ et alter evangelista:
„Ἰούδα, φιλήματι παραδίδως τὸν υἱὸν τοῦ ἀνθρώπου;"¹² quae dixit
Christus, ut illum ad poenitentiam traheret. Ἑταῖρον καλεῖ, ut
reduceret in memoriam amicitiae foedus, benefficiorum magnitudinem; ut amicum enim semper illum et amavit et coluit. Nota ibi

---

¹ = πάλη.
² Sir. 29:15.
³ Luc. 22:3; Ioa. 13:27.
⁴ Ioa. 13:2.
⁵ Mt. 26:4.
⁶ Mc. 14:11; Luc. 22:5.
⁷ Mt. 26:48.
⁸ III Regn. 19:2.
⁹ Mt. 14:3-11; Mc. 6:17-28.
¹⁰ Mt. 26:49.
¹¹ Mt. 26:50.
¹² Luc. 22:48.

Petri audaciam: καὶ σπάσας τὴν μάχαιραν ¹ etc.· Christi verbum: δύναμαι λεγεῶνας ιβ̄ ἀγγέλων ² . . . . . Pondera illud: „τίνα ζητεῖτε, ἐγώ εἰμι" ³. Dic quid sit hoc „ἐγώ εἰμι", et quod omnes ceciderant ⁴ etc. Capitur. Omnes fugiunt apostoli. Nemo defensor, et socius et amicus. Ducitur ad Annam, qui illum mittit ad Caiapham. Domo Caiaphae condemnatus, et tota nocte delusus. Mane ad Pilatum etc. Lege in evangelio. Hîc de diaboli cura, et gaudio, ministerio, modo ad Chaiapham, modo ad Iudaeos etc. Ad mortem condemnatus etc. Crucem tollit ὁ Κυρηναῖος gentilis. Gentes enim crucem Christi ante omnes debebant tollere. Canticum 8: „ὑπὸ μῆλον ἐξήγειρά σε· ἐκεῖ ὠδίνησέ σε ἡ μήτηρ σου" ⁵ etc.

Nota septem verba in cruce. Primum: „πάτερ, ἄφες αὐτοῖς τὴν ἁμαρτίαν ταύτην· οὐ γὰρ οἴδασι τί ποιοῦσιν" ⁶. Οἱ σταυρώνοντες οὐ παρακαλοῦσι, κἀκεῖνος μεσιτεύει. In verbo „ἄφες"· ex hoc verbo sacerdotium Christi in chruce; „θυσίαν καὶ προσφορὰν οὐκ ἠθέλησας, σῶμα δὲ κατηρτίσας . . ." ⁷ etc. Romanos 5: „cum inimici essemus reconciliati sumus" ⁸ etc. [1471] 146 Dicit „pater", non „domine", quia est nomen misericordiae. Dic quod Isaac dixit Abraham, quamvis illum immolari volebat: „pater, ignis et ligna" ⁹, etc. Ἔκαυσεν ὁ λόγος τὰ τοῦ πατρὸς σπλάχνα. „Αὐτοῖς"· non maledicens loquitur, nam debebat dicere „perfidis, perversis", sed „αὐτοῖς". „Οὐ γὰρ οἴδασι τί ποιοῦσιν"· ignorabant enim Christum esse in carne. Obiectio: dubitatur utrum exaudivit pater Christum; quando enim dixera: „πάτερ, δόξασόν σου τὸν υἱόν", vox audita: „ἐδόξασα καὶ πάλιν . . ."¹⁰ etc.; et modo nil responsum est. Solvitur: exauditur modo secretiori et ἐσωτέρω· ᾱᵒᵛ ὅτι κωλύει τὰ κτίσματα, ne ulciscerentur iniuriam creatoris; β̄ᵒᵛ τὸν κεντιρίονα καὶ πολλοὺς ἄλλους εἷλκεν¹¹· γ̄ᵒᵛ in Pen-

---

¹ Mt. 26:51.
² Mt. 26:53.
³ Ioa. 18:4, 5.
⁴ Ioa. 18:6.
⁵ Cant. 8:5.
⁶ Luc. 23:34.
⁷ Ps. 39:7; Hb. 10:5.
⁸ Ro. 5:10.
⁹ Gen. 22:7.
¹⁰ Ioa. 12:28.
¹¹ Mt. 27:54; Mc. 15:39; Luc. 23:47, 48.

tecoste, modo tria¹ modo quinque² millia ad se traxit, tanquam si responderet pater hoc modo: ,,exaudio te, fili, non sunt digni, etc., sed fontes aperio misericordiae, τὰς ἀγκάλας ἀνοίγω, ἃς σὺ δι᾽ αὐτοὺς ἐν τῷ σταυρῷ, τὸν βουλόμενον οὐ μὴ ἐκβάλλω ἔξω''. Secundum verbum: ,,ἀμὴ λέγω σοι, σήμερον μετ᾽ ἐμοῦ ἔσῃ ....''³ etc. Τῷ βλασφήμῳ nil respondet, ut mansuetudine iram repelleret. Alteri respondet quia probat suum consilium. Cui non respondet indicat silentio pœnas inferni, non quod Christus dat, sed quia ille meritus est. Romanos 2: ,,ὃς ἀποδώσει ἑκάστῳ''⁴ etc. [147v] Qui petit plus accipit et quam quaerit, plus pollicetur. Memoriam vult et gloria promittitur. Dic quod Ioseph dixerat τῷ ἀρχιοινοχόῳ, cui explicavit in somnium, ut memoriam haberet illius, et non habuit etc. ⁵, et Christus plus dat etc., et iuramento affirmat, ut certus sit. ,,Amen dico'' etc.; id est veritas quae mentiri nescio; dominus de re mea constituo. ,,Σήμερον''· ex hac hora diabolus amisit spolium, de quo Christus triumphat. Latro, cui suspendium, in paradisum, qui socios fures comes Christi, qui transfuga malis operibus paradisi particeps etc. Ὁ misericordiam, ὁ etc. Tertium verbum: ,,γῦναι, ἴδε ὁ υἱός σου· ἰδού, ἡ μήτηρ σου''⁶. Consolatio etc. Quartum circa horam nonam: ,,eli, eli, lema sabacthàni?''⁷ Tribus horis siluit, nonam loquutus est, ne crederetur phantasma. ,,Ἵνα τί με ἐγκατέλιπας;'' divinitas enim non adiuvit humanitatem, quae pro peccato hominis passa, quod peccatum ἐνεδύθη σχετικῶς⁸. [148r] 147 Quintum: ,,sitio''⁹. De siti salutis et correctionis naturae. Ioannes 4: ,,δός μοι πιεῖν''¹⁰· ἡ δίψα ἐκ τοῦ καϊμοῦ, qui est amor quem erga nos habet. Dic quod passus est secundum omnes sensus, secundum quos et homo peccaverat. Sextum: ,,τετέλεσται''¹¹. Ὅταν τὶ τελειωθῇ, οὐδὲν λείπει.

---

¹ Act. 2:41.
² Unde?
³ Luc. 23:43.
⁴ Ro. 2:6.
⁵ Gen. 40.
⁶ Ioa. 19:26.
⁷ Mt. 27:46; Mc. 15:34.
⁸ Ioannes Damascenus, Ἔκθεσις ὀρθοδόξου πίστεως, III, 25, PG 94, 1093 AB.
⁹ Ioa. 19:28.
¹⁰ Ioa. 4:7.
¹¹ Ioa. 19:30.

"Οσα περὶ τὴν ἡμετέραν σωτηρίαν οἰκονομηθῆναι ἐχρῆν, πάντα ἐτέλεσεν ὁ Χριστὸς ὡς ἄνθρωπος. Isaias 5: ,,τί ποιήσω ἔτι τῷ ἀμπελῶνι''[1] etc. Discurre. Septimum verbum: ,,πάτερ, εἰς χεῖρας σου παρατίθημι . . . .''[2]. Pudeat vos, ò perfidi Iudaei; quem enim vos cum latronibus annumerastis, et crucifixistis, patri spiritum suum commendat etc. Οὐαί, τίς οὐ κλαύσει; etc. Πῆ εἶ, ὦ προφῆτα Ἱερεμία, καὶ θρηνήσεις· ,,ἁμαρτίαν ἥμαρτεν Ἱερουσαλήμ, διὰ τοῦτο εἰς σάλον ἐγένετο· ἀκαθαρσία αὐτῆς πρὸ πυλῶν αὐτῆς, οὐκ ἐμνήσθη ἔσχατα· ἀκούσατε δή, πάντες λαοί, καὶ ἴδετε τὸ ἄλγος μου''[3].

Si durum cor vestrum sic non movetur, moveatur verbis quae beata virgo e contra stans dicebat, et quamvis à filio esset consolata, cum dixisset: ,,γῦναι, ἴδε ὁ υἱός σου''[4], non consolabatur tamen: ,,quomodo enim sine te, fili, possum consolari, videns te in cruce, à perfidis circumseptum, iniuriatum. Heu utinam morirer, gladius enim iste satis cor meum transivit''[5]. Adde et amplifica. Si duri, aspiciamus terram quae movetur dolore (quod contra naturam), petrae scinduntur, sepulchra aperiuntur, velum scinditur[6]. Tota creatura patitur, et nos erimus duri? Ploremus et gratias agamus, [148v] quod facere moveat nos ἡ εὐεργεσία. Iacob (Genesis 35), ,,surge et fac altare''[7]. Abraham ad signum gratitudinis filium immolari contentus[8]. Exodus 12, in signo gratitudinis festum. ,,Erit signum in manu tua''[9]. Multa benefficia Israël, sed vos erigite animum, fideles. Colletis maiora quae nos habemus quam Iacob, Abraham, Israël. 1. Israël à faraone, nos à tyrannide diaboli liberati. 2. Ad illud benefficium agnum immolari[10], ad nostrum Christum filium dei. 3. Ibi hostes submersit[11], hîc peccata ex

---

[1] Is. 5:4.
[2] Luc. 23:46.
[3] La. 1:8, 9, 18.
[4] Ioa. 19 : 26.
[5] Cf. Luc. 2:35.
[6] Mt. 27:51-53.
[7] Gen. 35:1.
[8] Gen. 22:1-19.
[9] Ex. 13:9.
[10] Ex. 12.
[11] Ex. 14:26-28.

sanguine. 4. Ibi aqua ex petra ¹, hîc ex costa Christi ². 5ᵐ. In deserto manna ³, hîc caro. 6ᵐ. Illa terrena, haec coelestia, ἀναμφιβόλως μεγαλήτερα. Καὶ ἐπειδὴ μεγαλήτερα, καὶ περισωτέρως εὐχαριστῆσαι χρή. Διὸ ἐγερθῶμεν, τὰς χεῖρας κροτήσωμεν, etc., et dicamus: „agimus gratias; καὶ γὰρ πολλὰ μυστήρια ἐν τῷ κόσμῳ· ἔπλασας τοὺς ἀγγέλους, τοὺς οὐρανούς, τοὺς ἀστέρας, πάντα ὁρατὰ καὶ ἀόρατα, τέλος τὸν ἄνθρωπον, δι᾽ ὃν τὰ πάντα· καὶ περὶ καλοκαγαθίας ἐν τῇ πτώσει, κατακλυσμῷ, ἐν χειρὶ Μωϋσῆ καὶ Ἀαρών, ἐν τοῖς προφήταις, καὶ τέλος ἐν τῷ υἱῷ σου τῷ μονογενεῖ. Et si vis, summe.

XXIII

[1771] 187 1601, Ἀπριλίου ιθ̄, ἐν τῷ Γιασῇ. Κυριακῇ τοῦ Θωμᾶ.

῝Ενας ἀνδρεῖος στρατιώτης καὶ φρόνιμος καπετάνιος θέλοντας νὰ ἔλθῃ εἰς πόλεμον με τὸν ἐχθρόν του, ζητεῖ παντὶ σκοπῷ νικῆσαι, καὶ ὅταν νικήσῃ, διώκῃ αὐτὸν μέχρ᾽ ὅτου καταλάβῃ, καὶ εἰ χρεία ἐπανακάμπτει πρὸς τοὺς ἰδίους, καὶ συνάγει αὐτούς, ἵνα μὴ πάλιν τὶς ἔνεδρα παρὰ τῶν ἐναντίων γένηται καὶ εἴ τις τραυματισμένος ἰᾶσθαι. Οὕτω πεποίηκεν ὁ στρατιώτης οὗτος ἀνδρεῖος καὶ σοφός, ὁ κύριος ἡμῶν Ἰησοῦς Χριστός, ὃς ἐλθὼν εἰς τὸν κόσμον ἐκ τῶν χειρῶν τοῦ διαβόλου ἐλευθερῶσαι τὸν ἄνθρωπον, παντὶ σκοπῷ ἐκεῖνον ἐζήτησεν νικῆσαι· ἐλθὼν γὰρ ἄγνωστος πολλάκι παρ᾽ αὐτοῦ ἐπειράσθη, ἔμεινεν δ᾽ ὅμως ἀεὶ ἀναμάρτητος. Ἀφ᾽ οὗ δὲ ὁ διάβολος ἄλλως πως οὐκ ἠδυνήθη προδῶσαι καὶ θανατῶσαι αὐτόν, διὰ τοῦ Ἰούδα καὶ τῶν ἀρχιερέων ἐφρόντισεν, οὗ ἐπικρατὴς γενόμενος ἔχαιρεν, ἐσκίρτα. Triumphum diaboli amplifica. Ἐξαίφνης δὲ νομίζων νενικηκέναι τὸν σωτῆρα ἡμῶν, ἡττήθη παρ᾽ αὐτοῦ, πρῶτον τὸ μέγα σκῦλλον ἐκεῖνο λαβὼν πρὸς ἑαυτὸν ὁ Χριστός, τὸν λῃστήν· „ἀμήν, ἀμήν, λέγω, σήμερον μετ᾽ ἐμοῦ ἔσῃ ἐν τῷ παραδείσῳ" ⁴· μετὰ ταῦτα εἰς ᾅδον κατελθὼν ἐδείωξεν αὐτόν, καὶ λαβὼν ἀλύτοις δεσμοῖς ἔδεισεν (Lege apud Iudam apostolum ⁵), καὶ τὰς ψυχὰς τῶν προπατώρων ἐλευθέρωσεν. Διατὶ δὲ συνεργοῦντος τοῦ δεδεμένου διαβόλου προέγνω ὁ Χριστός, πάλιν μέλλειν πολεμεῖσθαι τὴν ἐκκλησίαν, τοὺς φίλους καὶ μαθητὰς καὶ ἀποστόλους αὐτοῦ. Οἰκονομεῖ ἵνα εἰς ἓν ἅπαντες

---

¹ Ex. 17:6.
² Ioa. 19:34.
³ Ex. 16.
⁴ Luc. 23:43.
⁵ Iud. 6.

συναχθῶσι, καὶ συναχθέντας πρῶτον ὀνειδείζει ἵνα τοῦ λοιποῦ στερεώσῃ, καὶ διδάσκει πῶς πάλιν χρὴ πρὸς τὰς μεθοδίας τοῦ διαβόλου ἵστασθαι (apud Marcum [1])· καὶ τὸν Θωμᾶ τραυματισθέντα τῇ ἀπιστίᾳ ἰᾶται, etc. Dicebat ergo: „εἰρήνη ὑμῖν" [2]. Dic quod ex insperato, sicut Ioseph dixit fratribus: „ego sum vester frater Ioseph", Genesis 45 [3].

Primum quantum potes lauda pacem (narra illud Minervae et Neptuni [4]), quod elementa ad conservationem illam servant, quod parva magna facit et infirma fortia (Infer τὸν Σκύθη τὸν πελίουρον, ὃς 800 υἱοὺς [177v] ἔχων δεδεμένα τινα ξύλα ἢ βέλη, ἵνα διαρήξωσιν, ἔδωκεν· μὴ δυναμένων δὲ αὐτὸς λαβὼν ἀπ' ἑνὸς τὰ πάντα διέρηξεν, σημειῶν τὴν ὁμόνοιαν καὶ τὴν εἰρήνην αὐτοὺς πολυχρονίου ἐν τῇ δεσποτείᾳ καὶ ἀεὶ τροπαιούχους etc. [5]), quod praebet vitam. Dic quod in arca Noë ferae in pace, alias non essent plures species animalium. Et Christus apostoli ut adversus Sathanam conservarentur, ut parvam ecclesiam augerent, ut et ipsi vitam, et aliis darent, dicit: „εἰρήνη ὑμῖν" [2]. Dixit autem ter; τριχὴς enim est:

πρὸς θεόν. Primus paradiso pulsus, quia cum deo pacem non servavit. Romanos 4 et 5. Pacem habent apud deum [6], ut non regnet peccatum [7]. Εἰρήνη πολλὴ τοῖς ἀγαπῶσι" [8] etc. 'Εφεσίους 2· „ipse est pax nostra qui fecit utraque unum" [9].

πρὸς τὸν πλησίον. Acta 4: „credentium cor unum et anima una"[10]. 3 Regnorum 5, Salomon dicebat: „nunc requiem"[11] etc. Nulla tam suavis musices armonia, nulla aedificiorum pulchritudo, etc.

πρὸς ἑαυτόν. Pax cum conscientia. Isaias 57: „non est pax im-

---

[1] Mc. 16:17, 18.
[2] Ioa. 20:21, 26.
[3] Gen. 45:4.
[4] Plutarchus, Θεμιστοκλῆς, 19. „..... τὸν περὶ τῆς 'Αθηνᾶς διέδοσαν λόγον, ὡς ἐρίσαντα περὶ τῆς χώρας (sc. Atticae) Ποσειδῶνα δείξασα τὴν μορίαν τοῖς δικασταῖς ἐνίκησεν". Vide et Ovidium, Metamorphoseon VI, 70-82; Herodotum, 'Ιστορίων VIII, 55.
[5] Vide Aesopica, vol. I, ed. Ben Edwin Perry, The University of Illinois Press, Urbana 1952, Fabulae Graecae, 53, p. 342.
[6] Ro. 5:1.
[7] Cf. Ro. 5:21.
[8] Ps. 118:165.
[9] Eph. 2:14.
[10] Act. 4:32.
[11] III Regn. 5:18.

piis"¹. Sicut enim tyranno principante, legitimus rex sibi quaerit dominium, sic appetitu regnante, ratio quaerit etc., et sic pax non est. Et membra divulsa, in proprium locum donec redeant non quiescunt, etc.

Deinde ἐνεφύσησεν καὶ λέγει αὐτοῖς· „λάβετε πνεῦμα ἅγιον· ἄν τινων ἀφῆτε" ² etc. Quid hoc sibi vult „ἐνεφύσησεν"; Deus in creatione homines ἀναγινώσκομεν ὅτι ἐνεφύσησε πνοὴν ζωῆς ³. Τότε τὸ πνεῦμα εἰς ἄνθρωπον· αὐτὸ γάρ ἐστιν ἡ ψυχὴ ζῶσα. Ἄνευ ψυχῆς ὁ ἄνθρωπος οὐ λέγεται ἄνθρωπος, ὡς καὶ ἄνευ σώματος ἡ ψυχή. Τότε λοιπὸν εἰς ἄνθρω-πον· νῦν δ' ἐνεφύσησεν καὶ λέγει· „λάβετε πνεῦμα ἅγιον" ². Δῶσας τὸ πνεῦμα τὸν ἄνθρωπον θεὸν κατὰ μετοχὴν ἐποίησεν, ἵνα υἱοθετηθῇ, καὶ ἀδελφὸς λέγεται τοῦ Χριστοῦ. „Οὐκ ἐπαισχύνεται ἀδελφοὺς αὐτοὺς καλεῖν" ⁴. Καὶ οὕτω κληρονόμοι τῆς βασιλείας. 2 Petrus 1: „qui habet intra se spiritum dei deum refert" ⁵. Romanos 8: „si quis non habet in se spiritum Christi, hic non est eius" ⁶. (Lege paginam 190, in manu ⁷) [180r] 190 (à pagina 187) Καὶ λέγει· „λάβετε πνεῦμα ἅγιον" ² etc. Hîc si vis de processione ⁸. Deinde nota, quod cum ista dicebat Christus stabat in medio. Semper enim in medio loco Christus inveniebatur. Natus in medio duorum animalium; „ἐν μέσῳ δύο ζῴων γνωσθήσῃ" ⁹. Δωδεκαετὴς ἐν μέσῳ τῶν διδασκάλων εὑρίσκεται¹⁰. Διακονεῖ ἐν μέσῳ τῶν μαθητῶν¹¹. Σταυρίσται ἐν μέσῳ τῶν δύο ληστῶν¹². Ἀναστὰς ἔστη ἐν μέσῳ τῶν μαθητῶν¹³. (Stat, ὅτι θέσεως τρεῖς τρόποι, 1. κεῖσθαι, 2. καθέζεσθαι, 3. ἵστασθαι. Hoc quare stat. Tertium significat potestatem sui. Sicut qui sanus est potestatem habet suorum membrorum etc., sic Christus: „δύναμαι τὸν νάον

---

¹ Is. 57:21.
² Ioa. 20:22.
³ Gen. 2:7.
⁴ Hb. 2:11.
⁵ Cf. II P. 1:21.
⁶ Ro. 8:9.
⁷ Manus omissa in editione.
⁸ Sc. spiritus sancti.
⁹ Hab. 3:2.
¹⁰ Luc. 2:46.
¹¹ Luc. 22:27.
¹² Mt. 27:38; Mc. 15:27; Ioa. 19:18.
¹³ Luc. 24:36.

τοῦτον"¹ etc.). Ἀναληφθεὶς ἐν μέσῳ τῶν ἑπτὰ λυχνιῶν ²· Ἀποκάλυψις. Propter has causas: ᾱᵒⁿ ὅτι τὸ ξύλον τῆς ζωῆς ἐν μέσῳ τοῦ
παραδείσου ³ etc.· [180v] βᵒⁿ ἐν μέσῳ, ὅτι δίκαιος καὶ οὐ προσω-
πολήπτης. Romanos 2: „non est acceptio personarum"⁴ etc. Ideo
eandem potestatem, eandem autoritatem δίδωσι τοῖς ἀποστόλοις,
τὰς αὐτὰς κλεῖς, οὐδένα προτιμῶν. (Περὶ ἀρχῆς τῆς ἐκκλησίας).
„Εἶτα λέγει τῷ Θωμᾷ"⁵ etc. Leniter illum medicat. Lenis est
deus. 3 Regnorum 19: Eliae praecipitur quod deus est in sibilo
aurae tenuis ⁶. Ἰατρεύων αὐτὸν dicit: „φέρε τὸν δάκτυλον ὧδε"⁵ etc.
Dubitatur, quare tangi permiserit, quod negaverat Magdalenae ⁷.
Respondetur propter duas causas: prima, quia et quamvis sanctae
mulieres, non permitas ab illis tangi. Dic quod hominis voluptas
etc., καὶ ἐπλήρωσεν σάρκα ἀντ' αὐτῆς. Secunda causa: distingue de
tactu, aut κατὰ ἀπόλαυσιν, quod negavit Mariae, aut κατὰ δοκιμήν,
quod concessit Thomae. Cognovit uno tempore Thomas et 1. hominem verum et 2. deum verum, primum, quia tangit propria manu,
secundum, quia ipse seipsum à mortuis suscitavit. Et si in scriptura
Eliam et Elisaeum alios ⁸, non seipsos. Clamat: „ὁ κύριος μου καὶ ὁ
θεός μου" ⁹. Morale: pacem, fratres, amplectamini, sequamini. Et
summe.

XXIV

[72r]   68   In festo Pentecostes. Alexandriae 1602 ¹⁰.

Ἕνας ὁποῦ νὰ τάξῃ νὰ κάμῃ ἑνὸς μίαν καλοσύνην, μίαν εὐεργεσίαν,
ὥστε νὰ τὴν τελειώσῃ, πάντα ἔχει τὸ χρέος ἀπάνω του, ἔξω νὰ συνέβη
τίποτας ἐμπόδιον καθῶς ξυμβαίνει ἐν τοῖς ἀνθρωπείνοις· μηδενὸς δὲ

¹ Mt. 26:61; Ioa. 2:19.
² Ap. 2:1.
³ Gen. 2:9.
⁴ Ro. 2:11.
⁵ Ioa. 20:27.
⁶ III Regn. 19:12.
⁷ Ioa. 20:17.
⁸ III Regn. 17:22; IV Regn. 4:34; 13:21.
⁹ Ioa. 20:28.
¹⁰ 23 Maii 1602.

ξυμβάντος ὁ ὑποσχεθεὶς χρεωστεῖ, καθὰ ἐχρεώστει τῷ Ἰωσὴφ ὁ ἀρχιοινοχόος τοῦ Φαραὼ ἐξελθὼν τῆς φυλακῆς, ἀλλ' ἐπιλάθετο [1]. Ὁ δὲ κύριος ἡμῶν Ἰησοῦς Χριστὸς ἐξελθὼν τῆς φυλακῆς ταύτης, ἤγουν τοῦ κόσμου καὶ πορευθεὶς πρὸς τὸν πατέρα οὐκ ἐπιλάθετο τῆς ὑποσχέσεως τῆς πρὸς τοὺς μαθητάς, ἥτις ἦν ἡ τοῦ παναγίου πνεύματος πέμψις· ἀναληφθεὶς γὰρ ἔπεμψεν, εἰς ἐκείνων παρηγορίαν, φωτισμὸν καὶ δύναμιν, δι' ἣν εἶχον ὑπηρεσίαν, ἥτις μεγάλον ἔμελλεν αὐτοῖς παρέχειν κόπον· ὃν αἰνίττεται ἡ γραφὴ ἐν τῷ Ἐλισσαιέ, περὶ οὗ φησὶν ἡ γραφή· ,,καὶ αὐτὸς ἠροτρία ἐν βουσί, καὶ δώδεκα ζεύγη ἐνόπιον αὐτοῦ, καὶ αὐτὸς ἐν αὐτοῖς" [2]· ὅπη τὰ δώδεκα ζεύγη τοὺς ιβ ἀποστόλους· ὡς γὰρ ἐκεῖνα κοπιάζουσιν ἕλκοντα τὸ ἄροτρον, οὕτω καὶ οἱ ἀπόστολοι τὸ τῆς πίστεως ἄροτρον διὰ τὸ κήρυγμα etc. Ὅσον κόπον εἷς λίθος ἐν θεμελίῳ κείμενος, ὃς εἰ δύναιτο λαλῆσαι διηγήσαιτο θλιβερῶς πῶς ἐπ' αὐτῷ ἅπασα ἡ οἰκοδομὴ etc., οὕτως καὶ οἱ ἀπόστολοι λίθοι ὄντες καὶ θεμέλια [3]. Ὅρα δ' ὅτι λίθοι παρὰ τῷ Ἰησοῦ τοῦ Ναυή, τοὺς ἐκ μέσου τοῦ ποταμοῦ τοὺς δώδεκα λαβόντας λίθους πρεσβυτέρους [4], ὃ ἀκριβέστερον 9 Ἡσαΐας λέγων· ,,πλίνθοι πεπτώκασιν, ἀλλὰ δεῦτε λαξεύσωμεν λίθους καὶ οἰκοδομήσωμεν πύργον" [5] (quod refer tùm ad turim Babelis, tùm ad Iudaeos, qui sunt πλίνθοι, lapides autem apostoli). [72v] Super hos itaque descendit spiritus sanctus hodierno die qui dicitur Pentecostes. Narra si vis quare pentecostes.

Ad notandum quod spiritus sanctus descendit ἐν εἴδει πυρίνων γλωσσῶν [6], in quibus verbis consideratur materia et forma, ignis loco materiae, linguae loco formae. Ignis in scriptura: πῦρ κολάσεως· ,,πορεύεσθε ἀπ' ἐμοῦ οἱ κατηραμένοι εἰς τὸ πῦρ" etc. [7]· πῦρ φλέγον· ἄγγελος [8]· πῦρ ἀναλίσκον· ὁ θεός [9]· qui non solum à primo, sed à secundo differt, quia angelus non propriè πῦρ, sed φλόξ πυρός, quae φλὸξ est ἐνέργεια τοῦ στοιχίου· διάκονοι γὰρ οἱ ἄγγελοι. Descendit in igne, quia proprium ignis illuminare; sic spiritus sanctus illuminat;

---

[1] Gen. 40.
[2] III Regn. 19:19.
[3] Cf. Eph. 2:20.
[4] Ios. 4:1-8.
[5] Is. 9:9.
[6] Cf. Act. 2:3.
[7] Mt. 25:41.
[8] Ps. 103:4.
[9] Hb. 12:29.

quia proprium ignis conburere; sic spiritus sanctus peccata conburit; quia velociter agere; sic spiritus sanctus velociter; ideo ἐν ἤχῳ ¹· Ἡσαΐας 8· ,,ταχέως σκύλευσον, ὀξέως προνόμευσον'' ²· quia proprium ignis in se omnia vertere; sic spiritus sanctus si tangit publicanum, evangelistam reddit: Mathaeum; si persequutorem fidei, apostolum: Paulum; si latronem, in paradisum; si meretricem, virginem: sororem Marthae; si magos, praedicatores etc. [73r] 69 Linguae specie. Sicut ex lingua omnia mala in mundo — fac mentionem de colloquio diaboli in paradiso —, sic per linguam omnia bona, τὸ κήρυγμα. Ideo fides per auditum ³. Per linguam ἔμελλεν ἀποδιώκεσθαι πᾶσα πλάνη, etc.

XXV

[27r] 21 Προοίμιον.

Ἐμπαίνω εἰς μεγάλον ἀγῶνα ἀγαπῶντας καὶ ἐπεθυμῶντας εἰς τοῦ λόγου σας ἐκεῖνο ὁποῦ μπορεῖ νὰ εἶναι αἰώνιον καλόν σας. Οἴδατε ὅτι ἀγωνίζεται ὁ ζωγράφος ἵν' ὡραῖαν τοῖς χρώμασι καταστήσῃ τὴν εἰκόνα μοχθών, καὶ ἕκαστος εὐτρεπίζειν ἀγωνίζεται τὸν ἔξω ἄνθρωπον ἐνδύμασι. Οὕτω κἀγὼ ἵνα τὴν ὑμετέραν ψυχὴν τὴν κατ' εἰκόνα πλασθεῖσαν, ὡραῖαν, καὶ ὁμοίαν τῷ πρωτοτύπῳ ⁴, οὐ χρώμασι καὶ ἐνδύμασι, ἀλλὰ τῷ λόγῳ τοῦ θεοῦ, ὃς εὐπρέπεια καὶ κάλλος ταῖς ὑμετέραις ψυχαῖς, καὶ τὸ ποθούμενον κέρδος αἰώνιον. Εἰ τὶ ἀπεμπολίσῃς ἐν ᾧ κερδήσῃς τὸ διπλοῦν, οἴει σὲ τὶ κερδῆσαι, ἴσθι ὅτι οὐκ· οὐ γὰρ κέρδος ὁ ἀπολεῖται, κέρδος δὲ ὁ συμένει σοι αἰωνίως, οἷον δὴ τὸ ἐν Χριστῷ. Si multum das, lucraris; si parum das Christo, lucraris; si tibi nihil est quomodo des, lucraris. Mercator enim optimus est Christus, et confidit sua volentibus. Et sic vocaris mercator cum Christo, mercator Christi, quia lucraris Christum, et tale lucrum, animae lucrum, animae ornamentum, ὃν κόσμον οὐ δύναται τῇ ψυχῇ παρέχειν ὁ ἔξω πλοῦτος, ὡς ὁ ἔσω. ,,Ἀγαθός μοι ὁ νόμος τοῦ στόματός σου, ὑπὲρ χιλιάδας χρυσίου καὶ ἀργυρίου'' ⁵.

---

¹ Act. 2:2.
² Is. 8:3.
³ Ro. 10:17.
⁴ Cf. Gen. 1:26, 27.
⁵ Ps. 118:72.

XXVI

[127v]   124   Προοίμιον Κυρίλλου.

Ἕνας ἄνθρωπος ὁποῦ διὰ τὰ κακά του ἔργα, διὰ τὰς κακάς του πράξεις, εἴη ἂν ἐξορισμένος εἰς ἔρημον τόπον, ἢ εἰς σκοτεινὸν τόπον κεκλησμένος, ἀναμένοντας καὶ τέλειον θάνατον, ὅτ' ἂν ἐξαίφνης εἴθελεν ἀκούσῃ ἕνα μήνημα ὅτι πῶς ἔρχουνται νὰ τὸν ἐλευθερόσουσιν, πόσην χαράν, πόσην εὐφροσύνην πέρνει. Τέτοιαν χαρὰν ἔλαβεν ἡ φῦσις ἀνθρωπίνη, ὁπόταν διὰ τὴν ἀποστασίαν καὶ παράβασιν τῆς ἐντολῆς τοῦ θεοῦ ἐξορισθεῖσα ἀπὸ τὸν παράδεισον ἀξέφνου ἤκουσεν τὴν φωνὴν ἐκείνην τὴν προφητικήν· ,,χαῖρε σφόδρα, θύγατερ Σιών'' [1]. Χαῖρε, φῦσις, διατὶ ἔρχεται νά σε ἐλευθερώσῃ ἐκεῖνος ὁ ἴδιος ὁποῦ σε ἔπλασεν, ἐκεῖνος ὁ ἴδιος ὁποῦ σε ἐξόρισεν. Ἀληθηνὰ ἡ χαρὰ εἴττονε μεγάλη. Μεγάλη εἴττονε ἡ χάρις. Χαρὰν μεγάλην πρέπει, ἐπειδὴ ἀπολαμβάνομεν τέτοιαν χάριν, ἧς οὐκ ἦμεν ἄξιοι. Θέε βασιλεύ, γνωρίζομέν το μὲ τὸν νοῦν μας, πιστεύομεν τῇ καρδίᾳ, ὁμολογοῦμεν τοῖς χείλεσιν (στόματι). Διὸ καὶ νοΐ καὶ καρδίᾳ καὶ στόματι εὐχαριστοῦμεν λέγοντες· ,,δόξα ἐν ὑψίστοις'' etc. Διατί δὲ ἡ τοιαύτη χάρις; Δὲν εἶναι ἄλλη μόνον ἡ τοῦ κυρίου ἡμῶν Ἰησοῦ Χριστοῦ ἐν τῷ κόσμῳ ἄφιξις, καὶ γέννησις, ἣν ἡ ἐκκλησία τήμερον ἀνυμνεῖ καὶ δοξολογεῖ. Ἀνάγκη εἰδένα τί ἡ γέννησις καὶ τὰ ταύτῃ ἐπακόλουθα. Μέγας ἐστιν ὁ βυθός, μέγα τὸ πέλαγος. Ἐλπίζομεν εἰς τὴν τοῦ θεοῦ βοήθειαν καὶ θαρροῦμεν εἰς ὑμᾶς, etc.

---

[1] Za. 9:9.

INDEX BIBLICUS

INDEX OPERUM A CYRILLO LUCARI ALLATORUM

INDEX NOMINUM

QUAESTIONES DOGMATICAE

TABULA FOLIORUM MS BPG 122

111	28-29	158-159	121-123	212	85-86
114	28	164-165	100-103	213-215	129-134
115	32-33	168	123-124	404	6, 7
121	19-20	170	127-128	406	5-6
123	124-125	177	143-145	428	7
125	125-127	179-180	83-87	429	7
126-127	71-72	180	145-146	433	7
127	75, 149	181-182	87-91	487	6, 8, 9
128-144	20-54	183	88-89, 92, 94	488	9
145-148	134-143	184-187	91-100	489	9
150	127	187-199	103-119	490	8
151-152	95-97	201-203	76-80	542-543	11
156-157	119-121	211	128-129		

178